Magische praktijken

ISBN 90 414 0016 8

Vertaling: Nicolette Hoekmeijer
Oorspronkelijke titel: *Practical Magic*
Oorspronkelijke uitgever: Putnam
Omslagillustratie: Dante Gabriel Rossetti, *Proserpine* (detail)
Omslagontwerp: Robert Nix
Foto auteur: Debi Milligan

Verspreiding voor België:
Uitgeverij Westland nv, Schoten

Alice Hoffman

MAGISCHE PRAKTIJKEN

Vertaald door Nicolette Hoekmeijer

ANTHOS

Voor Libby Hodges
Voor Carol DeKnight

For every evil under the sun,
There is a remedy, or there is none.
If there be one, seek till you find it;
If there be none, never mind it.

Mother Goose

BIJGELOOF

AL MEER DAN tweehonderd jaar hebben de vrouwen van Owens de schuld gekregen van alles wat er in de stad misging. Als er een regenachtige lente aanbrak, als de koeien in de wei melk gaven waar bloed in zat, als er een veulen overleed aan koliek of een baby werd geboren met een rode moedervlek op de wang, was iedereen ervan overtuigd dat het lot op zijn minst een handje was geholpen door die vrouwen uit Magnolia Street. Het deed er niet toe wat voor ellende zich aandiende – blikseminslag, sprinkhanenplaag of dood door verdrinking. Het deed er niet toe of de situatie viel te verklaren in termen van logica, wetenschap of gewoon pech. Zodra er ook maar een spoor van tegenslag of problemen viel te bespeuren, begon men al beschuldigend in hun richting te wijzen. Het duurde niet lang of ze hadden elkaar wijsgemaakt dat het gevaarlijk was om na zonsondergang langs het huis van Owens te lopen en alleen de meest roekeloze buren durfden een blik te werpen over het zwarte smeedijzeren hek dat als een slang om de tuin lag.

In huis bevonden zich geen klokken of spiegels en op elke deur zaten drie sloten. Onder de vloerplanken en in de muren woonden muizen die ook regelmatig in de laden van de kast konden worden aangetroffen, waar ze aan de geborduurde tafelkleden en de kanten randjes van de linnen placemats knaagden. Voor de zitjes in de vensterbank en de schoorsteenmantels waren vijftien verschillende soorten hout gebruikt, waaronder goudkleurig eikehout, zilverkleurig essehout en een zeer aromatische soort kersehout die zelfs hartje winter nog de geur van rijp fruit afgaf, als van de bomen buiten niet veel meer restte dan kale, zwarte staken. Hoe stoffig de rest van het huis ook was, het houtwerk hoefde nooit opgepoetst te worden. Als je je ogen toekneep, zag je jezelf weerspiegeld in de lambrizering van de eetkamer of in de trapleuning die door je handen schoot als je de trap op rende. In alle kamers was het donker, zelfs om twaalf uur 's middags, en koel, zelfs tijdens de warme dagen van juli. Wie de moed had om op de veranda te gaan staan waar de klimop welig tierde, kon urenlang naar binnen turen zonder iets te zien. Als je naar buiten keek gold hetzelfde; de groen getinte ruit was zo oud en dik dat alles aan de andere kant een droom leek, zelfs de lucht en de bomen.

De meisjes die op zolder sliepen waren zusjes en ze scheelden maar dertien maanden. Ze werden nooit voor twaalf uur 's nachts naar bed gestuurd en er werd nooit gezegd dat ze hun tanden moesten poetsen. Niemand maakte zich er druk om of hun kleren gekreukeld waren of dat ze op straat spuugden. De meisjes mochten altijd met hun schoenen aan naar bed en ze mochten met zwarte viltstift gekke gezichten op de muur van hun slaapkamer tekenen. Als ze dat wilden mochten ze ontbijten met frisdrank of 's avonds marshmallow-taart eten. Ze mochten op het dak klimmen en in de dakgoot zitten, zo ver mogelijk naar achteren geleund om de eerste sterren te kunnen zien. Daar zaten ze dan ook tijdens winderige nachten in maart en klamme avonden in augustus, fluisterend, ruziënd over de mogelijkheid of zelfs de meest bescheiden wens ooit zou uitkomen.

De meisjes werden opgevoed door twee tantes die hun nichtjes eenvoudig niet de deur konden wijzen, hoe graag ze het misschien ook gewild hadden. De kinderen waren wezen; hun nonchalante ouders waren zo verliefd geweest dat ze geen erg hadden gehad in de rook die uit de muren kwam van het huisje dat ze voor hun tweede huwelijksreis hadden gehuurd; de kinderen hadden ze thuis gelaten met een oppas. Geen wonder dat de zusjes tijdens noodweer altijd bij elkaar in bed kropen; ze waren allebei als de dood voor onweer en zodra het in de verte begon te rommelen kwam hun stem niet meer boven gefluister uit. Als ze dan eindelijk indommelden, de armen om elkaar heen geslagen, hadden ze vaak dezelfde dromen. Er waren momenten waarop ze elkaars zin konden afmaken; in elk geval konden ze allebei hun ogen sluiten en raden in welk toetje de ander op een willekeurige dag het meeste trek had.

Maar ondanks hun verwantschap waren de zusjes qua uiterlijk en temperament totaal verschillend. Afgezien van de prachtige grijze ogen waar de vrouwen van Owens om bekend stonden, zou niemand ooit hebben geraden dat ze familie waren. Gillian was bleek en blond, terwijl Sally's haar zwart was als de vacht van de brutale katten die van de tantes in de tuin mochten struinen en hun nagels in de gordijnen van de woonkamer mochten slaan. Gillian was lui en sliep graag een gat in de dag. Ze spaarde al haar zakgeld op en huurde daarmee Sally in om haar wiskundehuiswerk te maken en haar feestjurken te strijken. Ze dronk flessen chocolademelk en at kleverige repen, terwijl ze op haar rug op de koele keldervloer lag en tevreden toekeek hoe Sally de metalen planken afstofte waar de tantes hun ingemaakte groenten en voorraden bewaarden. Gillian zat het liefst op de fluwelen kussens van het nisje in de vensterbank, boven op de overloop, waar de gordijnen van damast waren en in de hoek een steeds stoffiger wordend schilderij hing van Maria Owens, die het huis vele jaren geleden had laten bouwen. Op zomerse middagen zat ze er altijd, zo ontspannen en loom dat de motten haar voor een kussen aanzagen en op haar kwamen zitten; ze maakten piepkleine gaatjes in haar T-shirts en spijkerbroeken.

Sally, driehonderdzevenennegentig dagen ouder dan haar zus, was even consciëntieus als Gillian gemakzuchtig was. Ze geloofde iets pas als het kon worden gestaafd met feiten en getallen. Als Gillian naar een vallende ster wees, hielp Sally haar eraan herinneren dat het slechts een brok oud gesteente was, opgloeiend door zijn neerwaartse vlucht door de dampkring. Sally had altijd van aanpakken gehouden; ze had een hekel aan chaos en troep, terwijl het oude huis van de tantes in Magnolia Street daar van onder tot boven van was vergeven.

Vanaf het moment dat zij in de derde klas zat en Gillian in de tweede, bereidde Sally gezonde maaltijden van gehaktbrood met verse sperziebonen en linzensoep, waarbij ze recepten gebruikte uit *De kunst van het koken*, dat ze het huis binnen had weten te smokkelen. Elke ochtend maakte zij het lunchpakket klaar: volkorenbrood met kalkoen en tomaat en worteltjes en een paar tarwekoekjes, wat Gillian allemaal in de prullenbak kieperde zodra Sally haar bij haar lokaal had afgezet. Zij hield meer van de hamburgers en de brownies die in de kantine verkocht werden en meestal had ze genoeg kleingeld uit de zakken van de tantes bij elkaar gescharreld om te kunnen kopen waar ze trek in had.

De tantes noemden hen Dag en Nacht en hoewel geen van de meisjes om dit grapje moest lachen of er ook maar enigszins de humor van inzag, voelden ze wel dat er een kern van waarheid in zat. Veel eerder dan de meeste andere zussen zagen ze in dat de maan altijd jaloers is op de warme dag, net zoals de zon altijd naar duister en diepte zal verlangen. Ze wisten elkaars geheimen goed te bewaren; ze zwoeren plechtig elkaar nooit te verraden, al ging het om nog zulke onbenullige kwesties, zoals dat de een aan de staart van de kat had getrokken of vingerhoedskruid uit de tuin van de tantes had geplukt.

Het had heel goed gekund dat de zusjes, gezien al die verschillen, waren gaan kiften en dat ze elkaar waren gaan treiteren om dan, als ze vriendinnetjes hadden kunnen vinden, uit elkaar te groeien. Maar de andere kinderen uit de stad gingen hen uit de weg. Niemand durfde met de zussen te spelen en de meeste kinderen kruisten hun vingers als Sally en Gillian in de buurt kwamen, alsof een dergelijk gebaar hen enige bescherming kon bieden. De dapperste en brutaalste jongens liepen achter hen aan naar school, waarbij ze precies genoeg afstand hielden om zich nog snel te kunnen omdraaien en wegrennen als dat nodig mocht blijken. De jongens vonden het leuk om winterappels of stenen naar de meisjes te gooien, maar zelfs de jongens die het beste in sport waren, de kampioenen van de club, misten keer op keer als ze de zusjes Owens probeerden te raken. Elke steen en elke appel belandde voor de voeten van de meisjes.

Voor Sally en Gillian waren de dagen een aaneenschakeling van kleine vernederingen. Geen enkel kind wilde een pen of een potlood gebruiken dat net door een van de meisjes Owens was aangeraakt. Niemand wilde naast hen zitten tijdens de les of in de kantine en sommige meisjes begonnen zelfs te gillen als ze de w.c. binnenkwamen om te plassen of te roddelen of hun haren te kammen en daarbij een van de zussen tegen het lijf liepen. Met gym werden Sally en Gillian nooit in een team gekozen, al kon Gillian het hardste lopen van de hele stad en kon ze een bal over het dak van de school slaan, helemaal tot in Endicott Street. Ze werden nooit uitgenodigd voor partijtjes of bijeenkomsten van de welpen en ze mochten niet meedoen met hinkelen en bomen klimmen.

'Laat ze de kolere krijgen,' zei Gillian altijd, met haar mooie neus in de lucht, als de jongens griezelige koboldgeluiden maakten wanneer de zussen in de gangen van school voorbijkwamen, op weg naar muziek of tekenen. 'We krijgen ze nog wel. Wacht maar af. Op een dag zullen ze ons smeken bij ons thuis te mogen komen en dan lachen we ze vierkant uit.'

Soms, als ze in een erg slechte bui was, draaide Gillian zich plotseling om en riep: 'Boe'. Er was dan altijd wel een jongen die in zijn broek plaste en nog veel meer voor schut stond dan Gillian ooit had gedaan. Maar Sally had niet de moed om terug te vechten. Ze droeg donkere kleren en probeerde zo min mogelijk op te vallen. Ze deed alsof ze helemaal niet slim was en stak nooit haar hand op in de klas. Ze wist haar ware aard zo goed te verbergen dat ze na een poos aan haar eigen capaciteiten begon te twijfelen. Maar tegen die tijd was ze al veranderd in een stil muisje. Als ze in de klas al haar mond opendeed, kon ze alleen met een piepstemmetje de verkeerde antwoorden stamelen; uiteindelijk ging ze maar achter in de klas zitten, haar lippen stijf op elkaar geklemd.

Nog lieten ze haar niet met rust. Toen ze in de vierde zat stopte iemand een keer een mierennest in haar kluisje, waardoor ze wekenlang platgedrukte mieren tussen de bladzijden van haar boeken aantrof. In de vijfde legde een groepje jongens een dode muis in haar laatje. De gemeenste jongen had een papiertje op de rug van de muis geplakt. *Sali*, was er in onregelmatige letters opgeschreven, maar Sally kon niet lachen om het feit dat haar naam verkeerd was gespeld. Ze had moeten huilen om het kleine, opgekrulde lijfje met de ragfijne snorharen en de minuscule pootjes, maar toen de juf haar vroeg wat er aan de hand was, had ze alleen maar haar schouders opgehaald, alsof ze haar tong was verloren.

Op een prachtige ochtend in april, toen Sally in de zesde groep zat, liepen alle katten van de tantes achter haar aan naar school. Vanaf dat moment durfden zelfs de docenten haar niet meer in een lege gang te passeren en bedachten ze een smoes om de andere kant op te gaan. Terwijl ze zich haastig uit de voeten maakten, wierpen de docenten haar een eigenaardige glimlach toe; misschien werden ze bang als ze dat niet deden. Dat effect kunnen zwarte katten op sommige mensen hebben; ze worden helemaal trillerig en angstig, er komen herinneringen op aan donkere, griezelige nachten. De katten van de tantes waren echter helemaal niet zo angstaanjagend. Ze waren verwend en lagen altijd op de bank te slapen. Ze hadden vogelnamen, zoals Kardinaal en Kraai en Raaf en Gans. Er was een sullig jonkie dat Duif heette en een chagrijnige kater, Ekster, die naar de anderen blies om ze op afstand te houden. Het was moeilijk te geloven dat zo'n sjofel stelletje een plan had verzonnen om Sally in verlegenheid te brengen, maar toch leek dat het geval. Hoewel ze haar die dag misschien alleen maar waren gevolgd omdat ze een broodje tonijn had gemaakt voor tussen de middag, alleen voor haarzelf, want Gillian had gezegd dat ze keelontsteking had en was in bed gebleven, waar ze het grootste deel van de week zou doorbrengen, lekker met een tijdschrift en een reep chocolade, terwijl niemand zich erom bekommerde of ze op de lakens morste; het wasgoed was Sally's afdeling.

Sally had die morgen niet eens gemerkt dat de katten achter haar aan liepen, tot ze aan haar tafeltje ging zitten. Een paar van haar klasgenootjes moest lachen, maar er waren ook drie meisjes gillend op de verwarming gesprongen. Je zou denken dat er een stel duivels het lokaal was binnengekomen, maar het waren alleen maar die voddenbalen die met Sally waren meegelopen naar school. In optocht liepen ze langs tafels en stoelen, zwart als de nacht en jammerend als geesten die een sterfgeval aankondigden. Sally probeerde ze weg te jagen, maar de katten kwamen alleen maar dichterbij. Ze liepen voor haar neus heen en weer, hun staart in de lucht, op zo'n angstaanjagende toon miauwend dat de melk er zuur van had kunnen worden.

'Niet doen,' fluisterde Sally toen Ekster op haar schoot sprong en zijn nagels in haar mooiste blauwe jurk sloeg. 'Ga weg,' smeekte ze hem.

Maar zelfs toen Miss Mullins binnenkwam, met een liniaal op haar tafel sloeg en zei dat Sally maar beter kon zorgen dat die katten de klas verlieten – *toute de suite* – omdat ze anders van school gestuurd zou worden, weigerden die ellendige beesten te vertrekken. Paniek greep om zich heen en Sally's meer nerveuze klasgenootjes spraken al op fluistertoon over hekserij. Heksen werden tenslotte vaak vergezeld door een geest, een dier dat haar meest kwaadaardige bevelen moest uitvoeren. Hoe meer geesten, hoe griezeliger de bevelen, en hier stond een hele troep weerzinwekkende wezens. Een aantal kinderen was flauwgevallen; sommigen zouden de rest van hun leven een fobie voor katten houden. De gymleraar werd erbij gehaald en hij zwaaide met een bezem in de rondte, maar nog altijd wilden de katten niet vertrekken.

Een jongen achter in het lokaal, die net die ochtend een pakje lucifers van zijn vader had gejat, maakte gebruik van de chaos die in de klas was ontstaan en stak Eksters staart in brand. De lucht van de schroeiende vacht trok door het lokaal, nog voordat Ekster begon te krijsen. Sally rende op de kat af; zonder er bij na te denken ging ze op haar knieën zitten en doofde de vlammen met haar blauwe lievelingsjurk.

'Ik hoop dat jou iets heel ergs overkomt,' riep ze naar de jongen die Ekster in de fik had gestoken. Sally stond op, de kat als een baby in haar armen, haar gezicht en jurk vies van de rook. 'Dan zul je merken hoe het is,' zei ze tegen de jongen. 'Dan weet je hoe dat voelt.'

Precies op dat moment begonnen de kinderen in het lokaal boven hen met hun voeten te stampen – van pure vreugde, omdat ze net hadden gehoord dat hun dictee was opgegeten door de Engelse bulldog van de meester – en er viel een steen van geluid op het hoofd van de rotjongen. Hij kromp ineen op de vloer, zijn gezicht lijkbleek, ondanks de talloze sproeten op zijn huid.

'Dat heeft zij gedaan,' schreeuwden een paar kinderen en diegenen die niet hardop spraken, zaten met open mond en wijdopen ogen te kijken.

Sally rende de klas uit met Ekster in haar armen en de andere katten in haar kielzog. De hele weg naar huis zigzagden de katten onder en om haar voeten, door Endicott Street en Peabody Street, door de voordeur en de trap op. Ze bleven de hele middag aan Sally's slaapkamerdeur krabben, ook toen zij zichzelf daarbinnen had opgesloten.

Sally huilde twee uur lang zonder ophouden. Ze hield van de katten, dat was het punt. Ze smokkelde schoteltjes melk voor hen naar buiten en bracht ze in een nettas naar de dierenarts in Endicott Street als ze elkaar tijdens het vechten hadden opengekrabd en hun wonden ontstoken waren. Ze was dol op die ellendige beesten, vooral op Ekster, maar daarnet in de klas, waar ze zich had geschaamd als nooit tevoren, had ze met plezier gezien dat ze stuk voor stuk werden verzopen in een emmer ijswater of werden afgeschoten met een luchtbuks. Zodra ze zichzelf weer een beetje in bedwang had, ging ze naar buiten om Ekster te verzorgen en zijn staart schoon te maken en in verband te wikkelen, maar diep van binnen wist ze dat ze hem had verraden. Vanaf die dag had Sally een lagere dunk van zichzelf. Ze vroeg de tantes niet langer om gunsten, zelfs niet om de bescheiden beloningen waar ze recht op had. Sally had geen rechter met meer volharding en onbuigzaamheid kunnen vinden; ze vond dat ze was tekortgeschoten in mededogen en zelfbeheersing en voor straf moest ze zichzelf voortaan wegcijferen.

Na het incident met de katten werden Sally en Gillian meer gevreesd dan genegeerd. De andere meisjes op school plaagden hen niet langer; in plaats daarvan liepen ze snel weg als de zusjes Owens eraan kwamen, hun ogen neergeslagen. Geruchten over hekserij deden de ronde en gingen per briefje van het ene tafeltje naar het andere; op fluistertoon werden op de gang en in de w.c.'s beschuldigingen geuit. De kinderen die zelf een zwarte kat hadden, smeekten hun ouders om een ander huisdier, een collie of een cavia of zelfs een goudvis. Als het footballteam verloor of als er in het handwerklokaal een oven ontplofte, keek iedereen de zusjes Owens aan. In de pauze durfden zelfs de brutaalste jongens hen niet af te gooien met trefbal of hun kant op te spugen; niet één gooide met appels of stenen. Op slaapfeestjes en bijeenkomsten van de welpen waren er kinderen die zweerden dat Sally en Gillian je in een hypnotische trance konden brengen, zodat je als een hond begon te blaffen of zonder aarzeling van een rots sprong als zij dat wilden. Ze konden je betoveren met een enkel woord of een knik van hun hoofd. En als een van beide zussen echt kwaad was hoefde ze alleen maar de tafel van negen achterwaarts op te zeggen en je was er geweest. Je ogen zouden ineenschrompelen in je hoofd. Huid en botten zouden versmelten tot pudding. Een dag later zou je worden opgediend in de kantine van school en niemand die er ooit achterkwam.

De kinderen uit de stad konden roddelen wat ze wilden, maar feit was dat bijna alle moeders de tantes minstens één keer in hun leven hadden opgezocht. Af en toe kwam er iemand om rode-peperthee voor een opstandige maag of om oranje zijdeplant tegen de zenuwen, maar de vrouwen uit de stad wisten precies waarvoor ze het beste bij de tantes terecht konden: hun specialiteit was liefde. De tantes werden niet uitgenodigd voor etentjes of inzamelingsbijeenkomsten van de bibliotheek, maar als een vrouw uit de stad ruzie had met haar geliefde, als ze zwanger bleek van een ander of erachter kwam dat haar man een trouweloze hond was, kon je haar bij de achterdeur van Owens aantreffen; als de schemering was gevallen, op het uur waarin de schaduwen je gelaatstrekken maskeerden zodat niemand je kon herkennen onder de blauweregen, die grillige struik die al boven de deur groeide toen nog geen van de huidige inwoners van de stad was geboren.

Het maakte niet uit of een vrouw lesgaf in de vijfde groep van de lagere school of dat ze de vrouw van de dominee was of wellicht de vaste vriendin van de orthodontist uit Peabody Street. Het deed er niet toe of de mensen zweerden dat er zwarte vogels uit de lucht kwamen vallen om je ogen uit te pikken als je het huis van Owens vanuit oostelijke richting naderde. Verlangen kon mensen op wonderbaarlijke wijze ongekende moed schenken. Als je de tantes mocht geloven, kon het een volwassen vrouw onverhoeds besluipen en haar doen veranderen van een verstandig wezen in iets stompzinnigs als een vlo die steeds maar achter dezelfde hond aanzit. Als iemand eenmaal het besluit had genomen om op de achterdeur te kloppen, aarzelde ze daarna geen moment meer om bergamotthee te drinken met ingrediënten die niet eens hardop uitgesproken mochten worden, maar die nog diezelfde nacht zeker tot een bloeding zouden leiden. Ze was er dan al toe bereid om een van de tantes met een zilveren naald in de middelvinger van haar linkerhand te laten prikken, als ze daarmee haar geliefde nog één keer terug kon krijgen.

De tantes klokten als hennen wanneer er een vrouw over het arduinstenen pad kwam. Ze konden de wanhoop al op een kilometer afstand ruiken. Een vrouw die tot over haar oren verliefd was en zich ervan wilde verzekeren dat haar liefde werd beantwoord, zou zonder enig probleem afstand doen van een camee die al generaties lang in haar familie was. Een bedrogen vrouw was bereid een nog hogere prijs te betalen. Maar vrouwen die op de man van een ander aasden waren de ergsten. Ze hadden letterlijk alles voor de liefde over. Hun zenuwen waren strak gespannen, als elastiekjes, en ze hadden lak aan regels en goede manieren. Zodra de tantes zo'n soort vrouw op het tuinpad zagen, stuurden ze de kinderen direct naar zolder, ook in december als het al ruim voor half vijf begon te schemeren.

Op deze onheilspellende avonden begonnen de zusjes nooit te sputteren dat het nog te vroeg was of dat ze helemaal nog niet moe waren. Op kousevoeten slopen ze naar boven, hand in hand. Op de overloop, onder het stoffige, oude schilderij van Maria Owens, wensten de meisjes de tantes welterusten; ze gingen naar hun kamer, trokken hun nachtjapon over hun hoofd en liepen meteen door naar de achtertrap, waar ze weer naar beneden konden sluipen, hun oren tegen de muur konden drukken en het gesprek woord voor woord konden volgen. Soms, als het een uitzonderlijk donkere avond was en Gillian een dappere bui had, duwde ze met haar voet de deur op een kier, waarna Sally hem niet meer dicht durfde te doen uit angst dat hij zou kraken en ze hen zou verraden.

'Bespottelijk,' fluisterde Sally altijd. 'Wat een onzin,' luidde haar oordeel.

'Nou, dan ga je toch weer naar bed,' fluisterde Gillian terug. 'Toe dan,' spoorde ze haar aan, wetende dat Sally niets wilde missen van wat er stond te gebeuren.

Vanaf hun plek op de trap zagen de meisje het oude zwarte fornuis, de tafel en het gehaakte kleed waar de klanten van de tantes over liepen te ijsberen. Ze konden zien hoe de liefde je in haar greep kon krijgen, van top tot teen, om nog maar te zwijgen van alle lichaamsdelen daar tussenin.

Zodoende wisten Sally en Gillian dingen die de meeste kinderen van hun leeftijd niet wisten: dat het altijd goed was om afgeknipte nagels, die ooit levend weefsel van je geliefde waren geweest, te bewaren voor het geval hij het in zijn hoofd zou halen om vreemd te gaan; dat een vrouw zo naar een man kon verlangen dat ze in de gootsteen moest overgeven of zo hard moest huilen dat er bloed in haar ooghoeken verscheen.

Op avonden dat er een oranjekleurige maan aan de hemel stond en er in de keuken een vrouw zat te huilen, haakten Sally en Gillian hun pinken in elkaar en zwoeren zich nooit te laten leiden door passie.

'Jasses,' fluisterden de meisjes tegen elkaar, wanneer een klant van de tantes haar blouse omhoog schoof om de rauwe littekens te laten zien op de plek waar ze met een scheermes de naam van haar geliefde in de huid had gekerfd.

'Dat nooit,' zwoeren de meisjes en haakten hun vingers nog steviger in elkaar.

Tijdens de winter waarin Sally twaalf was en Gillian bijna elf, ontdekten ze dat het in de liefde soms het gevaarlijkste was om te krijgen waar je naar smachtte. Het was de winter waarin de tantes werden bezocht door een jonge vrouw die bij de drugstore werkte. De temperatuur was al dagen aan het zakken. De motor van de Ford-stationwagon van de tantes sputterde en weigerde aan te slaan en de banden waren vastgevroren aan de betonvloer van de garage. De muizen waagden zich niet buiten de warmte van de slaapkamermuren; de zwanen in het park pikten naar ijzige algen, maar hun maag bleef knorren. Het was zo'n koude periode en de lucht was zo kil en paars dat de meisjes huiverden als ze omhoog keken.

De klant die op een donkere avond langskwam was niet knap, maar ze stond bekend om haar vriendelijkheid en haar goede humeur. Ze bracht kerstdiners naar de bejaarden en zong in een koor met de stem van een engel en deed altijd wat extra siroop in het glas van de kinderen die een vanilla coke bestelden. Maar het onopvallende, vriendelijke meisje was zo overstuur toen ze in het schemerdonker arriveerde, dat ze in elkaar gedoken op het hand-gehaakte kleed ging liggen; ze had haar vuisten zo stevig gebald dat het haast de klauwen van een kat leken. Ze gooide het hoofd in de nek en het glanzende haar viel als een gordijn voor het gezicht; ze beet op haar lip tot het begon te bloeden. Ze werd verteerd door liefde en was al vijftien kilo afgevallen. Hierdoor leken de tantes medelijden met haar te hebben, wat zelden voorkwam. Ook al had het meisje weinig geld, ze gaven haar het krachtigste drankje dat ze hadden, met nauwkeurige aanwijzingen hoe ze de man van een ander verliefd op haar kon laten worden. Vervolgens waarschuwden ze haar dat gedane zaken geen keer nemen, dus ze moest wel zeker van haar zaak zijn.

'Heel zeker,' zei het meisje met haar mooie, rustige stem. Blijkbaar stelde dit de tantes gerust, want ze gaven haar het hart van een duif, geserveerd op een van hun mooiste schalen; zo eentje met blauwe wilgen en een rivier van tranen.

Sally en Gillian zaten in het donker op de achtertrap, hun knieën tegen elkaar aangedrukt, hun blote voeten vies. Ze rilden, maar toch grijnsden ze naar elkaar en deden op fluistertoon mee toen de tantes een spreuk opzegden die ze wel konden dromen: 'Steek ik deze speld in mijn geliefdes hart, wordt zijn toewijding mijn part. Hij kent slaap noch rust eer mijn verlangen is geblust. Pas als hij mij zijn hart heeft gegeven, keert de rust terug in zijn leven.' Gillian maakte korte steekbewegingen, net als de vrouw bij het duivenhart moest doen, zeven nachten achter elkaar voor het slapen gaan, terwijl ze de woorden herhaalde.

'Dat wordt nooit wat,' fluisterde Sally achteraf, terwijl ze op de tast de trap opliepen en door de gang naar hun kamer slopen.

'Wie weet,' fluisterde Gillian terug. 'Ze is niet mooi, maar we kunnen de mogelijkheid niet uitsluiten.'

Sally ging rechtop staan; ze was ouder en langer en wist het altijd beter. 'Dat wil ik dan weleens zien.'

Bijna twee weken hielden Sally en Gillian de vrouw met het liefdesverdriet in de gaten. Als twee privé-detectives hingen ze uren in de winkel rond en gaven al hun zakgeld uit aan cola en patat om haar te kunnen observeren. Ze achtervolgden haar als ze naar haar huis ging, een appartement dat ze deelde met een vrouw die bij de stomerij werkte. Hoe meer ze haar doen en laten natrokken, hoe meer Sally het gevoel kreeg dat ze haar privacy schonden. Maar de zussen bleven geloven dat ze belangrijk onderzoek verrichtten, hoewel Gillian niet altijd meer precies wist met welk doel.

'Heel eenvoudig,' zei Sally tegen haar. 'We moeten bewijzen dat de tantes helemaal geen geheime krachten bezitten.'

'Als de tantes de boel gewoon belazeren,' grinnikte Gillian, 'zijn wij net als ieder ander.'

Sally knikte. Ze kon onmogelijk duidelijk maken hoe belangrijk dat voor haar was, want het was haar hartewens net zoals ieder ander te zijn. 's Nachts droomde Sally van boerderijen met witte, houten hekjes en als ze dan 's morgens wakker werd en een blik wierp op de zwarte, ijzeren spijlen om hen heen, sprongen de tranen haar in de ogen. Andere meisjes, wist ze, wasten zich met lelieblanke en heerlijk geurende stukken zeep, terwijl Gillian en zij zich moesten behelpen met de zwarte zeep die de tantes twee keer per jaar op de achterste brander van het fornuis bereidden. Andere meisjes hadden vaders en moeders die geen enkele boodschap hadden aan verlangens of het lot. Geen enkel huis in de straat of in de stad had een la vol cameeën, betaald voor ingeloste verlangens.

Sally kon alleen maar hopen dat haar leven misschien minder abnormaal was dan het leek. Als de liefdes-toverformule niet werkte bij de vrouw van de drugstore, deden de tantes misschien alleen maar alsof ze bepaalde krachten bezaten. De zussen wachtten af en smeekten dat er niets zou gebeuren. En net toen het duidelijk leek dat er inderdaad niets zou gebeuren, parkeerde meneer Halliwell, het hoofd van hun school, zijn auto voor het appartement van de vrouw van de drugstore, toen het net begon te schemeren. Hij liep naar binnen alsof er niets aan de hand was, maar Sally zag hoe hij steeds achterom keek; zijn ogen waren dof, alsof hij zeven nachten niet had geslapen.

Die avond gingen de meisjes niet naar huis om te eten, al had Sally de tantes beloofd om lamskoteletjes met witte bonen te maken. De wind was opgestoken en er viel een koude regen uit de lucht; toch bleven de meisjes tegenover het appartement van de vrouw van de drugstore staan. Meneer Halliwell kwam pas na negenen weer naar buiten, met een merkwaardige blik in zijn ogen, alsof hij niet goed wist waar hij was. Hij liep zijn auto straal voorbij en pas halverwege de weg naar huis herinnerde hij zich dat hij zijn auto ergens anders had geparkeerd, waarna het hem nog bijna een uur kostte om de vergeten plek terug te vinden. Vanaf die dag verscheen hij elke avond op precies dezelfde tijd. Een keer had hij zelfs het lef om naar de zaak te komen en een cheeseburger met cola te bestellen, hoewel hij er geen hap van nam en in plaats daarvan verlangend naar de vrouw staarde die hem had weten te betoveren. Hij nam plaats op de eerste de beste barkruk, zo opgewonden en verliefd dat het linoleum van de bar begon te bobbelen op de plek waar hij met zijn ellebogen steunde. Toen hij Sally en Gillian na lange tijd in het oog kreeg, sommeerde hij de zussen terug te gaan naar school en pakte hij de cheeseburger, maar nog altijd kon hij zijn ogen niet van de vrouw afhouden. Hij was ten prooi gevallen aan de liefde, dat leed geen twijfel; de tantes hadden hem niet trefzekerder kunnen raken met een pijl en boog.

'Toeval,' hield Sally vol.

'Ik betwijfel het.' Gillian haalde haar schouders op. Iedereen kon zien dat de vrouw van de winkel straalde, terwijl ze sorbets klaarmaakte of recepten voor antibiotica en hoestsiroop in ontvangst nam. 'Ze heeft wat ze wilde. Hoe het ook komt.'

Maar later bleek dat de vrouw niet precies had wat ze wilde. Ze keerde terug naar de tantes, nog meer van streek dan eerst. Liefde was één ding, trouwen was een tweede. Meneer Halliwell wist namelijk niet zeker of hij wel bij zijn vrouw weg wilde.

'Volgens mij kun je maar beter niet kijken,' fluisterde Gillian tegen Sally.

'Hoe weet jij dat?'

De meisjes fluisterden in elkaars oor; ze waren bang, wat ze eigenlijk nooit waren als ze vanaf de veilige trap naar binnen gluurden.

'Ik heb het een keer gezien.' Gillian zag uitzonderlijk wit; haar blonde haar hing als een wolk om haar gezicht.

Sally schoof een stukje bij haar zus vandaan. Ze begreep nu wat mensen bedoelden als ze zeiden dat bloed in ijs kon veranderen. 'Zonder mij?'

Gillian ging vaak zonder haar zus naar de achtertrap om zichzelf op de proef te stellen, om te kijken hoe onbevreesd ze was. 'Ik dacht dat je het niet wilde zien. Soms doen ze echt de gruwelijkste dingen. Daar kun jij niet tegen.'

Na die opmerking moest Sally wel naast haar jongere zus op de trap blijven zitten, al was het maar om te bewijzen dat ze het durfde. 'We zullen wel eens zien wie ertegen kan en wie niet,' fluisterde ze.

Maar Sally zou nooit zijn gebleven – ze zou naar haar kamer zijn gevlogen en de deur hebben vergrendeld – als ze had geweten wat er voor afschuwelijks moest gebeuren om een man zover te krijgen dat hij met een vrouw trouwde, terwijl hij dat aanvankelijk niet wilde. Ze deed haar ogen dicht toen ze de treurduif binnenbrachten. Ze drukte haar handen tegen haar oren om het gekrijs niet te hoeven horen, toen ze haar op het aanrecht legden. Ze zei tegen zichzelf dat ze lamskoteletjes had gemaakt en kip had gebraden, en dat dit eigenlijk net zoiets was. Maar toch at Sally vanaf die dag geen vlees, gevogelte of zelfs maar vis en de rillingen liepen haar over de rug als ze in de bomen een troep mussen of winterkoninkjes zag zitten, die ergens van schrokken en opvlogen. Lange tijd pakte ze de hand van haar zus vast als de lucht donkerder werd.

De hele winter zagen Sally en Gillian de vrouw van de drugstore samen met meneer Halliwell. In januari ging hij scheiden om met haar te trouwen en ze namen hun intrek in een wit huisje op de hoek van Third Street en Endicott Street. Toen ze eenmaal getrouwd waren, waren ze altijd samen.

Waar de vrouw ook ging, naar de markt of naar haar gymclubje, meneer Halliwell ging met haar mee, als een goed afgerichte hond die niet aan de lijn hoeft. Zodra de school uit was ging hij naar de drugstore; hij kwam op de gekste tijden langs, met een handvol viooltjes of een doos nougat, en soms hoorden de zussen hoe zijn kersverse vrouw tegen hem uitviel, ondanks alle cadeaus. Was het zo erg om haar één tel uit het oog te verliezen? Dat snauwde ze haar geliefde toe. Kon hij haar niet één tel met rust laten?

Tegen de tijd dat de blauweregen weer in bloei stond, het jaar erop, kwam de vrouw van de drugstore terug. Sally en Gillian waren in de tuin aan het werk, in het schemerdonker, en plukten lente-ui voor een vegetarische stoofschotel. De wilde tijm achter in de tuin begon al zijn heerlijke geur te verspreiden, zoals altijd in dit jaargetijde, en de rozemarijn was al minder dof en teer dan eerst. Het was zo'n vochtige periode dat de muggen al volop in de aanval waren en Gillian op de bulten sloeg die zich op haar huid hadden gevormd. Sally moest aan haar mouw trekken om haar erop te attenderen wie er over het stenen pad liep.

'Uh-oh,' zei Gillian. Ze hield op zichzelf te slaan. 'Wat ziet ze eruit.'

De vrouw van de drugstore zag er niet langer fris uit, ze leek een oude vrouw. Haar haar glansde niet meer en haar mond had een merkwaardige vorm, alsof ze in iets bitters had gebeten. Ze wreef haar handen over elkaar; misschien omdat haar huid droog was, maar waarschijnlijk gewoon omdat ze op was van de zenuwen. Sally pakte de tenen mand met uitjes op en zag hoe de klant van de tantes op de achterdeur klopte. Toen er niet open werd gedaan, bonsde ze tegen het hout, uitzinnig, woedend. 'Doe open,' schreeuwde ze keer op keer. Ze bleef maar bonzen en het geluid galmde na, onbeantwoord.

Toen de vrouw de zussen in het oog kreeg en de tuin in liep, werd Gillian lijkbleek en klampte zich aan haar zus vast. Sally bleef roerloos staan omdat ze goed beschouwd toch nergens heen kon. De tantes hadden de schedel van een paard aan het hek genageld om de buurtkinderen, die het op hun aardbeien en mint hadden voorzien, op afstand te houden. Sally merkte dat ze in stilte hoopte dat hij ook kwade geesten op afstand zou houden, want daar had de vrouw van de drugstore veel van weg toen ze op hen af kwam stormen, in de tuin waar zo vroeg in het voorjaar al een overvloed aan lavendel, rozemarijn en knoflook groeide, terwijl de meeste tuinen in de buurt nog dor en kaal waren.

'Kijk nou wat ze me hebben aangedaan,' huilde de vrouw van de drugstore. 'Hij laat me geen seconde alleen. Hij heeft alle sloten verwijderd, zelfs die van de w.c. Ik kan niet slapen en niet eten omdat hij me constant zit aan te staren. Hij wil voortdurend neuken, ik ben van buiten en van binnen helemaal beurs.'

Sally deed twee stappen achteruit en struikelde bijna over Gillian, die zich nog altijd aan haar vastklampte. Dit was niet de manier waarop mensen gewoonlijk tegen kinderen spraken, maar het kon de vrouw van de drugstore blijkbaar gestolen worden wat wel en niet hoorde. Sally zag dat haar ogen rood waren van het huilen. Ze had een kwaadaardige trek om haar mond, alsof er alleen maar nare woorden van haar lippen konden rollen.

'Waar zijn de heksen die me dit hebben aangedaan?' zei de vrouw.

De tantes stonden achter het raam en zagen wat begerigheid en domheid met een mens kunnen doen. Treurig schudden ze het hoofd toen Sally een blik in de richting van het raam wierp. Ze wilden geen verdere bemoeienis met de vrouw van de drugstore. Sommige mensen laten zich niet behoeden voor het ongeluk. Je kunt het proberen, je kunt ze op alle gevaren wijzen, maar ze zetten toch hun eigen zin door.

'Onze tantes zijn op vakantie,' zei Sally met een bibberig, ongeloofwaardig stemmetje. Ze had nog nooit eerder gelogen en het liet een zwarte smaak achter in haar mond.

'Ga ze halen,' schreeuwde de vrouw. Ze was niet langer de vrouw die ze ooit was geweest. Bij koorrepetities begon ze tijdens haar solo's te huilen en moest naar de parkeerplaats geleid worden, omdat ze anders het hele programma in de war zou sturen. 'Nu meteen of ik sla je tot moes.'

'Laat ons met rust,' zei Gillian vanaf haar veilige plek achter

Sally's rug. 'Anders spreken we een vloek over je uit.'

Toen de vrouw van de drugstore dat hoorde, knapte er iets in haar. Ze wilde Gillian pakken en zwaaide een arm naar voren. Maar ze raakte Sally en sloeg haar zo hard dat Sally achteruit deinsde en de rozemarijn en het ijzerhard vertrapte. Achter het vensterglas spraken de tantes de woorden uit die ze als kind hadden geleerd om de kippen rustig te krijgen. Een hok vol bruin-witte scharminkels die nooit meer kakelden toen de tantes met ze klaar waren; feitelijk was het aan hun stilzwijgen te danken dat ze in het holst van de nacht door zwerfhonden werden meegenomen.

'Oh,' zei Gillian toen ze zag wat er met haar zus was gebeurd. Op Sally's gezicht werd een bloedrode vlek zichtbaar, maar het was Gillian die begon te huilen. 'Ellendig mens,' zei ze tegen de vrouw van de drugstore. 'Kreng!'

'Heb je me niet gehoord? Haal je tantes!' Tenminste, dat was wat de vrouw van de drugstore probeerde te zeggen, maar niemand hoorde ook maar een woord. Er kwam geen geluid over haar lippen. Geen schreeuw of gil en al helemaal geen verontschuldiging. Ze bracht een hand naar haar keel, alsof iemand haar probeerde te wurgen, maar in werkelijkheid werd ze verstikt door alle liefde waar ze zo naar had verlangd. Sally keek naar de vrouw, naar haar gezicht dat wit was van angst. Naar later bleek zou de vrouw van de drugstore nooit meer een woord zeggen, hoewel ze soms nog wel schelle geluidjes voortbracht die veel weghadden van het koeren van een duif. Of, als ze echt buiten zinnen was, een schril gepiep dat deed denken aan het paniekerige geluid van kippen die achterna gezeten worden om eerst in een mand en vervolgens in de pan gestopt te worden. Haar vriendinnen van het koor treurden om het verlies van haar prachtige stem, maar na verloop van tijd begonnen ze haar te mijden. Haar rug was helemaal krom, als van een kat die op gloeiende kolen is gestapt. Ze kon geen vriendelijk woord horen, zonder haar handen tegen haar oren te drukken en met haar voeten op de grond te stampen, als een verwend kind.

De rest van haar leven zou ze achtervolgd worden door een man die te veel van haar hield, zonder dat zij hem kon zeggen dat hij moest ophoepelen. Sally wist dat de tantes de deur voorgoed voor deze klant gesloten zouden houden, al kwam ze duizend keer terug. Deze vrouw had het recht verspeeld om ooit nog iets te vragen. Wat had ze gedacht, dat de liefde een lolletje was, een aardigheidje, een prettig tijdverdrijf? Echte liefde was gevaarlijk, het trof je in je binnenste en beet zich vast en als je het niet snel genoeg losliet, was je bereid om er alles voor te doen. Als de vrouw van de drugstore verstandig was geweest, had ze in de eerste plaats een tegengif gevraagd en geen toverformule. Tenslotte had ze datgene gekregen waar ze om had gevraagd en al had zij er misschien nog steeds niets van geleerd, iemand anders in de tuin had dat wel. Er was een meisje dat genoeg wist om naar binnen te gaan en de deur driemaal achter zich op slot te draaien, en niet één traan te vergieten tijdens het snijden van de uien, die zo scherp waren dat ieder ander er de hele nacht van had moeten huilen.

Eén keer per jaar, op midzomeravond, vond een mus zijn weg naar het huis van Owens, en hoe iedereen ook zijn best deed om het te voorkomen, de vogel wist altijd binnen te dringen. Of ze nou schoteltjes met zout in de vensterbanken zetten en een klusjesman in de arm namen om de goot en het dak te repareren, de vogel kwam toch wel binnen. Hij drong het huis binnen als het begon te schemeren, in het uur der smarten. Hij kwam altijd in stilte, maar met een vastberadenheid waar zout noch bakstenen tegen opgewassen waren, alsof het arme dier niet anders kon dan neerstrijken op de gordijnen en de stoffige kandelaar met glasdruppels als tranen.

De tantes hielden hun bezem in de aanslag, klaar om de vogel het huis uit te jagen, maar de mus zat te hoog om zich te laten pakken. Terwijl hij door de eetkamer vloog, waren de zussen aan het tellen, want ze wisten dat drie rondjes een voorbode was van tegenspoed, en hij vloog altijd drie rondjes. Tegenspoed was natuurlijk niets nieuws voor de zusjes Owens, zeker niet toen ze jong waren. Zodra ze op de middelbare school zaten liepen de jongens, die hen al die jaren hadden gemeden, plotseling als hondjes achter Gillian aan. Het kon gebeuren dat ze naar de supermarkt ging om een blik erwtensoep te halen en bij thuiskomst verkering had met de jongen die de diepvriesvakken vulde. Hoe ouder ze werd, hoe ernstiger vormen het begon aan te nemen. Misschien glansde haar huid zo door de zwarte zeep waar ze zich mee waste; hoe het ook kwam, ze was vurig en viel iedereen op. Jongens keken haar aan en werden zo duizelig dat ze naar de eerste hulp moesten voor een stoot zuurstof of een extra litertje bloed. Mannen die gelukkig getrouwd waren, oud genoeg om haar vader te kunnen zijn, haalden het in hun hoofd om haar ten huwelijk te vragen en haar gouden bergen te beloven, of in elk geval hun versie daarvan.

Als Gillian een korte rok droeg veroorzaakte ze aanrijdingen in Endicott Street. Honden die met dikke kettingen aan hun hok waren verankerd, vergaten te grommen en te blaffen als zij voorbijkwam. Op een bloedhete Memorial Day liet Gillian haar haar zo kort knippen als dat van een jongen en bijna alle meisjes uit de stad volgden haar voorbeeld. Maar geen van allen wisten ze een verkeersopstopping te veroorzaken door hun mooie nek te laten zien. Geen van allen konden ze met hun stralende glimlach een voldoende halen voor biologie of maatschappijleer, zonder ook maar één proefwerk te maken of één avond aan hun huiswerk te besteden. In de zomer waarin Gillian zestien werd, bracht het complete footballteam van de universiteit elke zaterdag in de tuin van de tantes door. Daar zaten ze dan, keurig op een rijtje, onbeholpen, zwijgzaam en tot over hun oren verliefd. Ze trokken onkruid uit tussen de rijen nachtschade en ijzerhard en vermeden met zorg de sjalotjes, die zo scherp waren dat elke jongen die niet goed oplette de huid van zijn vingers voelde wegschroeien.

Gillian brak harten zoals andere mensen takken in stukken braken om als aanmaakhout te gebruiken. Aan het eind van de middelbare school was ze er zo rap en gewiekst in dat sommige jongens niet eens doorhadden wat er aan de hand was, tot ze opeens niet meer wisten waar ze het moesten zoeken van ellende. Als je alle problemen die de meeste meisjes in hun tienerjaren tegenkwamen bij elkaar optelde en het geheel zo'n vierentwintig uur liet inkoken, hield je iets over ter grote van een Snickers. Maar als je alle problemen bij elkaar nam die

Gillian Owens over zich afriep, om nog maar te zwijgen van al het verdriet dat ze veroorzaakte, kreeg je een kleverige massa ter hoogte van het State House in Boston.

De tantes maakten zich absoluut geen zorgen over Gillians reputatie. Het kwam niet bij hen op haar te verbieden uit te gaan of om eens een hartig woordje met haar te wisselen. Toen Sally haar rijbewijs had gehaald, gebruikte ze de stationwagon om boodschappen te doen en afval naar de vuilstortplaats te brengen; maar zodra Gillian kon rijden vertrok ze elke zaterdagavond met de auto en kwam pas tegen zonsopgang weer terug. De tantes hoorden Gillian de voordeur binnen sluipen; ze vonden bierflesjes in het handschoenenvakje van de Ford. Zo zijn meisjes nou eenmaal, was de visie van de tantes, en dat gold al helemaal voor een meisje van Owens. De enige raad die de tantes haar gaven was dat een baby eenvoudiger te voorkomen dan op te voeden was en zelfs Gillian, roekeloos als ze was, zag wel in dat daar een grond van waarheid in zat.

Het was Sally waar de tantes zich zorgen om maakten. Sally, die elke avond voedzame maaltijden bereidde en vervolgens de afwas deed; Sally, die op dinsdag naar de markt ging en op donderdag de was buiten hing, zodat de lakens en de handdoeken lekker fris roken. De tantes probeerden haar aan te sporen om minder braaf te zijn. Naar hun mening was goedheid geen deugd maar een gebrek aan ruggegraat, angst vermomd als deemoed. De tantes vonden dat er belangrijker dingen waren om je druk over te maken dan stofnesten onder het bed of bladeren op de veranda. De vrouwen van Owens hadden lak aan conventies; ze waren koppig en eigenzinnig en dat was ook de bedoeling. Nichten die gingen trouwen hadden er altijd op gestaan hun eigen naam te houden en ook hun dochters heetten Owens. Vooral de moeder van Gillian en Sally, Regina, was moeilijk in toom te houden geweest. De tantes moesten hun tranen bedwingen als ze eraan dachten hoe Regina 's avonds, als ze te veel whisky had gedronken, op haar kousen over de balustrade van de veranda had gelopen, de armen gestrekt om haar evenwicht te bewaren. Ze was misschien roekeloos, maar Regina wist wel te genieten, een gave waar de vrouwen van Owens trots op waren. Gillian had de wilde haren van haar moeder, maar Sally wist niet eens wat plezier maken betekende.

'Ga toch eens uit,' drongen de tantes aan als ze op zaterdagavond met een bibliotheekboek op de bank lag. 'Ga wat leuks doen,' suggereerden ze met hun iele, schelle stemmen die de slakken uit de tuin konden verjagen, maar Sally niet van de bank wisten te verdrijven.

De tantes probeerden Sally te helpen om wat meer vrienden te maken. Ze haalden jongens binnen zoals andere oude dametjes zwerfkatten binnenhaalden. Ze plaatsten advertenties in universiteitsblaadjes en belden met studentenverenigingen. Elke zondag hielden ze een tuinfeest met belegde broodjes en flesjes bier, maar Sally bleef onverstoorbaar op haar metalen klapstoel zitten, haar benen over elkaar geslagen, haar gedachten elders. De tantes kochten roze lippenstift en badzout uit Spanje voor haar. Ze bestelden feestjurken en kanten slipjes en zachte, suède laarsjes bij een postorderbedrijf, maar Sally gaf alles aan Gillian, die wel raad wist met die cadeaus, en kroop zelf op zaterdagavond weer achter een boek, zoals ze op donderdag de was bleef doen.

Dat betekent niet dat Sally geen pogingen deed om verliefd te worden. Ze was verstandig en diepzinnig en kon zich ongekend goed concentreren. Een tijdlang nam ze elke uitnodiging aan voor de film, een feestje of een wandeling rond de vijver in het park. Jongens die op de middelbare school iets met Sally hadden, waren verbijsterd dat ze zich zo lang op een enkele kus kon concentreren en vroegen zich af waar ze nog meer toe in staat zou zijn. Twintig jaar later dachten velen van hen nog aan haar op ongepaste momenten, maar zij had voor geen van allen ooit iets gevoeld en kon zelfs hun namen niet onthouden. Ze ging nooit twee keer met dezelfde jongen uit, want dat leek haar niet eerlijk en destijds geloofde ze nog in zaken als eerlijkheid, zelfs in kwesties die zo vreemd en ongebruikelijk waren als de liefde.

Terwijl Sally zag hoe Gillian de halve stad afwerkte, vroeg ze zich af of ze misschien een brok graniet had op de plek waar haar hart hoorde te zitten. Maar tegen de tijd dat de zussen van de middelbare school kwamen, was het duidelijk dat Gillian wel voor iemand kon vallen, maar nooit langer dan twee weken bleef liggen. Sally begon te denken dat ze beiden evenzeer vervloekt waren en gezien hun achtergrond en opvoeding was het ook geen wonder dat de zussen zo weinig geluk hadden. De tantes hadden namelijk nog steeds de foto's op hun bureau staan van de mannen waar zij ooit van hadden gehouden, twee broers die te trots waren geweest om te gaan schuilen toen het tijdens een picknick plotseling begon te onweren. De mannen werden ter plekke door de bliksem getroffen en lagen nu begraven onder een gladde, ronde steen; bij zonsopkomst en zonsondergang kwamen de treurduiven er bij elkaar. Elk jaar in augustus sloeg op diezelfde plek opnieuw de bliksem in en jongeren die verliefd waren daagden elkaar uit om over het grasveld te rennen als de zwarte donderwolken aan de hemel verschenen. Gillians vriendjes waren de enigen die het zo te pakken hadden dat ze het risico namen om getroffen te worden. Twee van hen belandden na hun spurt over het grasveld in het ziekenhuis. De rest van hun leven bleef hun haar recht overeind staan en hielden ze wijdopengesperde ogen, zelfs in hun slaap.

Toen Gillian achttien jaar was bleef ze drie maanden verliefd, lang genoeg om te besluiten stiekem in Maryland te gaan trouwen. Ze moest wel weglopen omdat de tantes geen toestemming wilden geven. Naar hun oordeel was Gillian jong en naïef en zou ze in recordtijd zwanger zijn – alle vereisten voor een ellendig en burgerlijk bestaan. Naar later bleek, hadden de tantes het alleen bij het rechte eind wat betreft naïviteit en leeftijd. Gillian had geen tijd om zwanger te worden – twee weken na het huwelijk liet ze haar man in de steek voor de monteur die hun Toyota had gerepareerd. Dat was het begin van een aaneenschakeling van huwelijkse drama's; op de avond dat ze wegliep leek alles echter binnen handbereik, zelfs geluk. Sally hielp mee witte lakens aan elkaar te knopen, zodat Gillian kon ontsnappen. Sally vond haar zus hebzuchtig en egoïstisch; Gillian vond Sally pedant en een tutje, maar ze bleven zussen. En nu hun wegen zich gingen scheiden stonden ze samen voor het open raam, omhelsden elkaar, huilden en zweerden dat ze slechts voor korte tijd uit elkaar zouden gaan.

'Ging je maar met ons mee.' Gillian sprak op fluistertoon, net als tijdens het onweer.

'Je hoeft niet te gaan,' had Sally gezegd. 'Als je het niet zeker weet.'

'Ik heb mijn buik vol van de tantes. Ik wil nu wel eens echt leven. Ik wil ergens naartoe waar niemand ooit van de vrouwen van Owens heeft gehoord.' Gillian droeg een korte witte jurk, die ze steeds langs haar dijen naar beneden moest trekken. In plaats van te huilen, rommelde ze in haar tas tot ze een verfrommeld pakje sigaretten had gevonden. Beide zussen knipperden met hun ogen toen ze de lucifer aanstak. Ze stonden in het donker en keken naar de oranje gloed van de sigaret toen Gillian inhaleerde. Sally zei er niet eens wat van toen er hete as op de grond viel die ze eerder die dag had geveegd.

'Beloof me dat je hier niet blijft wonen,' zei Gillian. 'Dan verkreukel je als een stuk papier. Je vergooit je leven.'

Beneden in de tuin begon de jongen waar Gillian mee weg zou lopen, zenuwachtig te worden. Gillian was weleens teruggekrabbeld als het echt menens werd; sterker nog, ze stond erom bekend. Alleen al dat jaar waren drie studenten er stuk voor stuk van overtuigd geweest dat Gillian met hen wilde trouwen, en ze hadden haar allemaal een gouden ring gegeven. Gillian had een poosje drie ringen aan een gouden kettinkje gedragen, maar uiteindelijk had ze ze allemaal teruggegeven; in één en dezelfde week had ze een hart gebroken in Princeton, Providence en Cambridge. De andere leerlingen uit haar klas sloten er weddenschappen op af met wie ze naar het eindbal zou gaan, aangezien ze al maanden uitnodigingen van diverse aanbidders had aangenomen en weer afgeslagen.

De jongen in de tuin, die binnen afzienbare tijd Gillians eerste echtgenoot zou worden, gooide steentjes op het dak en de echo klonk als een hagelstorm. De zussen sloegen hun armen om elkaar heen; ze hadden het gevoel alsof het lot hen oppakte, door elkaar schudde en twee tegenovergestelde richtingen op stuurde. Pas jaren later zouden ze elkaar weer zien. Tegen die tijd zouden ze volwassen vrouwen zijn, te oud om elkaar geheimen toe te fluisteren of midden in de nacht op het dak te klimmen.

'Ga met ons mee,' zei Gillian.

'Nee,' zei Sally. 'Uitgesloten.' Over bepaalde aspecten van de liefde was ze heel zeker. 'Weglopen kun je alleen maar met z'n tweeën doen.'

Er vielen tientallen steentjes op het dak; er stonden duizenden sterren aan de hemel.

'Ik zal je zo missen,' zei Gillian.

'Toe dan,' zei Sally. Zij was de laatste die haar zus zou weerhouden. 'Ga nou maar.'

Gillian sloot Sally nog één keer in haar armen en verdween toen door het raam. Ze hadden de tantes gerstesoep met een flinke scheut whisky voorgezet en de oude vrouwen waren op de bank in slaap gevallen. Ze hoorden niets. Maar Sally hoorde haar zus over het stenen pad rennen. Ze huilde de hele nacht en dacht steeds voetstappen te horen, terwijl buiten alleen de padden in de tuin zich verroerden. De volgende ochtend ging Sally vroeg naar buiten om de witte lakens binnen te halen die Gillian op een hoopje naast de blauweregen had achtergelaten. Waarom was Sally degene die altijd thuisbleef om de was te doen? Wat kon het haar schelen dat er moddervlekken in de stof zaten en het laken nu gebleekt moest worden? Ze had zich nog nooit zo eenzaam en alleen gevoeld. Had ze nog maar kunnen geloven in de genezende werking van de liefde; maar in haar was het verlangen stukgeslagen. Ze zag begeerte als een obsessie, hartstocht als een verhitte preoccupatie. Ze wilde dat ze nooit de trap af was geslopen om te luisteren hoe de klanten de tantes smeekten hen te helpen en zichzelf voor gek zetten, want dat had er alleen maar toe geleid dat ze immuun was geworden voor de liefde en als ze eerlijk was, dacht ze dat ze waarschijnlijk nooit zou veranderen.

Gedurende twee jaar kwam er zo nu en dan een kaartje van Gillian, met alle-liefs en was-je-ook-maar-hier, maar zonder adres van de afzender. Het was een periode waarin Sally nauwelijks nog hoop had dat haar leven zich eens zou ontpoppen tot iets anders dan maaltijden bereiden waar de tantes geen trek in hadden en een huis schoonhouden waar het houtwerk nooit gepoetst hoefde te worden. Ze was eenentwintig jaar; de meeste meisjes van haar leeftijd waren bezig hun opleiding af te ronden of opslag los te peuteren, zodat ze een eigen flatje konden betrekken, maar het meest opwindende wat Sally deed was naar de winkel met huishoudelijke artikelen lopen. Soms had ze er bijna een uur voor nodig om een keuze te maken tussen de diverse schoonmaakmiddeltjes.

'Wat denk je? Wat zou het beste zijn voor de keukenvloer?' vroeg ze aan de winkelbediende, een knappe jongen die zo in de war raakte van die vraag dat hij maar op de Lysol wees. De jongen was één meter vijfennegentig, waardoor Sally nooit de blik in zijn ogen kon zien als hij haar vertelde waar ze het schoonmaakmiddel in kwestie kon vinden. Als ze wat langer was geweest of op het trapje was gaan staan dat werd gebruikt om de schappen bij te vullen, had Sally kunnen zien hoe de mond van de jongen altijd openhing als hij naar haar keek; alsof er woorden waren waarvan hij hoopte dat ze als vanzelf naar buiten zouden rollen en duidelijk zouden maken wat hij niet durfde te zeggen.

Als ze terugkwam van de winkel, schopte Sally tegen steentjes. Er kwam een hele zwerm zwarte vogels achter haar aan, krijsend en kauwend omdat ze zo lachwekkend was. Hoewel Sally telkens ineenkromp als de vogels over haar heen vlogen, was ze het met hen eens. Haar toekomst leek vast te liggen. Ze zou tot in lengte van dagen vloeren schrobben en de tantes naar binnen roepen op middagen dat het te kil en te klam was om op handen en voeten in de aarde te zitten. De dagen gingen steeds meer op elkaar lijken, ze waren haast inwisselbaar; Sally merkte nauwelijks verschil tussen winter en lente. De zomer in huize Owens had echter een geheel eigen karakter – de afschuwelijke vogel die hun rust kwam verstoren – en toen de midzomernacht zich weer aandiende waren Sally en de tantes klaar voor hun ongenode gast, net als elk ander jaar. Ze zaten in de eetkamer te wachten tot de mus zou verschijnen, maar er gebeurde niets. De uren verstreken – ze hoorden de klok in de woonkamer tikken – maar nee, geen gast, geen gefladder, geen veren. Sally, die als de dood was voor vogels in de lucht, had een doekje om haar hoofd geknoopt, maar zag nu in dat dat niet nodig was. Er kwam geen vogel door het raam, noch door het gat in het dak dat de klusjesman niet had kunnen vinden. Hij kwam geen drie rondjes vliegen als voorbode van tegenspoed. Hij tikte zelfs niet tegen het raam met zijn kleine, spitse snaveltje.

Verwonderd keken de tantes elkaar aan. Maar Sally moest hardop lachen. Zij, die zo gebrand was op feiten, had net duidelijk het bewijs in handen gekregen: de dingen veranderden. Ze verschoven. Het ene jaar verliep niet precies zoals het volgende en het daaropvolgende en daaropvolgende. Sally rende het huis uit en bleef rennen tot ze bij de winkel voor huishoudelijke artikelen was en tegen de man opbotste waar ze mee zou trouwen. Zodra ze hem aankeek werd Sally duizelig en moest even op de stoeprand gaan zitten om niet flauw te vallen, haar hoofd tussen haar knieën. De winkelbediende, die alles wist van het schrobben van vloeren, ging naast haar zitten, hoewel zijn baas hem toeschreeuwde dat hij weer aan het werk moest omdat er een hele rij klanten bij de kassa stond.

De man waar Sally verliefd op werd, heette Michael. Hij was zo attent en vriendelijk dat hij de tantes een kus gaf toen hij hen voor het eerst ontmoette en meteen vroeg of hij de vuilniszak buiten moest zetten, waardoor ze hem ogenblikkelijk en onvoorwaardelijk in hun hart sloten. Sally trouwde al snel met hem en ze namen hun intrek op zolder; plotseling leek dat de enige plek ter wereld waar Sally wilde wonen.

Gillian moest vooral van Californië naar Memphis verhuizen, als ze dat wilde. Ze moest vooral drie keer achter elkaar trouwen en weer scheiden. Ze moest vooral iedere man zoenen die haar pad kruiste en elke belofte die ze ooit had gedaan om met de kerstdagen thuis te komen, breken. Ze moest vooral medelijden hebben met haar zus, die in dat oude huis zat opgesloten. Het liet Sally koud. In Sally's ogen was het onmogelijk om op deze aarde te leven zonder verliefd op Michael te zijn. Zelfs de tantes waren gespitst op zijn fluitje als hij 's avonds uit de winkel kwam. In het voorjaar spitte hij de tuin om voor de tantes. In de winter deed hij de luiken voor de ramen en vulde de scheuren rond de doffe, oude vensters met stopverf. Hij haalde de oude Ford stationwagon uit elkaar en zette hem vervolgens weer in elkaar, en de tantes waren daar zo van onder de indruk dat ze hem de auto schonken, samen met hun onwankelbare liefde. Hij was zo verstandig om uit de keuken te blijven, met name wanneer het begon te schemeren. En al viel het hem misschien op dat er vrouwen bij de achterdeur stonden, hij vroeg Sally er nooit naar. Zijn kussen waren teder en intens en hij vond het leuk om Sally uit te kleden bij het licht van het leeslampje. Bovendien zorgde hij ervoor altijd te verliezen als hij gin rummy speelde met een van de tantes.

Toen Michael bij hen introk, leek ook het huis zelf te veranderen. Zelfs de vleermuizen op zolder begrepen dat en trokken zich terug in de gereedschapsschuur. In juni het jaar daarop had de rozenstruik zich langs de balustrade van de veranda geslingerd en de ambrosia verdrongen in plaats van andersom. In januari tochtte het niet langer in de woonkamer en er lag geen ijs meer op het arduinstenen tuinpad. Het huis was levendig en gezellig en toen Antonia werd geboren – thuis, omdat er buiten een zware sneeuwstorm woedde – begon de kandelaar met de glazen tranen uit zichzelf heen en weer te deinen. De hele nacht was het alsof er een rivier door het huis stroomde; het geluid was zo mooi en levensecht dat de muizen uit de muur te voorschijn kwamen, om zich ervan te overtuigen dat het huis er nog stond en niet had plaatsgemaakt voor een weiland.

Antonia kreeg de achternaam Owens, op aandringen van de tantes en in overeenstemming met de familietraditie. De tantes verwenden het kind van meet af aan, deden cacaopoeder door haar flesjes babyvoeding, lieten haar met parels spelen, namen haar zodra ze kon kruipen mee naar buiten om moddertaartjes te maken en appelbessen te plukken. Antonia zou het prima hebben gevonden om altijd enig kind te blijven, maar drieëneenhalf jaar later, precies om middernacht, werd Kylie geboren. Het was iedereen meteen duidelijk wat een bijzonder kind dit was. Zelfs de tantes, die nooit meer van een kind zouden kunnen houden dan van Antonia, voorspelden dat Kylie dingen zou kunnen zien die anderen niet konden zien. Ze hield haar hoofd scheef en luisterde naar de regen voordat hij viel. Ze wees naar een plek op het plafond, een paar seconden voordat precies op die plek een libelle neerstreek. Kylie was zo'n zoete baby dat mensen die in haar wiegje keken, alleen al door de aanblik een vredig en loom gevoel kregen. Ze werd nooit gestoken door muggen of gekrabd door de zwarte katten van de tantes, zelfs niet als ze aan hun staart trok. Kylie was een snoes, zo lief en aardig dat Antonia met de dag hebberiger en egoïstischer werd.

'Kijk!' riep ze als ze een oude chiffon jurk van de tantes had aangetrokken of alle erwtjes van haar bord had opgegeten. Sally en Michael streken haar dan over het hoofd en wijdden hun aandacht weer aan de baby, maar de tantes wisten wat Antonia wilde horen. Ze namen haar om middernacht mee de tuin in, veel te laat voor zo'n klein kind, en lieten haar zien hoe de nachtschade in het donker bloeide en hoe ze, als ze goed luisterde met haar grote-meisjesoren, die veel scherper waren dan die van haar zusje ooit zouden worden, de regenwormen door de aarde kon horen kruipen.

Michael had al het personeel van de winkel, waar hij inmiddels de baas was, en alle mensen uit de buurt uitgenodigd voor een feest ter ere van de geboorte van de baby, en tot Sally's grote verbazing kwam iedereen. Zelfs de gasten die op donkere avonden met angst en beven langs hun huis waren gelopen leken nu graag te willen komen om het te vieren. Ze dronken koud bier en aten geglaceerde cake en dansten over het arduinstenen tuinpad. Antonia was gehuld in mousseline en kant en een hele kring bewonderaars begon te applaudisseren toen Michael haar optilde en op een oude tuintafel zette, zodat ze 'The Old Gray Mare' en 'Yankee Doodle' kon zingen.

Aanvankelijk weigerden de tantes mee te doen en wilden ze de festiviteiten per se vanachter het keukenraam gadeslaan, als zwarte stukjes papier die tegen het glas waren geplakt. Het waren weinig sociale vrouwen die hun tijd wel beter konden besteden; tenminste, dat hielden ze bij hoog en bij laag vol. Maar zelfs zij werden gegrepen door de feestvreugde en toen iedereen uiteindelijk een glas champagne hief op de nieuwe baby, deden de tantes een ieder versteld staan door de tuin in te komen om een toast uit te brengen. Aangestoken door de feestvreugde gooiden ze hun glas op het pad; het kon hen niet schelen dat ze nog wekenlang glasscherven in de aarde tussen de rijen kool zouden vinden.

Je kunt je niet voorstellen hoe alles veranderd is, vertrouwde Sally haar zus toe. Ze schreef Gillian minstens twee keer per maand, op lichtblauw papier. Soms was het verspilde moeite, bijvoorbeeld als ze haar brieven naar St. Louis stuurde om vervolgens tot de ontdekking te komen dat haar zus naar Texas was verhuisd. *We lijken zo normaal*, schreef Sally. *Je zou flauwvallen als je ons kon zien. Daar ben ik heilig van overtuigd.*

Elke avond als Michael uit zijn werk kwam aten ze samen. De tantes schudden niet langer hun hoofd bij het zien van de schalen met gezonde groentes die Sally's dochters van haar moesten eten. Hoewel ze qua tafelmanieren niet bepaald het goede voorbeeld gaven, klakten ze niet met hun tong als Antonia de tafel afruimde. Ze mopperden niet toen Sally Antonia opgaf voor de peuterklas in het buurthuis, waar ze 'alstublieft' en 'dank u wel' leerde zeggen als ze een koekje wilde en waar men voorzichtig zei dat ze misschien beter geen wormen in haar zakken kon stoppen als ze wilde dat de andere meisjes met haar speelden. Maar de tantes hielden voet bij stuk waar het partijtjes betrof, aangezien dat zou betekenen dat er door het hele huis uitgelaten, brutale monsters zouden rondzwerven die lachten, roze limonade dronken en kilo's snoep tussen de kussens van de bank zouden laten vallen.

Daarom gaf Sally met verjaardagen en op feestdagen partijtjes in de achterkamer van de winkel, waar een kauwgomautomaat stond en een metalen pony waar je de hele middag gratis ritjes op kon maken als je wist hoe je met hem om moest gaan. Ieder kind in de stad aasde op een uitnodiging voor die partijtjes. 'Vergeet mij niet,' hielpen de meisjes in Antonia's klas haar herinneren als ze weer bijna jarig was. 'Ik ben je beste vriendin,' fluisterden ze als het tegen Halloween of Onafhankelijkheidsdag begon te lopen. Als Sally en Michael een wandeling met de meisjes gingen maken, werden ze door de buren toegezwaaid in plaats van ontweken. Het duurde niet lang of ze werden uitgenodigd voor etentjes en kerstdiners en één keer mocht Sally op het oogstfeest zelfs achter het pasteikraampje staan.

Het is precies zoals ik het altijd al wilde, schreef Sally. *Alles. Kom eens logeren*, smeekte ze, maar ze wist heel goed dat Gillian nooit uit vrije wil terug zou komen. Gillian had haar toevertrouwd dat ze alleen al bij de gedachte aan de naam van hun stad netelroos kreeg. Bij het zien van een kaart van Massachusetts werd ze misselijk. Het verleden was zo'n kwelling dat ze weigerde eraan te denken; ze werd nog altijd wakker met het beeld van henzelf als zielige, kleine weesjes. Een bezoek zat er niet in. Een band met de tantes, die nooit hadden begrepen hoe het voor de meisjes was geweest om buitenbeentjes te zijn, zat er niet in. Iemand zou Gillian eerst een kwart miljoen dollar moeten bieden, in contanten, om haar zo gek te krijgen ooit nog de Mississippi over te steken, al had ze natuurlijk nog zo graag haar lieve nichtjes leren kennen die, natuurlijk, altijd in haar gedachten waren.

De les die Sally al die jaren geleden in de keuken had geleerd – wees voorzichtig met wat je verlangt – was zo ver weggezakt en zo verweerd geraakt dat zij was verworden tot gelig stof. Maar dan wel het soort stof dat zich niet laat opvegen, maar dat in plaats daarvan in een hoekje blijft wachten tot er een briesje door je huis trekt, om dan in de ogen te waaien van de mensen die je liefhebt. Antonia was bijna vier en Kylie sliep 's nachts door en het leven lachte hen op alle mogelijke manieren toe, toen er een doodskloppertje opdook naast de eetkamerstoel waar Michael meestal zat. Tikkend als een klok bakent dat insekt de tijd af en brengt een geluid voort dat niemand graag naast haar geliefde hoort. Ons verblijf op aarde is toch al beperkt, maar zodra het doodskloppertje begint te tikken is er geen houden meer aan; er is geen stop die je eruit kunt trekken, geen pendule die je stil kunt zetten, geen schakelaar die je de tijd teruggeeft waar je ooit over dacht te beschikken.

De tantes hoorden het kloppen enkele weken aan en namen Sally toen apart om haar te waarschuwen, maar Sally wilde niet luisteren. 'Onzin,' zei ze en lachte luidkeels. Ze tolereerde de vrouwen die zo nu en dan aan de achterdeur kwamen als het begon te schemeren, maar ze was niet van plan haar gezin te laten beïnvloeden door die aanstellerij van de tantes. De praktijken van de tantes waren onzin en daarmee uit, een vreemde brij om de hersenschimmen van wanhopigen mee te voeden. Sally wilde er geen woord meer over horen. Ze weigerde te kijken als de tantes haar erop wezen dat er elke avond een zwarte hond op de stoep voor hun huis kwam zitten. Ze weigerde te luisteren als ze haar bezwoeren dat die hond altijd zijn kop in de lucht stak als Michael eraan kwam; dat hij begon te janken als hij Michael in het oog kreeg en terugdeinsde voor zijn schaduw, de staart tussen zijn poten.

Ondanks Sally's afwijzende houding legden de tantes mirte onder Michaels kussen en probeerden ze hem over te halen zich te wassen met hulst en een stuk van hun speciale, zwarte zeep. In zijn jaszak stopten ze de poot van een konijn dat ze ooit hadden gevangen toen het aan hun sla zat te knabbelen. Ze deden rozemarijn door de cornflakes die hij 's morgens at en lavendel door de thee die hij 's avonds dronk. Maar nog altijd hoorden ze het doodskloppertje in de eetkamer. Uiteindelijk zeiden ze een gebed achterstevoren op, maar dat had natuurlijk ook weer gevolgen: na niet al te lange tijd kreeg de hele familie te kampen met griep, slaapproblemen en een uitslag die weken aanhield, ondanks veelvuldig insmeren met een mengsel van kalamijn en mekkabalsem. Tegen het einde van de winter begonnen Kylie en Antonia te huilen als hun vader de kamer wilde verlaten. De tantes legden Sally uit dat mensen die vervloekt waren, het geluid van het doodskloppertje zelf niet konden horen en dat Michael daarom bleef volhouden dat er niets aan de hand was. Toch moest hij iets gevoeld hebben: hij droeg niet langer zijn horloge en zette alle klokken terug. En, toen het tikken luider werd, trok hij alle rolgordijnen naar beneden en hield ze dicht tegen het schijnsel van de zon en de maan, alsof dat de tijd kon stilzetten. Alsof iets daartoe in staat was.

Sally geloofde geen woord van wat de tantes zeiden. Toch werd ze zenuwachtig van al dat gepraat over de dood. Haar huid werd vlekkerig; haar haar verloor zijn glans. Ze at niet meer en sliep niet meer en wilde Michael geen seconde uit het oog verliezen. Als hij haar kuste, moest ze huilen en wilde ze dat ze nooit verliefd was geworden. Ze voelde zich zo machteloos, want daar was liefde toe in staat. Je kon er niet omheen en je kon je er niet tegen verzetten. Als ze nu verloor, verloor ze alles. Niet dat er iets zou gebeuren, alleen omdat de tantes het zeiden. De tantes waren eigenlijk maar een stel domme ganzen. Sally was naar de bibliotheek gegaan en had alle entomologische naslagwerken geraadpleegd. Het doodskloppertje at hout en verder niets. Wat zouden de tantes op hun neus kijken! Hun meubels en houtwerk liepen gevaar, maar vlees en bloed waren veilig. Tenminste, dat dacht Sally.

Op een regenachtige middag was Sally een wit tafelkleed aan het opvouwen toen ze iets meende te horen. De eetkamer was verlaten en er was verder niemand thuis, maar toch hoorde ze het. Geklik, getik, als een hartslag of een klok. Ze drukte haar handen tegen haar oren en liet het tafelkleed op de vloer vallen, een hoopje gewassen tafellinnen. Ze verzette zich tegen die bijgelovige onzin, zij wist wel beter; maar het geluid drong zich aan haar op en op hetzelfde moment zag ze iets wegduiken onder Michaels stoel. Een vage schim, te snel en te behendig om zich ooit te laten vangen onder de hak van een laars.

Die avond, toen het begon te schemeren, zocht Sally de tantes op in de keuken. Ze liet zich op haar knieën zakken en smeekte hen haar te helpen, precies zoals alle wanhopige vrouwen voor haar hadden gedaan. Ze was bereid hen alles te geven wat maar enige waarde had: de ringen aan haar vingers, haar twee dochters, haar bloed, maar de tantes schudden weemoedig het hoofd.

'Ik zal alles doen,' smeekte Sally. 'Ik ben bereid alles te geloven. Als jullie me maar zeggen wat ik moet doen.'

Maar de tantes hadden al gedaan wat ze konden en nog steeds zat het doodskloppertje naast Michaels stoel. Soms staat het lot vast, ongeacht of iemand er iets aan wil veranderen. Op een uitzonderlijk mooie en zachte lenteavond stapte Michael de straat op, op weg van de winkel naar huis, en werd doodgereden door een auto vol jongelui die, om te laten zien hoe jong en onverschrokken ze waren, te veel hadden gedronken.

Een heel jaar lang sprak Sally geen woord, ze had eenvoudig niets te zeggen. Ze kon de tantes niet meer zien; in haar ogen waren het meelijwekkende charlatans, oude vrouwen die nog minder macht hadden dan de vliegen die, gevangen achter glas, in de vensterbank lagen te sterven, hun doorschijnende vleugels zwakjes bewegend. *Laat me eruit. Laat me eruit.* Als ze de rokken van de tantes hoorde ruisen, als voorbode van hun komst, verliet Sally de kamer. Als ze hun voetstappen op de trap hoorde, omdat ze even een kijkje kwamen nemen of haar welterusten wilden wensen, stond ze snel op uit haar stoel bij het raam en vergrendelde de deur. Ze hoorde hen nooit kloppen; ze drukte gewoon haar handen tegen haar oren.

Steeds wanneer Sally naar de drugstore ging om tandpasta of babyzalf te halen en de vrouw achter de toonbank zag staan, vonden hun ogen elkaar. Inmiddels begreep Sally wat liefde kon aanrichten. Ze begreep het te goed om het ooit nog eens zo ver te laten komen. Die arme vrouw in de winkel was hooguit dertig, maar ze zag er oud uit, ze was al helemaal grijs; als ze je iets duidelijk wilde maken – een prijs, bijvoorbeeld, of welke sorbet er die week in de aanbieding was – moest ze het op een papiertje schrijven. Haar man zat bijna altijd op de laatste kruk aan de bar en deed uren met één kop koffie. Maar Sally zag hem nauwelijks; haar blik werd naar de vrouw getrokken; ze probeerde het meisje te zien dat de eerste keer bij de tantes in de keuken had gezeten, het lieve blakende meisje, vervuld van hoop.

Op een zaterdag, toen Sally vitamine C kwam kopen, gaf de vrouw van de drugstore haar een briefje bij het wisselgeld. *Help me*, had ze er in keurige letters op geschreven. Maar Sally kon zichzelf niet eens helpen. Ze kon haar kinderen of haar man of de op hol geslagen wereld niet helpen. Vanaf dat moment deed Sally geen boodschappen meer in de drugstore. In plaats daarvan liet ze alles wat ze nodig had bezorgen door een jongen van de middelbare school, die de bestelling op het arduinstenen tuinpad zette – of het nu regende, hagelde of sneeuwde – en weigerde tot aan de voordeur te komen, al liep hij op die manier zijn fooi mis.

Gedurende dat jaar liet Sally de zorg voor Antonia en Kylie aan de tantes over. In juli liet ze de bijen gewoon tussen de dakspanten zitten en in januari liet ze de dikke laag sneeuw op de stoep liggen zodat de postbode, die altijd al bang was geweest ooit nog eens zijn nek te breken bij het bezorgen van een brief voor Owens, zich niet voorbij het hek waagde. Ze maakte zich niet druk om gezonde maaltijden en het tijdstip waarop ze aan tafel gingen; ze wachtte tot ze echt rammelde van de honger en at dan staande bij de gootsteen doperwten uit blik. Haar haar werd één grote klit; er zaten gaten in haar sokken en in haar handschoenen. Ze ging nog maar zelden naar buiten en als ze het al deed, ging iedereen haar uit de weg. Kinderen waren bang voor de doffe blik in haar ogen. Buren die Sally vroeger op de koffie hadden gevraagd, staken nu gauw de straat over en prevelden een gebedje als zij eraan kwam; ze keken liever recht in de verblindende zon dan te moeten aanzien wat er van Sally was geworden.

Gillian belde één keer per week, altijd op dinsdagavond om tien uur, de enige regelmaat die haar bestaan in al die jaren had gekend. Sally hield de hoorn dan tegen haar oor en luisterde, maar ze zei nog altijd niets. 'Je mag niet instorten,' zei Gillian met haar warme, indringende stem, 'want dat is mijn taak.'

Maar het was Sally die zich niet meer waste, niet meer at en geen handjeklap meer met de kleine deed. Ze vergoot zoveel tranen dat ze haar ogen 's ochtends soms niet meer open kon krijgen. Elke avond zocht ze in de eetkamer naar het doodskloppertje dat al dit verdriet veroorzaakt zou hebben. Natuurlijk vond ze het nooit en daarom geloofde ze er ook niet in. Maar dergelijke wezens houden zich schuil in de plooien van de zwarte rok van een weduwe of onder de witte lakens waar een vrouw alleen ligt te slapen, rusteloos dromend van alles wat ze nooit zal bezitten. Na verloop van tijd geloofde Sally helemaal nergens meer in en werd de hele wereld één grijze massa. Ze kon geen oranje of rood meer onderscheiden en bepaalde tinten groen – zoals van haar lievelingstrui en de bladeren van de nieuwe narcissen – gingen volkomen voor haar verloren.

'Word wakker,' zei Gillian wanneer ze haar op de afgesproken avond belde. 'Wat moet ik doen om je weer bij zinnen te brengen?'

Maar er was helemaal niets wat Gillian kon zeggen, hoewel Sally wel bleef luisteren als haar zus belde. Ze dacht na over haar woorden omdat Gillians stem inmiddels het enige geluid was dat ze nog wilde horen; niets anders kon haar zo troosten, en op dinsdag zat Sally altijd keurig naast de telefoon te wachten tot haar zus belde.

'Het leven is er om van te genieten,' zei Gillian tegen haar. 'Het leven is wat je er zelf van maakt. Toe, luister nou naar me, alsjeblieft.'

Telkens als ze had opgehangen dacht Sally lang en diep na. Ze dacht aan de vrouw van de drugstore en het geluid van Antonia's voetstappen op de trap als ze zonder geknuffeld te zijn naar bed ging. Ze dacht aan Michaels leven en zijn dood en aan elke seconde die ze samen hadden doorgebracht. Ze herinnerde zich al zijn kussen en elk woord dat hij ooit tegen haar had gezegd. Alles was nog steeds grijs – de tekeningen die Antonia meenam van school en onder haar deur doorschoof, de flanellen pyjama's waar Kylie op kille ochtenden in rondliep, de fluwelen gordijnen die de wereld op afstand hielden. Maar langzaam begon Sally de dingen in haar hoofd op een rijtje te zetten – verdriet en plezier, dollars en centen, het huilen van de baby en de blik in haar ogen als je haar op een druilerige middag een kushandje toewierp. Misschien waren die dingen wel iets waard, een vluchtige blik, een steelse blik, een intense blik.

En toen er, precies op de dag af, een jaar was verstreken sinds Michael de straat op was gelopen, zag Sally groene blaadjes onder haar raam. Het was een sierlijke klimplant die zich elk jaar langs de regenpijp omhoog slingerde, maar die dag zag ze pas hoe teer en maagdelijk alle afzonderlijke blaadjes eigenlijk waren; het groen was bijna geel en het geel romig als boter. Sally bracht een groot deel van haar dagen in bed door en het was al in de middag. Ze zag hoe het goudkleurige licht door de gordijnen drong en in banen langs haar muur viel. Ze sprong uit bed en borstelde haar lange, zwarte haar. Ze trok een jurk aan die ze sinds de vorige lente niet meer had gedragen, pakte haar jas van het haakje bij de deur en liep naar buiten om een frisse neus te halen.

Het was weer lente en de lucht was zo blauw dat het je de

adem benam. Ze kon het blauw zien, de kleur van zijn ogen, de kleur van aderen onder de huid, van hoop en van overhemden aan de waslijn. Sally kon bijna alle kleuren onderscheiden die ze een jaar lang had moeten missen, hoewel ze nog steeds geen oranje kon zien, want dat kwam te dicht in de buurt van het flauwe schijnsel van het stoplicht waar de jongeren overheen hadden gekeken op de dag van Michaels dood. Die kleur zou ze nooit meer kunnen zien. Maar een lievelingskleur was oranje nooit geweest; een bescheiden gemis in vergelijking met de rest.

Ze liep verder, door het centrum van de stad, in haar oude wollen jas en op haar hoge zwarte laarzen. Het was een warme winderige dag. Te warm voor Sally's dikke kleren; dus hing ze haar jas over haar arm. De zon drong door de stof van haar jurk, een hete hand op huid en botten. Ze had het gevoel alsof ze dood was geweest en nu ze weer terug was, stond ze open voor alles in het land der levenden: de wind die langs haar huid streek, de muggen in de lucht, de geur van aarde en nieuwe blaadjes, het prachtige blauw en groen. Voor het eerst sinds tijden leek het Sally prettig om weer te praten, om haar dochters verhaaltjes voor te lezen en een gedicht voor te dragen en de bloemen te benoemen die zo vroeg in het voorjaar al bloeiden, lelietjes-van-dalen en aronskelk en paarse hyacinten. Ze liep aan bloemen te denken, aan die witte die de vorm van een klok hadden, toen ze zonder een bijzondere reden op Endicott Street rechtsaf sloeg en naar het park ging.

In het park bevond zich een vijver waar een aantal lelijke zwanen de dienst uitmaakten, een speeltuintje met een glijbaan en een schommel en een grasveld waar de oudere jongens in alle ernst voetbal en basketbal speelden, en pas ophielden als het donker werd. Sally hoorde de stemmen van spelende kinderen en opgetogen liep ze het park in. Ze had blozende wangen en haar lange zwarte haar wapperde als een lint achter haar hoofd; ze had tot haar verbazing ontdekt dat ze nog jong was. Sally was van plan geweest om het pad langs de vijver te nemen, maar ze bleef staan toen ze het smeedijzeren bankje zag. Daar zaten, net als iedere andere dag, de tantes. Sally had eigenlijk nooit gevraagd wat ze de hele dag met de kinderen uitspookten, terwijl zij in bed bleef, niet in staat om onder de dekens vandaan te komen vóór de langgerekte middagschaduwen over haar kussen vielen.

Die dag hadden de tantes een breiwerkje meegenomen op het uitstapje. Ze waren bezig aan een sprei voor Kylie's wiegje, van de allerzachtste wol, een dekje dat zo zacht was dat Kylie van zwarte lammetjes en weilanden zou dromen als ze eronder lag. Antonia zat naast de tantes, haar benen keurig over elkaar geslagen. Kylie was in het gras gezet, waar ze roerloos was blijven zitten. Ze droegen allemaal een zwarte wollen jas en hun huid was vaal in het middaglicht. Antonia's rode haar glansde opmerkelijk en had zo'n diepe, felle kleur dat het er in het zonlicht haast onnatuurlijk uitzag. De tantes zeiden niets tegen elkaar en de meisjes waren zeker niet aan het spelen. De tantes zagen het nut niet in van touwtjespringen of het gooien met een bal. Naar hun mening was zoiets een onzinnig tijdverdrijf. Het was beter om de wereld om je heen te observeren. Beter om naar de zwanen te kijken, naar de blauwe lucht en de andere kinderen die schreeuwden en lachten tijdens ruwe spelletjes voetbal of tikkertje. Leer om muisstil te zijn. Concentreer je tot je zo stil bent als de spin in het gras.

Wilde jongens mepten een bal in de rondte en op een gegeven moment werd er te hard geslagen. De bal vloog de helderblauwe lucht in en rolde vervolgens over het gras, langs een in bloei staande kweeboom. Antonia zat te fantaseren dat ze een Vlaamse gaai was die vrij tussen de takken van een treurende berkeboom vloog. Nu sprong ze opgewekt van het bankje en pakte de bal op, rende ermee naar de jongen die hem moest ophalen. De jongen was niet ouder dan tien, maar toen Antonia op hem afkwam bleef hij staan, roerloos als de dood, bleek als stijfsel. Ze hield hem de bal voor.

'Alsjeblieft,' zei Antonia.

Inmiddels waren alle kinderen in het park opgehouden met spelen. De zwanen klapwiekten met hun grote, schitterende vleugels. Meer dan tien jaar later zal Sally nog altijd dromen van die zwanen, een mannetje en een vrouwtje die hun vijver bewaken met een felheid alsof het Dobermanns zijn. Ze zal dromen van de manier waarop de tantes treurig met hun tong klakten, omdat ze wisten wat er stond te gebeuren.

De arme Antonia keek naar het jongetje dat zich niet had verroerd en zelfs geen adem meer leek te halen. Ze hield haar hoofd schuin, alsof ze probeerde uit te dokteren of hij niet goed snik was of alleen maar beleefd.

'Wil je de bal niet?' vroeg ze.

Langzaam verhieven de zwanen zich in de lucht, terwijl het jongetje op Antonia afstoof, de bal uit haar handen griste en haar tegen de grond duwde. Haar zwarte jas bolde op achter haar rug; haar zwarte schoenen schoten van haar voeten.

'Laat dat!' riep Sally. Haar eerste woorden sinds een jaar.

Alle kinderen op het speelterrein hoorden haar. Ze renden met zijn allen weg, zo ver mogelijk uit de buurt van Antonia Owens, die je kon beheksen als je haar iets deed; en uit de buurt van haar tantes, die padden kookten en door je eten deden; en uit de buurt van haar moeder, die haar zo agressief beschermde dat ze je gewoon kon doen verstenen, waarna je tot in de eeuwigheid als tien-, elfjarige op het groene gras gevangen zou zijn.

Nog diezelfde avond pakte Sally hun koffers. Ze hield van de tantes en wist dat ze het goed bedoelden, maar wat zij voor haar kinderen wilde zouden de tantes hen nooit kunnen geven. Ze wilde een stad waar niemand haar kinderen nawees als ze over straat liepen. Ze wilde een eigen huis waar ze in de woonkamer partijtjes kon geven met slingers en een ingehuurde clown en een taart, in een buurt waar alle huizen hetzelfde waren; niet zo een met een leistenen dak waar eekhoorns woonden, of met vleermuizen in de tuin, of met houtwerk dat nooit in de was gezet hoefde te worden.

's Ochtends belde Sally een makelaar in New York en zeulde haar koffers naar de veranda. De tantes hielden vol dat wat Sally ook deed, het verleden haar zou blijven achtervolgen. Ze zou net zo eindigen als Gillian, een weemoedige ziel die treuriger werd in elke nieuwe stad. Ze probeerden haar duidelijk te maken dat ze niet kon vluchten, maar volgens Sally was daar geen enkel bewijs voor. Een jaar lang had niemand meer in de oude stationwagon gereden, maar hij startte ogenblikkelijk en pruttelde als een stoomketel, terwijl Sally haar dochters op de achterbank zette. De tantes bezwoeren haar dat ze ongelukkig zou worden en schudden met hun wijsvinger. Maar zodra Sally wegreed, krompen de tantes ineen tot kleine, zwarte padden die stonden te wuiven aan het eind van de straat waar Sally en Gillian op warme dagen in augustus hadden gehinkeld. Dagen waarop ze alleen elkaars gezelschap hadden gehad, dagen waarop het asfalt om hen heen smolt tot zwarte poeltjes.

Sally nam Route 95 naar het zuiden en reed door tot Kylie wakker werd, zwetend en verward en oververhit onder het zwarte wollen dekentje dat naar lavendel rook, een geur die altijd om de kleren van de tantes hing. Kylie had gedroomd dat ze achterna werd gezeten door een kudde schapen; met angstige stem riep ze 'Blèè, blèè' en klom toen over de voorbank om dichter bij haar moeder te zijn. Sally wist haar te troosten met een knuffel en het vooruitzicht van een ijsje, maar met Antonia lag dat minder eenvoudig.

Antonia, die van de tantes hield en altijd hun lievelingetje was geweest, weigerde zich te laten troosten. Ze droeg een van de zwarte jurken die ze voor haar hadden laten maken door de kleermaker in Peabody, en haar rode haar hing in venijnige plukken om haar hoofd. Ze had een bittere, citroenachtige geur om zich heen, een mengeling van een gelijke hoeveelheid woede en wanhoop.

'Ik haat je,' zei ze tegen Sally, terwijl ze in de salon zaten van de veerboot waarmee ze over Long Island Sound voeren. Het was een van die zeldzaam warme lentedagen waarop het plotseling wel zomer lijkt. Sally en haar kinderen hadden kleverige partjes mandarijn gegeten en de cola gedronken die ze in de snackbar hadden gekocht. Maar nu de golven steeds wilder werden, begon hun maag op te spelen. Sally had net een kaart geschreven die ze aan Gillian wilde sturen, hoewel ze niet wist of haar zus nog op hetzelfde adres woonde. *Heb het eindelijk gedaan*, had ze opgekrabbeld in een handschrift dat veel slordiger was dan je van zo'n ordelijk iemand zou verwachten. *Heb de lakens aan elkaar geknoopt en de sprong gewaagd!*

'Ik zal je de rest van mijn leven blijven haten,' ging Antonia verder en haar kleine handen balden zich tot vuisten.

'Dat is je goed recht,' zei Sally opgewekt, hoewel ze diep van binnen gekwetst was. Ze wapperde met de ansicht bij haar gezicht voor wat verkoeling. Antonia kon haar flink op de kast jagen, maar deze keer zou Sally dat niet laten gebeuren. 'Daar ga je nog wel anders over denken.'

'Nee,' zei Antonia. 'Dat ga ik niet. Ik vergeef het je nooit.'

De tantes waren zo dol op Antonia omdat ze mooi en krengerig was. Ze hadden haar aangemoedigd bazig en egoïstisch te zijn. Gedurende het jaar dat Sally te verdrietig en te ellendig was geweest om met haar kinderen te praten of zelfs maar enige belangstelling voor hen op te brengen, mocht Antonia tot na middernacht opblijven en grote mensen commanderen. Ze at koekjes als avondeten en sloeg haar kleine zusje met een opgerolde krant, gewoon voor de lol. Al die tijd had ze precies kunnen doen waar ze zin in had en ze was slim genoeg om te begrijpen dat dat nu allemaal zou veranderen. Ze gooide haar mandarijn op het dek en trapte hem plat, en toen dat niet hielp begon ze te huilen en smeekte of ze weer naar huis mocht.

'Alsjeblieft,' smeekte ze haar moeder. 'Ik wil naar de tantes. Breng me terug. Ik zal me gedragen,' beloofde ze.

Inmiddels was Sally ook gaan huilen. Toen zij klein was, waren het de tantes geweest die de hele nacht aan haar bed hadden gezeten als ze oorontsteking of griep had; zij hadden haar verhaaltjes verteld en haar bouillon en warme thee gebracht. Zij waren het geweest die Gillian in hun armen hadden gewiegd als ze niet kon slapen, vooral in het begin toen de meisjes net in het huis in Magnolia Street waren komen wonen en Gillian geen oog dichtdeed.

Het was noodweer geweest op de avond dat Sally en Gillian te horen hadden gekregen dat hun ouders nooit meer terug zouden komen, en het was hun lot dat het ook weer ging onweren toen ze in het vliegtuig naar Massachusetts zaten. Sally was destijds vier, maar ze kan zich de onweersbuien waar ze doorheen vlogen nog goed herinneren; als ze haar ogen sluit ziet ze het zo weer voor zich. Ze zaten hoog in de lucht, tussen de felle, witte strepen en konden geen kant op. Gillian had een paar keer overgegeven en toen het vliegtuig ging landen begon ze te krijsen. Sally moest haar hand over de mond van haar zus leggen en haar toverballen en lollies beloven als ze zich nog een paar minuten gedeisd zou houden.

Sally had hun mooiste jurken uitgezocht voor de reis. Die van Gillian was zacht paars, die van Sally roze, afgezet met ivoorkleurig kant. Hand in hand liepen ze door de luchthaven, luisterend naar het grappige geluid van de crinoline bij elke stap, toen ze de tantes in het oog kregen die al op hen stonden te wachten. De tantes stonden op hun tenen om over het muurtje heen te kijken; ze hadden een ballon aan hun mouw vastgeknoopt, zodat de kinderen hen zouden herkennen. Nadat ze de meisjes in hun armen hadden gesloten en hun leren koffertjes hadden opgehaald, wikkelden de tantes Sally en Gillian ieder in een zwarte wollen jas. Ze haalden kauwgomballen en rode winegums uit hun tas, alsof ze precies wisten wat kleine meisjes nodig hadden, of in elk geval wat ze lekker vonden.

Sally was dankbaar voor alles wat de tantes gedaan hadden, echt dankbaar. Maar toch stond haar besluit vast. Ze zou naar de makelaar gaan om de sleutel op te halen van het huis dat ze later zou kopen, en dan wat meubilair op de kop zien te tikken. Uiteindelijk zou ze ook een baantje moeten zoeken, maar ze had nu nog wat geld van Michaels levensverzekering en ze was niet van plan om aan het verleden of de toekomst te denken. Ze dacht aan de weg die voor haar lag. Ze dacht aan verkeersborden en afslagen naar rechts en ze kon geen aandacht besteden aan Antonia toen die begon te jammeren, waarop Kylie het ook op een brullen zette. In plaats daarvan zette ze de radio aan, zong luidkeels mee en hield zichzelf voor dat de juiste beslissing soms verkeerd leek totdat alles achter de rug was.

Toen ze eindelijk de oprit van hun nieuwe huis opdraaiden, was het al laat in de middag. In de straat waren een paar kinderen aan het ballen. Sally zwaaide toen ze uit de auto stapte en de kinderen zwaaiden terug, allemaal. In het gras van de voortuin zat een roodborstje in het onkruid te pikken en in alle huizen werden lampen aangestoken en tafels gedekt voor het avondeten. De geuren van gebraden vlees en goulash en lasagna dreven op de zachte avondlucht. Sally's dochters waren allebei op de achterbank in slaap gevallen, hun gezicht vuil en betraand. Sally had ijsjes en lollies voor hen gekocht; ze had urenlang verhaaltjes verteld en was gestopt bij twee speelgoedwinkels. Toch zou het nog jaren duren voor ze het haar zouden vergeven. Ze moesten lachen om het witte hekje dat Sally om de voortuin zette. Antonia vroeg of ze de muren van haar slaapkamer zwart mocht verven en Kylie smeekte om een zwart poesje. Geen van hun wensen werd ingewilligd. Antonia's kamer werd geel geschilderd en Kylie kreeg een goudvis die Zonnestraal heette, maar dat betekende niet dat de meisjes hun verleden waren vergeten of er niet langer naar terug verlangden.

Elke zomer in augustus gingen ze naar de tantes. Ze hielden hun adem in als ze de hoek van Magnolia omsloegen en het grote oude huis met het zwarte hek en de groengetinte ramen in het oog kregen. De tantes maakten altijd chocoladecake met kirschcrème en gaven Antonia en Kylie veel te veel cadeautjes. Natuurlijk hoefden ze niet op tijd naar bed, en kregen ze geen verantwoorde maaltijden. Het was niet verboden om op het behang te tekenen of de badkuip zo vol te laten lopen dat het schuim en het lauwe water over de rand klotsten en door het plafond in de woonkamer drupten. Elk jaar waren de meisjes weer gegroeid als ze kwamen logeren – dat wisten ze omdat de tantes steeds kleiner leken – en elk jaar waren ze door het dolle; ze dansten in de kruidentuin, speelden softball in de voortuin en bleven tot ver na middernacht op. Soms aten ze bijna de hele week niets anders dan Snickers en Milky Ways, tot ze pijn in hun buik kregen en uiteindelijk om sla of een glas melk vroegen.

Tijdens hun augustusreisje probeerde Sally de meisjes altijd het huis uit te krijgen, in elk geval 's middags. Ze nam hen overal mee naartoe, een dagje naar Plum Island, naar de zwanenboten in Boston, in een gehuurde zeilboot het blauwe water van de baai in Gloucester op. Maar de zusjes zeurden de hele dag dat ze terug wilden naar het huis van de tantes. Ze gingen mokken en zaten net zo lang te klieren tot Sally ze hun zin gaf. Het was niet het gemopper van de meisjes dat Sally deed besluiten terug te keren naar het huis, het was het feit dat ze het eindelijk ergens over eens waren. Dat was zo ongewoon en prettig dat Sally domweg geen nee kon zeggen.

Sally had verwacht dat Antonia een oudere zus zou worden zoals zij dat zelf was geweest, maar zo zat Antonia niet in elkaar. Antonia had geen enkel verantwoordelijkheidsgevoel; iedereen moest maar voor zichzelf zorgen. Vanaf het prille begin had ze Kylie meedogenloos getreiterd en ze kon haar zusje met één blik tot tranen brengen. Alleen in het huis van de tantes waren de zusjes bondgenotes, misschien zelfs vriendinnen. Daar waar alles behalve het glanzende houtwerk kaal en versleten was, brachten ze uren samen door. Aan het eind van de dag zaten ze samen in de koele huiskamer of hingen op de overloop van de eerste verdieping, waar smalle banen citroengeel zonlicht naar binnen vielen. Dan speelden ze triktrak en eindeloze spelletjes gin rummy.

Misschien was hun hechte band te danken aan het feit dat ze de zolderkamer deelden, of misschien alleen maar aan het gebrek aan andere speelkameraadjes, aangezien de kinderen uit de buurt nog altijd de straat overstaken als ze langs het huis van Owens moesten. Wat ook de reden was, Sally vond het heerlijk om de meisjes samen aan de keukentafel te zien zitten, de hoofden bijna tegen elkaar aan, gebogen over een puzzel of een kaartje om naar Gillians nieuwe adres in Iowa of New Mexico te sturen. Het zou niet lang duren of ze vlogen elkaar weer in de haren, bekvechtend over kleine dingetjes of een rotstreek die Antonia Kylie had geleverd – een langpoot onder het babydekentje waar ze op haar elfde en zelfs op haar twaalfde nog steeds aan gehecht was, of modder en steentjes in haar laarzen. Sally liet ze maar begaan, die ene week in augustus, al wist ze dat het uiteindelijk niet goed voor hen was.

Elk jaar sliepen de meisjes steeds langer uit naarmate de vakantie vorderde; er verschenen zwarte kringen onder hun ogen. Ze begonnen te klagen over de warmte, waar ze zo moe van werden dat ze niet eens meer naar de drugstore wilden om ijsjes en koude cola te halen, hoewel ze gefascineerd waren door de vrouw die er werkte: er kwam geen stom woord over haar lippen, maar ze kon in een paar tellen een bananensplit maken. Ze pelde de banaan en goot in een mum van tijd de siroop en de opgeklopte marshmallows erbij. Na een poosje brengen Kylie en Antonia het grootste deel van de dag in de tuin door, waar nog altijd belladonna en vingerhoedskruid naast de mint groeien en de katten waar de tantes zo mee dweepten – waaronder twee morsige types uit Sally's jeugd, Ekster en Raaf – nog steeds in de composthoop wroeten op zoek naar vissekoppen en graten.

Er komt altijd een moment waarop Sally weet dat ze weer moeten gaan. Elk jaar in augustus komt er een nacht waarin ze uit een diepe slaap ontwaakt, naar het raam loopt en haar dochters met z'n tweeën buiten in het maanlicht ziet staan. Tussen de kool en de zinnia's zitten padden. Groene rupsen knabbelen aan de bladeren, bereiden zich voor op hun transformatie tot witte motten die tegen hordeuren en felle buitenlampen vliegen. Aan het hek hangt nog altijd dezelfde paardeschedel, uitgebleekt en half vergaan, maar nog steeds afdoende om de mensen op afstand te houden.

Sally wacht altijd tot haar dochters naar binnen komen voordat ze weer in bed kruipt. De volgende ochtend verontschuldigt ze zich en vertrekt een dag of twee eerder dan gepland. Ze maakt haar dochters wakker en hoewel ze mopperen over het vroege uur en de warmte, en de hele dag sloom zullen zijn, kruipen ze in de auto. Voordat ze wegrijdt, geeft Sally de tantes een kus en belooft vaak te bellen. Soms voelt ze een brok in haar keel als ze ziet hoe oud de tantes zijn geworden, als ze al het onkruid in de tuin ziet of de blauweregen die is verlept, omdat niemand op het idee komt om hem eens wat water of mest te geven. Toch heeft ze nooit het gevoel dat ze een vergissing heeft begaan als ze Magnolia Street uitrijdt; ze staat zichzelf geen enkele twijfel toe, zelfs niet als haar dochters huilen en klagen. Ze weet waar ze heen gaat en wat haar te doen staat. Ze zou Route 95 met haar ogen dicht nog kunnen vinden. Ze zou er zelfs in het donker wel komen, zowel met mooi weer als met slecht weer; ze komt er zelfs als de benzine op lijkt te raken. Het doet er niet toe wat men tegen je zegt. Het doet er niet toe wat de mensen allemaal beweren. Soms moet je van huis weggaan. Soms betekent weglopen dat je precies de goede kant opgaat.

VOORGEVOELENS

ALS DE TAFEL wordt gedekt en er liggen twee messen gekruist, komt er zeker ruzie. Datzelfde geldt als er twee zussen onder één dak wonen, zeker als een van de twee Antonia Owens heet. Op haar zestiende is Antonia zo mooi dat een onbekende die haar voor het eerst ziet, in de verste verte niet zou kunnen vermoeden hoeveel ellende ze de mensen om haar heen kan bezorgen. Ze is gemener dan toen ze klein was, maar haar haar is van een dieper rood en haar glimlach is zo stralend dat alle jongens op de middelbare school naast haar willen zitten. Maar eenmaal naast haar verstijven ze helemaal, enkel en alleen omdat ze zo dicht bij haar zitten. Ze kunnen alleen nog maar zichzelf belachelijk maken door haar aan te gapen, met uitpuilende ogen en een blotebillengezicht, totaal van de kaart.

Het is begrijpelijk dat Antonia's zus, Kylie, die binnenkort dertien wordt, zichzelf uren in de badkamer opsluit, huilend omdat ze zo lelijk is. Kylie is bijna één meter tachtig, een reuzin, vindt ze zelf. Ze is zo mager als een lat en heeft knieën die tijdens het lopen tegen elkaar stoten. Haar neus en ogen zijn de laatste tijd vaak roze als van een konijntje, door het vele huilen. Haar haar heeft ze bijna opgegeven, zeker nu het is gaan kroezen van de vochtigheid. Het is al erg genoeg om een ideale zus te hebben, in elk geval wat uiterlijk betreft. Maar een zus die je met een paar rake opmerkingen het gevoel kan geven dat je nog minder voorstelt dan niets, is bijna meer dan Kylie kan verdragen.

Een deel van het probleem is dat Kylie nooit een gevat

weerwoord heeft als Antonia liefjes informeert of ze weleens heeft overwogen om met een baksteen op haar hoofd te gaan slapen of een pruik te nemen. Ze heeft het geprobeerd, ze heeft zelfs diverse vernederende opmerkingen gerepeteerd met haar enige vriend Gideon Barnes, een dertienjarige jongen die er een meester in is om mensen op hun nummer te zetten, maar nog steeds lukt het haar niet. Kylie is zo'n gevoelige ziel dat ze al moet huilen als iemand op een spin trapt; in haar wereld is het tegennatuurlijk om een ander wezen pijn te doen. Wanneer Antonia haar pest kan Kylie alleen haar mond open en dicht doen als een vis die op het droge is gegooid, waarna ze zichzelf in de badkamer opsluit om weer te gaan huilen. Op rustige avonden ligt ze ineengedoken op bed, haar oude babydekentje tegen zich aangedrukt; in de zwarte wol zit nog niet één gaatje, omdat het op de een of andere manier motten lijkt af te stoten. Tot aan het eind van de straat kunnen de buren haar horen huilen. Ze schudden hun hoofd en hebben met haar te doen. Sommige vrouwen uit de buurt, met name degenen die ook met een oudere zus zijn opgegroeid, komen zelfgemaakte brownies en chocoladekoekjes brengen, waarbij ze vergeten wat een schaal zoetigheid op de huid van een jong meisje kan aanrichten; ze worden alleen gedreven door het verlangen verlost te zijn van het gehuil dat zich door heggen en over hekken dringt.

De vrouwen uit de buurt hebben respect voor Sally Owens. Sterker nog, ze mogen haar echt. Ze heeft een ernstige blik in haar ogen, zelfs als ze lacht, en lang donker haar, en geen flauw benul hoe knap ze is. Sally is altijd de eerste ouder op de telefoonketen; je kunt het beter aan iemand met verantwoordelijkheidsgevoel overlaten om de andere ouders op de hoogte te stellen als de school in verband met noodweer is gesloten, dan aan een van die zelfingenomen moeders die denken dat het allemaal vanzelf wel goed komt in het leven, ook zonder dat verstandige mensen zich erin mengen. Sally staat in de hele buurt bekend om haar vriendelijkheid en haar verstandige optreden. Als het echt nodig is, komt ze zelfs op zaterdagmiddag nog opdraven om op de kleine te passen; ze haalt je kinderen van school of leent je suiker en eieren. Ze komt naast je op de veranda zitten als je een papiertje met het telefoonnummer van een vrouw in de la van het nachtkastje van je man hebt aangetroffen en ze is zo verstandig om te luisteren in plaats van onzinnige adviezen te geven. En wat nog belangrijker is, ze zal later nooit uit zichzelf over je problemen beginnen of er ook maar één woord van doorvertellen. Als je naar haar eigen huwelijk vraagt, krijgt ze een dromerige blik in haar ogen die in niets lijkt op haar gebruikelijke gezichtsuitdrukking. 'Dat is jaren geleden,' is haar enige commentaar. 'Dat was een ander leven.'

Sinds haar vertrek uit Massachusetts heeft Sally gewerkt als assistente van het plaatsvervangend hoofd van de middelbare school. In al die tijd heeft ze hooguit vijf afspraakjes gehad en die pogingen tot romantiek waren op touw gezet door de buren. Het waren georganiseerde ontmoetingen die alleen maar naar haar eigen voordeur leidden, lang voordat ze weer thuis werd verwacht. Sally merkt dat ze tegenwoordig vaak moe en humeurig is en hoewel ze er nog steeds fantastisch uitziet, wordt ze er niet jonger op. De laatste tijd is ze zo gespannen dat de spieren in haar nek aanvoelen als staalkabels waar een knoop in is gelegd.

Als haar nek begint op te spelen, als ze in paniek uit een diepe slaap ontwaakt en zich zo eenzaam voelt dat zelfs de stokoude conciërge van de school een zekere charme heeft, probeert Sally zichzelf eraan te herinneren hoe ze heeft geknokt om te zorgen dat haar dochters het goed zouden hebben. Antonia is zo populair dat ze al drie jaar achter elkaar is gekozen voor de hoofdrol in het schooltoneelstuk. Kylie, die afgezien van Gideon Barnes nauwelijks vrienden lijkt te hebben, is spellingskampioen van Nassau County en voorzitter van de schaakclub. Sally's dochters hebben altijd partijtjes gegeven en op balletles gezeten. Ze heeft ervoor gezorgd dat ze nooit een afspraak met de tandarts misten en dat ze op alle doordeweekse dagen op tijd op school waren. Ze horen hun huiswerk af te hebben voordat ze televisie kijken, ze moeten voor twaalf uur naar bed en mogen niet bij de grote weg of in het winkelcentrum rondhangen. Sally's dochters zijn hier geworteld; ze worden behandeld als ieder ander, als normale kinderen, niet anders dan de overige kinderen uit de buurt. Dat was ook de voornaamste reden waarom Sally Massachusetts en de tantes heeft verlaten. Daarom wil ze niet stilstaan bij wat zij zelf in het leven zou kunnen missen.

Nooit omkijken, heeft ze zichzelf voorgehouden. Niet denken aan de zwanen en de nachtelijke eenzaamheid. Niet denken aan storm of aan donder en bliksem, of aan de ware liefde die je nooit zult vinden. Het leven bestaat uit tandenpoetsen en ontbijt voor de kinderen maken en niet over de dingen nadenken, en Sally blinkt in al deze dingen uit. Ze krijgt alles gedaan, en nog op tijd ook. Toch droomt ze nog vaak van de tuin van de tantes. In de verste hoek stonden citroenkruid, wilde tijm en citroenmelisse. Als Sally daar in kleermakerszit tussenin zat en haar ogen sloot, was de citroengeur soms zo sterk dat ze er duizelig van werd. Alles in de tuin had een functie, zelfs de weelderige pioenrozen die bescherming bieden tegen noodweer en zeeziekte en erom bekendstaan dat ze het kwaad op afstand houden. Sally betwijfelt of ze van de vele kruiden die er groeiden nog alle namen weet, maar ze denkt dat ze het klein hoefblad en de smeerwortel wel op het oog zou kunnen herkennen en de lavendel en de rozemarijn aan hun karakteristieke geur.

Haar eigen tuin is sober en ingetogen, precies zoals zij het wil. Een heg van lusteloze seringen, een paar heesters en een bescheiden moestuintje waar niet veel meer groeit dan wat gelige tomaten en een paar miezerige komkommers. De komkommerzaailingen zijn grauw van de warmte op deze laatste middag in juni. Het is heerlijk om in de zomer vrij te zijn. Het maakt veel goed van alles wat ze moet doorstaan op de school, waar je de hele dag moet glimlachen. Ed Borelli, het plaatsvervangend hoofd en de man waar Sally voor werkt, heeft voorgesteld dat iedereen op de administratie zich door de plastisch chirurg een glimlach laat aanmeten voor het geval er ouders komen klagen. Vriendelijkheid is van het grootste belang, houdt Ed Borelli de secretaresses voor op moeilijke dagen, waarop er onhandelbare leerlingen van school gestuurd worden en verschillende vergaderingen op dezelfde tijd gepland blijken te zijn en het bestuur dreigt het schooljaar langer te laten doorlopen in verband met de strenge winter. Maar valse vrolijkheid holt je vanbinnen uit en als je maar lang genoeg doet alsof, bestaat de kans dat je een robot wordt. Tegen het einde van het schooljaar mompelt Sally 'Meneer Borelli komt er zo aan,' in haar slaap. Zodra ze dat merkt, telt ze de dagen af tot aan de zomer; dan kan ze nauwelijks wachten tot ze de laatste bel hoort.

Aangezien het schooljaar net vierentwintig uur geleden is afgelopen, zou Sally in een opperbeste bui moeten zijn, maar dat is niet het geval. Ze hoort alleen het bonzen van haar eigen hart en de radio die boven in Antonia's slaapkamer staat te schallen. Er is iets niet in orde. Het is niets concreets, niet iets dat je opeens in zijn volle omvang treft; het is niet zozeer een gat in een trui, maar eerder een losse boord die is uitgerafeld tot een hoopje wol. De lucht in het huis lijkt geladen, waardoor de haartjes in Sally's nek recht overeind gaan staan en er vonkjes van haar witte blouse springen.

Sally realiseert zich dat ze al de hele middag rekening houdt met een ongelukstijding. Stel je niet aan, houdt ze zichzelf voor; ze gelooft niet dat het mogelijk is om toekomstige tegenspoed te voorspellen, aangezien er nog nooit enig wetenschappelijk bewijs is geleverd voor het bestaan van dergelijke helderziendheid. Maar als ze boodschappen gaat doen, koopt ze toch twaalf citroenen en voor ze het kan helpen begint ze te huilen; midden op de groentenafdeling, alsof ze plotseling, na al die jaren, heimwee heeft naar het oude huis in Magnolia Street. Als ze de winkel verlaat, rijdt ze rechtstreeks naar het speeldveldje bij de YMCA, waar Kylie met haar vriendje Gideon aan het voetballen is. Gideon is vice-voorzitter van de schaakclub en Kylie verdenkt hem ervan dat hij haar bij de beslissende partij heeft laten winnen, zodat zij voorzitter kon worden. Kylie is de enige ter wereld die Gideon lijkt te kunnen verdragen. Zijn moeder, Jeannie Barnes, is twee weken na zijn geboorte in therapie gegaan; zo'n lastige jongen was hij en is hij nog altijd. Hij weigert domweg om te zijn als ieder ander. Hij vertikt het gewoon. Nu heeft hij bijvoorbeeld zijn hoofd kaalgeschoren en draagt legerkistjes en een zwart leren jack, al is het minstens tweeëndertig graden in de schaduw.

Sally voelt zich nooit op haar gemak bij Gideon; ze vindt hem grof en onsympathiek en ze denkt dat hij een slechte invloed heeft op Kylie. Maar als ze hen samen ziet voetballen, slaakt ze een zucht van verlichting. Kylie lacht als Gideon achter de bal aan rent en over zijn eigen schoenen struikelt. Ze is gewond noch ontvoerd, ze staat hier midden op het grasveld en loopt de benen uit haar lijf. Het is een warme, lome middag, een dag als alle andere, en Sally zou zich wat moeten ontspannen. Wat een malligheid om zo zeker te weten dat er iets mis zal gaan. Dat is wat ze zich voorhoudt, maar niet wat ze denkt. Als Antonia thuiskomt, uitgelaten omdat ze een vakantiebaantje heeft in de ijssalon bij de grote weg, is Sally zo achterdochtig dat ze erop staat de eigenaar te bellen om te informeren naar Antonia's exacte werktijden en verantwoordelijkheden.

'Leuk dat je me zo voor schut zet,' zegt Antonia ijzig als Sally heeft opgehangen. 'Mijn baas zal wel een heel volwassen indruk van me krijgen, als mijn moeder mij zo controleert.'

Antonia draagt tegenwoordig alleen nog maar zwart, waardoor haar rode haar nog vuriger lijkt. Vorige week heeft Sally, om haar voorliefde voor zwart op de proef te stellen, een witte katoenen trui voor haar gekocht, afgezet met kant. Ze wist zeker dat al Antonia's vriendinnen er een moord voor zouden begaan. Antonia gooide de trui met een pak textielverf in de wasmachine en deed het antracietkleurige geval vervolgens in de droogtrommel. Dat leverde een kledingstuk op dat zo klein is dat Sally haar hart vasthoudt als Antonia het draagt, bang dat ze er met iemand vandoor zal gaan, net als Gillian. Sally is bang dat een van haar dochters in de voetstappen van haar zus zal treden, een pad dat alleen maar heeft geleid tot zelfdestructie en tijdverspilling, inclusief drie huwelijken die geen van alle ook maar een rooie cent alimentatie hebben opgeleverd.

Antonia is hebberig op de manier waarop mooie meisjes dat kunnen zijn, en ze vindt zichzelf heel wat. Maar op deze warme middag in juni is ze plotseling vervuld van twijfel. Stel dat haar schoonheid vervaagt zodra ze de achttien is gepasseerd, zoals soms gebeurt bij meisjes die er geen benul van hebben dat ze hun beste tijd hebben gehad, tot het moment dat het allemaal voorbij is, en als ze dan een blik in de spiegel werpen merken ze tot hun grote schrik dat ze zichzelf niet meer herkennen. Ze is er altijd van uitgegaan dat ze ooit actrice zou worden; de dag na haar diploma-uitreiking zou ze naar Manhattan of Los Angeles gaan en gevraagd worden voor de hoofdrol in een film, zoals het op school ook altijd was gegaan. Nu is ze daar echter niet meer zo zeker van. Ze weet niet of ze talent heeft, en of het haar wel iets kan schelen. Eerlijk gezegd heeft ze het acteren zelf nooit zo leuk gevonden; wat haar aantrok was dat iedereen naar haar keek, dat ze wist dat ze hun ogen niet van haar af konden houden.

Als Kylie thuiskomt, helemaal bezweet, stuntelig en onder de grasvlekken, neemt Antonia niet eens de moeite een rotopmerking te maken.

'Heb je niets te zeggen?' vraagt Kylie behoedzaam als ze elkaar in de gang tegen het lijf lopen. Haar bruine haar staat alle kanten op en haar wangen zijn rood en vlekkerig van de hitte. Ze is het ideale mikpunt en dat is ze zich maar al te goed bewust.

'Jij mag wel eerst onder de douche, als je wilt,' zegt Antonia met zo'n treurige en dromerige stem dat ze haast onherkenbaar is.

'Hoezo?' zegt Kylie, maar Antonia is al naar de andere kant van de gang gelopen om haar nagels rood te lakken en over de toekomst na te denken, iets wat ze nog nooit eerder heeft gedaan.

Tegen etenstijd is Sally het angstige voorgevoel dat haar eerder die dag had bevangen, alweer bijna vergeten. Geloof nooit wat je niet kunt zien, is altijd haar motto geweest. Je hoeft niets te vrezen behalve de vrees zelf, heeft ze keer op keer gezegd toen haar dochters klein waren en dachten dat er monsters op de tweede plank van de lakenkast in de gang zaten. Maar net als ze zich zo ontspannen voelt dat ze overweegt een biertje te nemen, schieten plotseling de rolgordijnen in de keuken naar beneden, alsof de wanden elektrisch geladen zijn. Sally heeft een salade gemaakt van bonen en tofu, rauwe worteltjes en koude, gemarineerde broccoli, en een cake voor toe. Die cake komt nu echter in gevaar; op het moment dat de gordijnen dichtschieten begint de cake in te zakken, eerst aan de ene kant, dan aan de andere kant, tot hij zo plat is als een dubbeltje.

'Niets aan de hand,' stelt Sally haar dochters gerust over de rolgordijnen die door een onbekende macht naar beneden getrokken lijken te worden; maar haar stem klinkt onvast, zelfs in haar eigen oren. Het is zo klam en vochtig dat de was aan de lijn alleen maar natter wordt als hij vannacht buiten blijft hangen. De lucht is donkerblauw, een scherm van hitte.

'En of er iets aan de hand is,' zegt Antonia, omdat er net een merkwaardige wind is opgestoken, die door de hordeur en de openstaande ramen binnenkomt, en het servies en de borden doet rinkelen. Kylie vliegt naar boven om een trui te halen. De temperatuur stijgt nog steeds, maar de wind bezorgt haar koude rillingen; ze heeft over haar hele lijf kippevel.

Buiten, in de achtertuin van de buren, worden schommels uit de grond gerukt en krabben de katten aan de achterdeur, smekend om binnengelaten te worden. Halverwege het huizenblok splijt een populier en stort naar beneden, ramt een brandkraan en verbrijzelt de ruit van een geparkeerd staande Honda Civic. Op dat moment horen Sally en haar dochters het geklop. De meisjes kijken naar het plafond en vervolgens naar hun moeder.

'Eekhoorntjes,' verzekert Sally hen. 'Die wonen op zolder.'

Maar het kloppen houdt aan, net als de wind, en de temperatuur blijft maar stijgen. Eindelijk, tegen middernacht, keert de rust enigszins terug in de buurt. Nu kunnen de mensen tenminste nog wat slapen. Sally is een van de weinigen die opblijft, om een appeltaart te bakken – met haar geheime ingrediënten, zwarte peper en nootmuskaat. Ze wil hem invriezen voor het buurtfeest op de vierde juli. Maar zelfs Sally valt na niet al te lange tijd in slaap, ondanks het weer; ze strekt zich uit tussen de koele, witte lakens en laat de slaapkamerramen openstaan, zodat de wind binnen kan dringen om zich meester te maken van de kamer. De eerste krekels van het seizoen zijn stilgevallen en de mussen hebben zich teruggetrokken in de bomen, veilig in een nestje van takken die te broos zijn om het gewicht van een kat te houden. En net op het moment dat de mensen beginnen te dromen van gemaaid gras en bosbessentaart en leeuwen die zich naast de lammeren vlijen, verschijnt er een kring om de maan.

Een halo om de maan is altijd een teken van verstoring; een omslag in het weer, opkomende koorts of een periode waarin alles tegenzit. Maar als het een dubbele ring is, helemaal gedraaid en verwrongen, als een onstuimige regenboog of een liefde die volkomen verkeerd uitpakt, is alles mogelijk. Op een moment als dit is het verstandiger om de telefoon niet aan te nemen. Mensen die genoeg hebben meegemaakt om voorzichtig te zijn, sluiten hun ramen; ze doen de deur op slot en piekeren er niet over om bij het tuinhek hun liefje te kussen of een straathond te aaien. Tegenspoed is tenslotte net als liefde; het dient zich onverwacht aan en heeft je in zijn greep voor je de kans hebt gekregen erbij stil te staan, voor je het goed en wel doorhebt.

Hoog boven het huizenblok heeft de ring zich al om zichzelf heen geslagen, een verlichte slang van mogelijkheden, een dubbele lus, strakgetrokken door de zwaartekracht. Als de mensen niet zo vast hadden geslapen, hadden ze wel naar buiten gekeken om de prachtige kring van licht te bewonderen, maar ze sliepen door en waren zich nergens van bewust. Ze hadden geen erg in de maan, de stilte of de oude Oldsmobile die de oprit van Sally Owens was ingedraaid en bleef staan achter de Honda die Sally een paar jaar eerder had gekocht ter vervanging van de oude stationwagon van de tantes. Op een nacht als deze kan een vrouw zo stilletjes uit haar auto stappen dat geen van de buren haar hoort. Als het in juni zo warm is, als de hemel zo zwart en dik is, galmt een klop op de hordeur niet na. Die valt in je dromen als een steen in een beekje, waardoor je plotseling ontwaakt met bonzend hart, een op hol geslagen pols, meegezogen door je eigen paniek.

Sally gaat rechtop in bed zitten en weet dat ze zich geen millimeter moet verroeren. Ze heeft weer van de zwanen gedroomd; ze heeft gezien hoe ze zich in de lucht verheffen. Elf jaar lang heeft ze altijd het goede gedaan, is ze consciëntieus en betrouwbaar geweest, verstandig en vriendelijk, maar dat betekent nog niet dat ze de zwavelachtige geur van onheil niet meer herkent. En dat bevindt zich nu voor haar deur, het onheil, zuiver en onverdund. Het wenkt haar, als een mot die tegen de hor opvliegt. Ze kan het niet negeren. Ze trekt een spijkerbroek en een wit T-shirt aan en bindt haar donkere haar in een paardestaart. Hier krijgt ze later spijt van, weet ze, en ze vraagt zich af waarom ze dit onrustige gevoel niet van zich af kan zetten en waarom ze altijd het idee heeft dat ze alles moet oplossen.

Misschien hebben mensen die zeggen dat je niet voor je verleden kunt weglopen omdat het je altijd achterhaalt, wel helemaal gelijk. Sally kijkt door het voorraam. Op de veranda staat het meisje dat zich altijd al dieper in de nesten heeft weten te werken dan wie ook, inmiddels volwassen. Het is te lang geleden, een eeuwigheid, maar Gillian is nog altijd even mooi, alleen groezelig en nerveus en zo zwak dat ze steun moet zoeken bij de bakstenen muur op het moment dat Sally de deur opendoet.

'Lieve hemel, jij bent het,' zegt Gillian, alsof Sally de onverwachte gast is. In de afgelopen achttien jaar hebben ze elkaar maar drie keer gezien, als Sally naar het westen ging. Gillian is niet één maal de Mississippi overgestoken, precies zoals ze had gezworen toen ze bij de tantes wegging. 'Je bent het echt! Echt!'

Gillian heeft haar blonde haar korter laten knippen dan ooit; ze ruikt naar suiker en hitte. Er zit zand in de plooien van haar rode laarzen en ze heeft een tatoeage op haar pols, een kleine groene slang. Ze omhelst Sally snel en stevig, voordat Sally de tijd heeft om zich op te winden over het late uur en het feit dat Gillian wel even had kunnen bellen. Al was het niet eens om te zeggen dat ze eraan kwam, dan misschien zomaar een keer in de afgelopen maand, om even te laten weten dat ze nog leefde. Twee dagen geleden heeft Sally een brief naar Gillians meest recente adres gestuurd, in Tucson. Daarin is ze behoorlijk tegen haar van leer getrokken over haar spoor van mislukte plannen en gemiste kansen; ze heeft te veel gezegd in te sterke bewoordingen en is nu opgelucht dat de brief Gillian nooit zal bereiken.

Maar haar gevoel van opluchting duurt niet lang. Zodra Gillian begint te praten, weet Sally dat het goed mis is. Gillians stem trilt en dat is niets voor haar. Gillian wist altijd binnen een paar seconden met een goede smoes of een alibi op de proppen te komen, omdat ze eraan gewend was het ego van al haar vriendjes te moeten strelen; doorgaans is ze kalm en beheerst, maar nu knapt ze bijna uit haar vel.

'Ik zit in de nesten,' zegt Gillian.

Ze werpt een blik over haar schouder en laat haar tong langs haar lippen glijden. Ze is zo zenuwachtig als een mier, al is het niets nieuws voor haar om in de nesten te zitten. Gillian kan problemen veroorzaken door alleen maar over straat te lopen. Ze is nog altijd het soort vrouw dat in haar vinger snijdt als ze een kanteloep halveert en dan in allerijl naar het ziekenhuis wordt gebracht, waar de dienstdoende arts op de eerste-hulpafdeling tot over zijn oren verliefd op haar wordt, zelfs nog voordat hij haar heeft gehecht.

Gillian neemt Sally van top tot teen op.

'Als je eens wist hoe ik je heb gemist.'

Het klinkt alsof deze ontdekking Gillian zelf ook nogal verbaast. Ze drukt haar nagels in haar handpalmen, alsof ze zichzelf wil wakkerschudden uit een nare droom. Als ze niet zo wanhopig was had ze hier niet gestaan, was ze nooit naar haar grote zus gerend terwijl ze haar hele leven heeft gestreefd naar een rotsvaste zelfstandigheid. Iedereen had familie en ging met Pasen of Thanksgiving naar het oosten of het westen of naar de overkant van de straat, behalve Gillian. Zij was altijd bereid om met de feestdagen te werken, en als het werk erop zat ging ze onmiddellijk naar de beste kroeg van de stad, waar bij feestelijke gelegenheden speciale hapjes werden geserveerd; roze of azuurblauw gekleurde hardgekookte eieren, of kleine burrito's gevuld met kalkoen en cranberry. Op een keer had Gillian met Thanksgiving de tatoeage op haar pols laten aanbrengen. Het was op een warme middag in Las Vegas, Nevada, en de hemel had de kleur van een bakplaat. De man van de tatoeage-shop beloofde dat het geen pijn zou doen, maar dat deed het wel.

'Het is zo'n puinhoop, allemaal,' geeft Gillian toe.

'Zal ik je eens wat vertellen?' zegt Sally tegen haar zus. 'Je zult het niet geloven en ik weet dat het je niets kan schelen, maar ik heb zo mijn eigen problemen.'

De elektriciteitsrekening bijvoorbeeld, een weerspiegeling van Antonia's toegenomen belangstelling voor de radio, die geen seconde uit staat. En dan het feit dat Sally in bijna twee jaar geen enkel afspraakje meer heeft gehad, zelfs niet met een of andere neef of vriend van Linda Bennett, haar buurvrouw, en dat ze de liefde niet langer als een realiteit of zelfs maar als een mogelijkheid kan zien, hoe onwaarschijnlijk ook. In al die tijd dat ze uit elkaar zijn en hun eigen leven hebben geleid, heeft Gillian gedaan waar ze zin in had, geneukt met wie ze wilde en een gat in de dag geslapen. Ze heeft nooit nachten aan het bed van een klein meisje met waterpokken hoeven zitten, hoeven soebatten over bedtijden, de wekker op tijd hoeven zetten, omdat er iemand moest ontbijten of omdat er een hartig woordje met iemand gewisseld moest worden. Natuurlijk ziet Gillian er fantastisch uit. Zij denkt dat de wereld om haar draait.

'Geloof me, jouw problemen verbleken bij die van mij. Dit keer zit ik echt goed in de nesten, Sally.'

Gillians stem wordt steeds ijler, maar het is wel de stem die Sally door dat afschuwelijke jaar heen heeft gesleept, waarin ze zichzelf er niet toe kon zetten om te praten. Het is de stem die haar elke dinsdagavond dwong om door te gaan, ondanks alles, met een verbeten toewijding die alleen ontstaat als je een gedeeld verleden hebt.

'Goed dan,' zegt Sally met een zucht. 'Vertel maar op.'

Gillian haalt diep adem. 'Ik heb Jimmy bij me.' Ze komt wat dichterbij, zodat ze in Sally's oor kan fluisteren. 'Het punt is...' Dit wordt lastig, zeker weten. Ze moet het er maar gewoon uitgooien, al dan niet op fluistertoon. 'Hij is dood.'

Sally doet onmiddellijk een stap bij haar zus vandaan. Dat zijn dingen die niemand graag hoort op een warme avond in juni, terwijl de vuurvliegjes door de tuin dwarrelen. De nacht is sprookjesachtig en loom, maar Sally heeft opeens het gevoel alsof ze een hele kan koffie op heeft; haar hart gaat als een bezetene tekeer. Ieder ander zou misschien denken dat Gillian liegt of overdrijft of gewoon een flauw grapje maakt. Maar Sally kent haar zus. Zij weet wel beter. Ze heeft een dode man in de auto. Geen twijfel mogelijk.

'Doe me dit niet aan,' zegt Sally.

'Je denkt toch niet dat ik het leuk vind?'

'Jullie waren zeker een tochtje aan het maken, op weg naar mijn huis, met het idee om me eindelijk eens op te komen zoeken, toen hij opeens de geest gaf?'

Sally heeft Jimmy nooit ontmoet en ze kan ook niet zeggen dat ze hem ooit echt gesproken heeft. Hij heeft een keer opgenomen toen ze Gillian belde in Tucson, maar hij was bepaald niet spraakzaam. Zodra hij Sally's stem hoorde, riep hij Gillian aan de telefoon.

'Schiet eens een beetje op.' Dat was wat hij zei. 'Het is die zus van je.'

Sally kan zich alleen herinneren dat Gillian ooit had gezegd dat hij een tijdje had gezeten voor een misdaad die hij niet had begaan, en dat hij zo knap en innemend was dat hij elke vrouw voor zich kon winnen door haar op de juiste manier aan te kijken. Of op de verkeerde manier, dat lag eraan hoe je tegen de gevolgen aankeek, en of je toevallig met die vrouw was getrouwd op het moment dat Jimmy langskwam en haar inpikte voordat je het wist.

'Het gebeurde op een parkeerplaats in New Jersey.' Gillian probeert met roken te stoppen en daarom pakt ze een kauwgom en steekt die in haar mond. Ze heeft een lieflijk roze pruilmondje, maar vanavond zijn haar lippen droog. 'Het was zo'n klootzak,' zegt ze bedachtzaam. 'God. Wat hij allemaal heeft gedaan, dat geloof je nooit. Een keertje pasten we op het huis van mensen in Phoenix en die hadden een kat waar hij zich aan ergerde – ik geloof dat hij op de vloer had gepiest. Toen heeft hij hem in de koelkast gestopt.'

Sally gaat zitten. Ze wordt een beetje licht in haar hoofd van alle informatie over het leven van haar zus en door de koelte van het betonnen stoepje voelt ze zich weer wat beter. Ze laat zich altijd meeslepen door Gillian, hoe ze zich er ook tegen verzet. Gillian komt naast haar zitten, de knieën tegen de hare. Haar huid is nog koeler dan het beton.

'Zelfs ik geloofde niet dat hij echt zoiets kon doen,' zei Gillian. 'Midden in de nacht moest ik mijn bed uit om dat beest uit de koelkast te halen, anders was hij doodgevroren. Er zaten ijskristallen in zijn vacht.'

'Waarom ben je hier naartoe gekomen?' zegt Sally bedroefd. 'Waarom nu? Je maakt alles kapot. Ik heb hier hard voor geknokt.'

Gillian neemt het huis in zich op, nauwelijks onder de indruk. Ze vindt het afschuwelijk aan de oostkust. Die klamme lucht en al dat groen. Ze was tot vrijwel alles bereid om het verleden te ontlopen. Vannacht zal ze hoogstwaarschijnlijk van de tantes dromen. Ze zal het oude huis in Magnolia Street, met het houtwerk en de katten, weer voor zich zien en ze zal onrustig worden; misschien de paniek voelen opkomen en net als vroeger het gevoel krijgen dat ze weg moet, waardoor ze in het zuidwesten verzeild is geraakt. Toen het uit was met de Toyota-monteur voor wie ze haar eerste man had verlaten, had ze meteen de bus genomen. Ze had warmte en zonlicht nodig als tegenwicht voor haar muffe jeugd met de donkere middagen vol lange, groene schaduwen en de nachten die nog donkerder waren. Ze moest ver, ver weg.

Als ze geld had gehad, zou Gillian van die parkeerplaats in New Jersey zijn weggerend en zijn blijven rennen tot ze bij het vliegveld van Newark was gekomen, om daar een vliegtuig te nemen naar een plek waar het lekker warm was. New Orleans misschien, of Los Angeles. Helaas had Jimmy haar net voor ze Tucson uitreden, verteld dat ze geen cent meer hadden. Hij had het geld dat zij in de afgelopen vijf jaar had verdiend, tot op de laatste cent uitgegeven, wat niet zo moeilijk is als je het spendeert aan drugs en drank en alle sieraden die je ook maar enigszins aanspreken, zoals de zilveren ring die hij altijd droeg – en die bijna net zo veel had gekost als Gillian in een hele week bij elkaar verdiende. Het enige wat ze uiteindelijk nog bezaten was de auto en die stond op zijn naam. Waar kon ze anders heen in een zwarte nacht als deze? Wie zou haar anders binnenlaten zonder lastige vragen te stellen – of in elk geval geen vragen waar ze geen antwoord op kon verzinnen – tot ze haar leven weer een beetje op poten had?

Gillian zucht en geeft de strijd tegen de nicotine op, althans tijdelijk. Ze haalt een van Jimmy's Lucky Strikes uit haar borstzakje, steekt hem aan en inhaleert zo diep mogelijk. Morgen gaat ze stoppen.

'We wilden met een schone lei beginnen, daarom waren we op weg naar Manhattan. Ik was van plan je te bellen zodra we een huis hadden gevonden. Jij was de eerste die ik thuis had willen uitnodigen.'

'Vast,' zegt Sally, maar ze gelooft er geen woord van. Toen Gillian haar verleden afwees, had ze ook Sally de rug toegekeerd. De laatste keer dat ze elkaar hadden gezien, was vlak voor Jimmy en de verhuizing naar Tucson. Sally had voor zichzelf en de meiden al een ticket naar Austin gekocht, waar Gillian als aankomend portier bij het Hilton werkte. Het was de bedoeling geweest om samen Thanksgiving te vieren – wat voor het eerst zou zijn – maar Gillian belde op, twee dagen voor Sally en de meiden zouden komen, en zei dat Sally het maar beter uit haar hoofd kon zetten. Over twee dagen zou ze niet eens meer in Austin wonen. Gillian nam niet eens de moeite om uit te leggen wat er aan de hand was: of het aan het Hilton lag, aan Austin, of aan een onweerstaanbaar verlangen om weer te verkassen. Wat Gillian betrof was Sally wel aan teleurstellingen gewend geraakt. Ze zou zich eerder zorgen hebben gemaakt als er géén kink in de kabel was gekomen.

'Ik was van plan je te bellen,' zegt Gillian. 'Geloof me of niet. Maar we moesten als de donder uit Tucson weg. Jimmy had Jamestown-weed verkocht aan kinderen op de universiteit, terwijl hij zei dat het peyote of LSD was. Opeens legden allerlei mensen het loodje. Ik wist van niets tot hij zei: "Pak je spullen, pronto." Ik had heus wel gebeld voor ik zomaar op je stoep zou staan. Maar ik was radeloos toen hij op dat parkeerterrein in elkaar zakte. Ik wist niet waar ik naartoe moest.'

'Je had hem naar het ziekenhuis kunnen brengen. Of anders naar de politie. Je had de politie kunnen bellen.' In het donker kan Sally zien dat de azalea's die ze onlangs heeft geplant al beginnen te hangen, de bladeren bruin verkleurd. Volgens haar gaat alles verkeerd als je het maar de tijd gunt. Sluit je ogen, tel tot drie en de kans is groot dat je wordt beslopen door een of andere ramp.

'Ja, hoor. Alsof ik naar de politie kan gaan.' Met kleine, korte pufjes blaast Gillian de rook uit. 'Ik zou tien tot twintig jaar krijgen. Misschien wel levenslang, omdat het in New Jersey is gebeurd.' Gillian staart naar de sterren, haar ogen wijdopen. 'Als ik genoeg geld bij elkaar kon scharrelen, zou ik naar Californië gaan. Dan was ik gevlogen voor ze achter me aan konden komen.'

Sally heeft meer op het spel staan dan alleen de azalea's. Elf jaar hard werken en offers brengen. De kringen om de maan zijn nu zo fel dat Sally ervan overtuigd is dat binnen afzienbare tijd de hele buurt wakker zal zijn. Ze grijpt haar zus bij de arm en drukt haar nagels in Gillians huid. Ze heeft binnen twee kinderen liggen die haar nodig hebben. Ze heeft een appeltaart die af moet voor het buurtfeest ter gelegenheid van de vierde juli, volgend weekend.

'Waarom zouden ze achter je aan komen?'

Gillian krimpt ineen en wil zich losrukken, maar Sally laat haar niet gaan. Uiteindelijk trekt Gillian haar schouders op en slaat haar ogen neer. Sally vindt dat een weinig geruststellende reactie op haar vraag.

'Wil je beweren dat jij Jimmy's dood op je geweten hebt?'

'Het was een ongelukje,' zegt Gillian met klem. 'Min of meer,' voegt ze eraan toe als Sally haar nagels dieper in het vlees drukt. 'Goed dan,' geeft ze toe als Sally tot bloedens toe door drukt. 'Ik heb hem vermoord.' Gillian begint helemaal te rillen, alsof haar temperatuur elke seconde een graad zakt. 'Nu weet je het dan. Blij? Zoals gewoonlijk is het allemaal mijn schuld.'

Misschien komt het gewoon door de vochtigheid, maar de kringen om de maan zijn nu lichtgroen. Sommige vrouwen geloven dat een groen licht in het oosten het verouderingsproces kan keren, en Sally heeft inderdaad het gevoel dat ze weer veertien is. Ze denkt dingen die geen enkele volwassen vrouw hoort te denken, zeker niet als ze sinds jaar en dag heeft geprobeerd een voorbeeldig leven te leiden. Ze ziet dat Gillians armen onder de blauwe plekken zitten; in het donker lijken ze op paarse vlinders, worden ze haast mooi.

'Ik begin nooit meer iets met een man,' zegt Gillian. Als Sally haar ongelovig aankijkt, blijft Gillian volhouden dat ze haar buik vol heeft van de liefde. 'Ik heb mijn lesje geleerd,' zegt ze. 'En nu is het verdomme te laat. Had ik de avond nog maar, dat ik morgen de politie kon bellen.' Haar stem heeft weer die vreemde klank en is nog zachter dan daarnet. 'Ik zou een deken over Jimmy heen kunnen leggen en hem in de auto laten. Ik kan het niet opbrengen om me nu aan te geven. Ik ben er nog niet klaar voor.'

Gillian klinkt alsof ze nu elk moment in kan storten. Haar hand trilt zo erg dat ze niet in staat is nog een sigaret op te steken.

'Waarom stop je niet met roken?' zegt Sally. Gillian is nog altijd haar kleine zusje, zelfs nu; zij is verantwoordelijk voor haar.

'Ach, rot op.' Gillian weet de lucifer en vervolgens haar sigaret aan te steken. 'Ik krijg waarschijnlijk levenslang. Als ik rook, bekort ik de tijd die ik moet zitten. Ik kan er beter twee tegelijk opsteken.'

Hoewel de meisjes nog heel klein waren toen hun ouders overleden, had Sally destijds op haar gevoel gehandeld en hen er zo allebei doorheen gesleept. Nadat de oppas hysterisch was geworden en Sally de hoorn overnam om door een agent op de hoogte gesteld te worden van de dood van hun ouders, zei ze dat Gillian haar twee liefste knuffels moest uitzoeken en de rest moest weggooien omdat ze voortaan zo min mogelijk bagage moesten hebben; alleen dingen die ze zelf konden dragen. Zij was het geweest die de onnozele oppas had gevraagd het nummer van de tantes in de agenda van hun moeder op te zoeken; zij had erop gestaan de tantes te bellen om aan te kondigen dat ze onder toezicht van de staat gesteld zouden worden, tenzij een familielid, al was het een ver familielid, zich over hen zou ontfermen. Ze had toen dezelfde blik in haar ogen als nu, een onwaarschijnlijke combinatie van dromerigheid en onverzettelijkheid.

'De politie hoeft nergens van te weten,' zegt Sally. Haar stem klinkt opmerkelijk stellig.

'Meen je dat?' Gillians ogen tasten het gezicht van haar zus af, maar op dit soort momenten geeft Sally niets bloot. Het is onmogelijk te zeggen wat er in haar omgaat. 'Meen je dat echt?' Gillian gaat wat dichter bij Sally staan, op zoek naar steun. Ze werpt een blik op de oude Oldsmobile. 'Wil je hem zien?'

Sally strekt haar nek; er zit een gestalte op de passagiersstoel, zoveel is zeker.

'Hij was echt heel knap.' Gillian drukt haar sigaret uit en begint te huilen. 'Oh, mijn God,' zegt ze.

Sally begrijpt zelf ook niet waarom, maar ze wil hem inderdaad zien. Ze wil weten hoe zo'n man eruitziet. Ze wil weten of een vrouw die zo rationeel is als zij zich tot hem aangetrokken zou kunnen voelen, al was het maar heel even.

Gillian loopt achter Sally aan en ze buigen zich naar voren om Jimmy door de voorruit eens goed op te nemen. Lang, donker, aantrekkelijk en dood.

'Je hebt gelijk,' zegt Sally. 'Hij was knap.'

Het is zonder meer de knapste man die Sally ooit heeft gezien, dood of levend. Uit de kromming van zijn wenkbrauwen en de grijns die nog altijd om zijn lippen speelt, kan ze opmaken dat hij zich daar maar al te zeer van bewust was. Sally drukt haar gezicht tegen de ruit. Jimmy's arm bungelt over de rugleuning en Sally ziet de ring aan de ringvinger van zijn linkerhand – een flink brok zilver met drie vlakken: in het ene vlak is een reuzencactus gegraveerd, in het andere een kronkelende ratelslang, en in het midden een cowboy te paard. Zelfs Sally begrijpt dat je beter geen klappen kunt krijgen van een man met zo'n ring; het zilver zou zonder meer je lip openhalen en een diepe snee achterlaten.

Jimmy was erg ijdel, dat is goed te zien. Zelfs nadat hij uren in een autostoel heeft gehangen, ziet zijn spijkerbroek er zo fris uit dat het duidelijk is dat iemand zijn uiterste best heeft gedaan om hem in het juiste model te persen. Zijn laarzen zijn van slangeleer en hebben ongetwijfeld een fortuin gekost. Hij onderhield ze zorgvuldig; wie per ongeluk bier op zijn laarzen morste of te veel stof deed opwaaien, kreeg problemen; het gepoetste leer sprak duidelijke taal. Ook de blik op Jimmy's gezicht sprak boekdelen. Dood of levend, hij was wie hij was: iemand waar je maar beter geen ruzie kon hebben. Sally doet een stap bij de auto vandaan. Ze is bang om alleen met hem te zijn. Ze is bang dat één verkeerde opmerking hem tot leven zal wekken en dan zal ze zich geen raad weten.

'Hij ziet er wel een beetje gemeen uit.'

'Ja, dat was hij ook,' zegt Gillian. 'Maar alleen als hij gedronken had. De rest van de tijd was hij geweldig. Ik kon hem wel opvreten, echt waar. Dus wilde ik ervoor zorgen dat hij niet meer gemeen zou zijn – ik deed elke avond wat nachtschade in zijn eten. Daardoor viel hij in slaap voordat hij kon gaan drinken. Het ging een hele tijd goed, maar waarschijnlijk heeft de nachtschade zich opgehoopt in zijn bloedbaan en ging hij toen opeens de pijp uit. We zaten op dat parkeerterrein en hij rommelde wat in het dashboardkastje, op zoek naar zijn aansteker die ik vorige maand op de vlooienmarkt in Sedona voor hem had gekocht, toen hij opeens dubbelklapte en niet meer overeind kon komen. En daarna hield hij op met ademhalen.'

In een achtertuin begint een hond te blaffen; een schel en zenuwachtig geluid dat al in de dromen van de mensen begint door te dringen.

'Je had de tantes moeten bellen om de juiste dosering te vragen,' zegt Sally.

'De tantes hebben een hekel aan me.' Gillian haalt een hand door haar haar om het wat voller te doen lijken, maar door de klamme lucht blijft het slap naar beneden hangen. 'Ik heb ze op alle mogelijke manieren teleurgesteld.'

'Ik ook,' zegt Sally.

Sally dacht dat de tantes haar veel te gewoontjes vonden om echt mee te tellen. Gillian was ervan overtuigd dat ze haar ordinair vonden. Het gaf de meisjes een gevoel van tijdelijkheid. Ze hadden het idee dat ze erg voorzichtig moesten zijn met wat ze zeiden en wat ze lieten merken. Ze vertelden de tantes nooit hoe bang ze waren voor onweer, alsof na alle nachtmerries en buikgriepjes, koortsaanvallen en voedselallergieën, die angst de druppel zou zijn voor de tantes, die om te beginnen nooit kinderen hadden gewild. Nog meer gezeur en de tantes konden wel eens de koffers van de zusjes gaan halen; ze stonden op zolder en zaten onder de spinnewebben en het stof, maar ze waren van Italiaans leer en nog goed genoeg om te gebruiken. Sally en Gillian zochten hun heil niet bij de tantes, maar bij elkaar. Ze fluisterden dat er niets ergs kon gebeuren zolang ze nog in dertig seconden tot honderd konden tellen. Er zou niets gebeuren als ze maar onder de dekens bleven liggen, als ze maar geen adem haalden op het moment dat boven hun hoofd de bliksemschichten door de lucht schoten.

'Ik wil niet naar de gevangenis.' Gillian haalt nog een Lucky Strike uit het pakje en steekt hem aan. Door haar verleden lijdt ze aan ernstige verlatingsangst en is daarom altijd de eerste die opstapt. Ze weet het, ze heeft lang genoeg in therapie gezeten en genoeg betaald om er diepgaand over te kunnen praten, maar dat wil niet zeggen dat er iets is veranderd. Er is niet een man geweest die haar vóór was en haar heeft laten zitten. Daar staat ze om bekend. Eerlijk gezegd heeft Jimmy het nog het verste geschopt. Hij is er niet meer, maar zij nog wel, ze denkt aan hem en moet daarvoor boeten.

'Als ik naar de gevangenis moet, word ik gek. Ik heb nog niet eens geleefd. Niet echt. Ik wil een baan en een normaal leven. Ik wil barbecuen bij de buren. Ik wil een kind.'

'Tja, dat had je eerder moeten bedenken.' Precies dezelfde raad die Sally Gillian al jaren geeft en die hun telefoongesprekken in die tijd heeft gereduceerd van kort naar niet-bestaand. Het is ook wat ze in haar laatste brief heeft geschreven, de brief die Gillian nooit heeft bereikt. 'Je had gewoon bij hem weg moeten gaan.'

Gillian knikt. 'Ik had nooit iets tegen hem moeten zeggen. Dat was mijn eerste vergissing.'

Sally kijkt onderzoekend naar het gezicht van haar zus in het groene maanlicht. Gillian mag dan een schoonheid zijn, ze is zesendertig en veel te vaak verliefd geweest.

'Heeft hij je geslagen?' vraagt Sally.

'Maakt dat iets uit?' Van dichtbij ziet Gillian er bepaald niet jong uit. Ze heeft te veel in de zon van Arizona gelegen en haar ogen zijn vochtig, al huilt ze niet meer.

'Ja,' zegt Sally. 'Toch wel. Voor mij wel.'

'Ik zal het je vertellen.' Gillian gaat met haar rug naar de

Oldsmobile staan omdat ze er anders aan moet denken hoe Jimmy nog maar een paar uur geleden meezong met een bandje van Dwight Yoakam. Dat nummer dat haar nooit ging vervelen, het nummer over een clown. Naar haar mening zong Jimmy het duizend keer mooier dan Dwight ooit zou kunnen, wat niet niks is omdat ze weg is van Dwight. 'Deze keer was ik echt verkocht. Diep van binnen. Het is zo triest, eigenlijk. Meelijwekkend. Ik verlangde constant naar hem, alsof ik bezeten was of zo. Alsof ik een van die vrouwen was.'

In de keuken, in de schemering, zouden die vrouwen smekend op hun knieën zijn gevallen. Ze zouden zweren dat ze van hun leven nooit meer iets zouden verlangen, als ze nu maar kregen wat ze wilden. Dat was het moment waarop Sally en Gillian hun pinkjes in elkaar haakten en plechtig beloofden nooit zo verachtelijk en ongelukkig te zullen worden. Niets zou hen daartoe kunnen drijven, fluisterden ze in elkaars oor terwijl ze in het stoffige duister op de achtertrap zaten, alsof verlangen iets was dat je zelf in de hand had.

Sally kijkt naar haar voortuin en ziet de warme, heldere nacht. Ze heeft nog steeds kippevel in haar nek, maar last heeft ze er niet meer van. In de loop van de tijd raak je overal aan gewend, ook aan angst. Dit is tenslotte haar zus, het meisje dat soms weigerde te gaan slapen vóór Sally een slaapliedje had gezongen of haar de ingrediënten van een drankje of een toverspreuk van de tantes had ingefluisterd. Dit is de vrouw die haar elke dinsdagavond belde, klokslag tien uur, een jaar lang.

Sally herinnert zich hoe Gillian haar hand vasthield toen ze voor het eerst achter de tantes aan de achterdeur van het oude huis in Magnolia Street binnengingen. Gillians handjes waren kleverig van de kauwgomballen, en koud van angst. Ze wilde niet meer loslaten; toen Sally dreigde haar te knijpen, verstevigde ze haar greep alleen maar.

'Laten we hem naar achteren brengen,' zegt Sally.

Ze slepen hem naar de plek waar de seringen groeien en zorgen ervoor geen van de wortels te beschadigen, precies zoals ze van de tantes hebben geleerd. De vogels in de struiken zijn inmiddels allemaal in slaap. De padden hebben zich in de bladeren van de kwee en de forsythia genesteld. De zussen gaan aan het werk, het geluid van hun schop heeft een gestaag ritme, als een baby die in zijn handen klapt of tranen die naar beneden druppen. Er is eigenlijk maar één echt moeilijk moment. Hoe Sally ook haar best doet, ze krijgt Jimmy's ogen niet dicht. Ze heeft wel eens gehoord dat zoiets voorkomt bij een dode die wil zien wie er na hem komt. Daarom dringt Sally erop aan dat Gillian de andere kant opkijkt, terwijl zij zand op hem gooit. Dan hoeft tenminste maar één van hen elke nacht in haar dromen zijn starende blik te zien.

Als ze klaar zijn en hun schop weer in de schuur hebben gezet en er onder de seringen weinig anders valt te zien dan omgespitte aarde, moet Gillian met haar hoofd tussen haar knieën op de veranda achter het huis gaan zitten om niet flauw te vallen. Hij wist precies hoe hij een vrouw moest slaan zonder dat de sporen al te zichtbaar waren. Hij wist ook hoe hij haar moest kussen zodat haar hart sneller ging kloppen en ze bij elke ademtocht aan vergiffenis dacht. Het is wonderbaarlijk wat liefde allemaal met je kan doen. Het is verbijsterend te merken hoe ver je bereid bent te gaan.

Er zijn nachten dat je maar beter niet aan het verleden kunt denken, aan alles wat je hebt gewonnen en verloren. In dat soort nachten lucht het op om gewoon naar bed te kunnen gaan, tussen de frisse, witte lakens te kruipen. Het is een juninacht als alle andere, afgezien van de hitte en het groene licht aan de hemel en de kring om de maan. Toch is het uitzonderlijk wat er met de seringen gebeurt, terwijl iedereen ligt te slapen. In mei zaten er alleen een paar slappe knoppen in, maar nu staan de seringen van de ene op de andere dag in volle bloei, buiten het seizoen, in een uitbundige pracht. Ze dragen bloemen die zo sterk ruiken dat de lucht helemaal paars en zwoel wordt. Binnen afzienbare tijd worden de bijen duizelig. Vogels vergeten dat ze op weg waren naar het noorden. Weken lang worden de mensen onweerstaanbaar naar de stoep voor het huis van Sally Owens getrokken, weggelokt uit hun eigen keuken of eetkamer door de geur van de seringen, een geur die herinneringen oproept aan verlangen en ware liefde en duizend andere dingen die ze al een hele tijd geleden zijn vergeten, en waarvan ze nu soms zouden willen dat dat nog steeds zo was.

Op de ochtend van Kylie Owens' dertiende verjaardag is de lucht oneindig zacht en blauw, maar lang voordat de zon opgaat, voordat de wekkers afgaan, is Kylie al wakker. Dat is ze al uren. Ze is zo lang dat ze zonder probleem voor achttien zou kunnen doorgaan, als ze de kleren van haar zus en de mokkakleurige lippenstift van haar moeder en de rode cowboylaarzen van haar tante Gillian zou lenen. Kylie weet dat ze het niet moet overhaasten, ze heeft haar hele leven nog voor zich; maar toch is ze al die jaren in razende vaart op dit moment afgestevend, was het voortdurend in haar gedachten, alsof alles draaide om deze ochtend in juli. Als tiener zal ze het ongetwijfeld veel beter doen dan ze het ooit als kind heeft gedaan; ze heeft het haar hele leven al min of meer zeker geweten en nu heeft haar tante de tarotkaarten voor haar gelezen en die voorspellen niets dan goeds. De ster was tenslotte haar kaart en dat symbool staat voor succes bij alles wat je onderneemt.

De afgelopen twee weken heeft Kylie haar slaapkamer gedeeld met haar tante Gillian, waardoor Kylie weet dat Gillian slaapt als een klein meisje, diep weggedoken onder een dik dekbed, al is de temperatuur sinds haar komst niet meer tot onder de dertig graden gezakt, alsof ze in de kofferbak van haar auto een stukje heeft meegenomen van het zuidwesten waar ze zo verzot op is. Ze hebben het ingericht zoals kamergenootjes zouden doen, alles precies doormidden. Alleen heeft Gillian extra plaats nodig voor haar make-upspullen en heeft ze Kylie gevraagd om een paar dingetjes te veranderen. Het zwarte babydekentje dat altijd op het voeteneind van Kylie's bed heeft gelegen, is opgevouwen en weggeborgen in een doos in de kelder, samen met het schaakbord dat volgens Gillian veel te veel plaats inneemt. De zwarte zeep die de tantes elk jaar opsturen, is uit het zeepbakje verwijderd en vervangen door een stuk lichte, naar rozen ruikende zeep uit Frankrijk.

Gillian is zeer uitgesproken in wat ze wel en niet wil en heeft overal een mening over. Ze slaapt veel, leent dingen zonder het te vragen en maakt heerlijke brownies met M&M's door het beslag. Ze is beeldschoon en lacht honderd keer zo vaak als Kylie's moeder. Kylie wil net zo worden als zij. Ze loopt achter Gillian aan en bestudeert haar en overweegt haar haar af te knippen, dat wil zeggen, als ze er het lef voor zou hebben. Als Kylie één wens mocht doen, dan was het om bij het ontwaken tot de ontdekking te komen dat haar muisbruine haar op wonderbaarlijke wijze was veranderd in hetzelfde stralende blond waar Gillian mee is gezegend; als stro dat in de zon heeft gelegen, als goudstukken.

Wat Gillian nog leuker maakt, is dat ze niet met Antonia kan opschieten. Als het maar lang genoeg duurt gaan ze elkaar misschien nog wel haten. Vorige week heeft Gillian Antonia's korte zwarte rokje geleend voor het buurtfeest op de vierde juli, er per ongeluk Cola Light op gemorst en vervolgens Antonia voor onverdraagzaam uitgemaakt toen die het waagde daar iets van te zeggen. Inmiddels heeft Antonia haar moeder gevraagd of er een slot op haar kleerkast mag. Ze heeft tegen Kylie gezegd dat hun tante een klaploper is, een kneusje, een zielepoot.

Gillian heeft een baantje gevonden in een hamburgertent aan de grote weg, waar alle jongens als een blok voor haar zijn gevallen. Ze bestellen cheeseburgers waar ze geen trek in hebben en liters limonade en cola, alleen maar om in haar buurt te kunnen zijn.

'Een mens moet werken om geld te verdienen om te kunnen feesten,' heeft Gillian gisteravond gezegd, een instelling die nu reeds haar plannen om naar Californië te gaan heeft gedwarsboomd, aangezien ze geen weerstand kan bieden aan winkelcentra – met name schoenenzaken oefenen een sterke aantrekkingskracht op haar uit – en ze geen rooie cent bezit.

Die avond aten ze hotdogs van tofu met bonen die erg gezond schijnen te zijn, hoewel Kylie ze naar vrachtwagenbanden vindt smaken. Sally wil niet dat er vlees, vis of gevogelte op tafel komt, ondanks het gezeur van haar dochters. Als ze langs de voorverpakte kippepoten in de supermarkt loopt, sluit ze haar ogen, maar moet toch altijd aan de duif denken die de tantes bij hun meest krachtige liefdesspreuk gebruikten.

'Zeg dat maar eens tegen een hersenchirurg,' was Sallys reactie op de opmerking van haar zus over het beperkte nut van werk. 'Zeg dat maar eens tegen een kernfysicus of een dichter.'

'Oké.' Gillian rookte nog steeds, al nam ze zich elke ochtend voor om te stoppen en was ze zich ervan bewust dat iedereen behalve Kylie zich wild ergerde aan de rook. Ze nam snelle teugjes, alsof de anderen het dan minder erg zouden vinden. 'Als jij een kernfysicus of een dichter voor me weet. Wonen er hier veel?'

Kylie genoot van de denigrerende opmerking over hun kleurloze buurt, die geen begin en geen eind kende maar wel een hoop roddels. Iedereen had het altijd op haar vriend Gideon gemunt, al helemaal nu hij zijn haar had afgeschoren. Hij zei dat het hem koud liet en dat de meeste mensen uit de buurt zo dom waren als het achtereind van een varken. Maar de laatste tijd werd hij nerveus als iemand hem aansprak; en als hij langs de weg liep en er werd getoeterd, maakte hij soms een sprongetje van schrik, alsof iemand hem op de een of andere manier had gekwetst.

De mensen kletsten graag, over wat dan ook. Alles wat afweek of maar enigszins vreemd leek, voldeed. De meeste mensen uit de straat hadden het er al over gehad dat Gillian het bovenstukje van haar bikini uittrok als ze in de achtertuin lag te zonnen. Ze wisten allemaal precies hoe de tatoeage op haar pols eruitzag en dat ze op het buurtfeest minstens zes blikjes bier had gedronken – misschien zelfs wel meer – en vervolgens Ed Borelli's uitnodiging om een keer uit te gaan vierkant had afgewezen, ondanks het feit dat hij niet alleen conrector was, maar ook nog de directe baas van haar zus. De buurvrouw van de Owenses, Linda Bennett, wilde niet dat de opticien waar ze iets mee had, haar kwam ophalen voordat het donker werd, zo onzeker werd ze ervan om iemand met het uiterlijk van Gillian naast zich te hebben wonen. Niemand wist precies wat hij met Sally's zus aanmoest. Soms, als je haar bij de kruidenier tegen het lijf liep, stond ze erop dat je met haar meeging zodat ze de tarotkaarten voor je kon lezen. Andere keren, als je haar op straat tegenkwam en gedagzei, keek ze dwars door je heen, alsof ze met haar gedachten duizenden mijlen weg was, in Tucson of zo, waar het leven een stuk opwindender was.

Maar voor Kylie had Gillian de gave om van alles iets leuks te maken; bij de juiste lichtval leek zelfs een haveloze buurt als die van hen te gaan schitteren. Sinds Gillians komst waren de seringen uitbundig gaan bloeien, als een eerbetoon aan haar schoonheid en haar charme. Ze waren vanuit de achtertuin opgerukt naar de voortuin, als een paarse haag over het hek en de oprit. Seringen hoorden niet in juli te bloeien, dat was een onomstreden botanisch gegeven. Tenminste, tot op dat moment. De meisjes uit de buurt begonnen te fluisteren dat als je de jongen van je dromen kuste onder de seringen van Owens, hij voor altijd de jouwe zou zijn; of hij wilde of niet. De universiteit van Stony Brook had twee botanisten gestuurd om de bloemtrossen te bestuderen van deze verbazingwekkende struik, die buiten het seizoen in uitzinnige bloei stond en met het uur groter en weelderiger werd. Sally had de botanisten niet in de tuin willen laten; ze had hen verjaagd met de tuinslang. Maar zo nu en dan zetten de wetenschappers hun auto aan de overkant van de weg, mijmerend over het prachtige exemplaar waar ze niet bij mochten. Ze vroegen zich af of het ethisch verantwoord was om met een heggeschaar de tuin in te rennen en af te knippen wat ze wilden hebben.

De seringen hebben niemand onberoerd gelaten. Gisteravond werd Kylie wakker omdat ze iemand hoorde huilen. Ze stapte uit bed en liep naar het raam. Buiten, naast de seringen, zat haar tante Gillian, in tranen. Kylie bleef staan kijken tot Gillian haar tranen droogde en een sigaret uit haar zak haalde. Terwijl ze weer in bed kroop, was Kylie ervan overtuigd dat zij ook ooit om middernacht in een tuin zou zitten huilen, in tegenstelling tot haar moeder, die altijd om elf uur naar bed ging en die een leven leek te leiden waarin niets het huilen waard was. Kylie vroeg zich af of haar moeder wel eens om haar vader had gehuild, of dat ze op het moment van zijn dood het vermogen om te huilen had verloren.

Buiten in de tuin huilde Gillian nog altijd nacht na nacht om Jimmy. Ze kon er gewoon niet mee ophouden, zelfs nu niet.

Zij die had gezworen haar leven nooit door passie te laten bepalen, was volledig in de greep ervan. Ze had lang geprobeerd om de moed en het lef bij elkaar te rapen om op te stappen, bijna het hele afgelopen jaar. Ze had Jimmy's naam op een stuk papier geschreven en dat verbrand op de eerste vrijdag van iedere maand dat de maan in het eerste of laatste kwartier stond, om los te komen van haar passie voor hem. Maar dat hielp haar niet om op te houden naar hem te verlangen. Na meer dan twintig jaar van flirten, er op los neuken en weglopen voor elke vorm van vastigheid, moest ze uitgerekend verliefd worden op zo'n soort man, een man die zo slecht was dat op de dag dat ze hun meubels overbrachten naar het huurhuis in Tucson, de muizen zich allemaal uit de voeten maakten, want zelfs een veldmuis had nog meer hersens dan zij.

Nu hij dood is, lijkt Jimmy veel liever. Gillian herinnert zich hoe vurig zijn kussen waren en alleen al de herinnering snijdt door haar ziel. Hij kon haar levend verslinden; hij kon het binnen de minuut en zoiets vergeet je niet zomaar. Ze hoopt dat die verdomde seringen eens ophouden met bloeien, want de geur trekt door het hele huis en door de hele buurt. Soms zou ze zweren dat ze het zelfs in de hamburgertent nog ruikt, bijna een kilometer verderop aan de grote weg. De mensen uit de buurt zijn wel ingenomen met de seringen – er heeft al een foto op de voorpagina van *Newsday* geprijkt – maar Gillian wordt gek van de weeïge geur. Het gaat in haar kleren en in haar haar zitten, en misschien is dat wel de reden waarom ze zoveel rookt; om de geur van de seringen te verdrijven met een geur die smeriger is, vuriger.

Ze moet er steeds aan denken hoe Jimmy zijn ogen openhield als hij haar kuste – ze vond het schokkend om te beseffen dat hij naar haar keek. Een man die zijn ogen niet sluit, zelfs niet voor een kus, is een man die de dingen altijd in de hand wil houden. Jimmy's ogen hadden kleine, koele stipjes in het midden en elke keer als Gillian hem kuste, had ze vaag het gevoel dat ze een verbond sloot met de duivel. Zo voelde het soms, vooral als ze een vrouw zag die in het openbaar zichzelf kon zijn, zonder de angst om door haar man of vriend afgesnauwd te worden. 'Ik zei toch dat je daar niet moest parkeren,' zei een vrouw tegen haar man bij de bioscoop of de vlooienmarkt, en bij die woorden voelde Gillian de tranen branden. Wat heerlijk om te kunnen zeggen wat je wilde, zonder er eerst twee keer over na te moeten denken om zeker te weten dat hij niet in woede zal uitbarsten.

Ze moet zichzelf nageven dat ze alles heeft gedaan om tegen iets te vechten waar ze eenvoudig niet tegen opgewassen was. Ze heeft alles geprobeerd om Jimmy van de drank af te helpen, zowel met beproefde als experimentele middeltjes. Uileëieren, geklutst en met behulp van Tabasco en pepertjes vermomd als *huevos rancheros*. Knoflook onder zijn kussen. Zonnebloempittenpasta door zijn cornflakes. De flessen verstoppen, over de AA beginnen, de confrontatie aangaan terwijl ze wist dat ze het nooit van hem kon winnen. Ze had zelfs de favoriete remedie van de tantes toegepast: wachten tot hij ladderzat was en dan een klein, levend witvisje in zijn whiskyfles laten glijden. Het arme visje hield prompt op met spartelen toen het in de drank verdween en Gillian had zich vreselijk schuldig gevoeld, maar Jimmy had het niet eens gemerkt. Hij slokte het visje in één teug naar binnen, zonder zelfs maar met zijn ogen te knipperen, en was de rest van de avond doodziek. Vanaf dat moment leek zijn drankzucht echter alleen maar toe te nemen. Zo kwam ze op het idee van de nachtschade, wat destijds een heel verstandig plan leek; gewoon iets om het ergste leed te verzachten en ervoor te zorgen dat hij in slaap viel voordat hij echt dronken kon worden.

Als ze 's nachts naast de seringen zit, probeert Gillian uit te maken of ze wel of niet schuldig is aan moord. Nou, zij vindt van niet. Er was geen sprake van opzet of voorbedachten rade. Als Gillian alles ongedaan kon maken zou ze het doen, hoewel ze al doende wel het een en ander zou veranderen. Om eerlijk te zijn koestert ze warmere gevoelens voor Jimmy dan ze in jaren heeft gedaan; ze voelt een verwantschap en een tederheid die ze voorheen zeker niet voelde. Ze wil hem niet alleen laten in de koude aarde. Ze wil dicht bij hem zijn en hem over haar werk vertellen en luisteren naar de grapjes die hij maakte als hij in een goede bui was. Hij had een hekel aan advocaten, aangezien geen één hem uit de gevangenis had weten te houden, en hij verzamelde advocatenmoppen. Hij wist er duizenden en hij was niet te stuiten als hij zin had om ze te vertellen. Vlak voordat ze het parkeerterrein in New Jersey waren opgedraaid, had Jimmy haar gevraagd wat bruin met zwart was en leuk stond om de nek van een advocaat. 'Een Rottweiler,' had hij gezegd. Op dat moment leek hij zo gelukkig, alsof hij zijn hele leven nog voor zich had. 'Denk daar maar eens over na,' had hij gezegd. 'Snap je hem?'

Soms, als Gillian op het gras zit en haar ogen sluit, zou ze durven zweren dat Jimmy naast haar zit. Ze voelt bijna hoe hij een hand naar haar uitsteekt, zoals hij deed als hij dronken en kwaad was en haar wilde slaan of neuken – pas op het laatste moment wist ze welke van de twee het zou worden. Maar zodra hij aan de zilveren ring om zijn vinger begon te draaien, wist ze dat ze op haar tellen moest passen. Als zijn aanwezigheid in de tuin te sterk wordt en Gillian zich weer herinnert hoe de dingen – in werkelijkheid – waren, is het niet fijn meer dat hij bij haar is. Zodra dat gebeurt rent ze naar binnen, doet de achterdeur op slot en kijkt vanachter de veilige ramen naar de seringen. Hij kon haar flink bang maken; hij kon haar dingen laten doen die ze niet hardop durfde te zeggen.

Om eerlijk te zijn is ze blij dat ze een kamer deelt met haar nichtje; ze is opgelucht dat ze niet alleen hoeft te slapen en het gebrek aan privacy is nu eenmaal de prijs die ze daarvoor betaalt. Neem nou vanochtend. Als Gillian haar ogen opent, zit Kylie al op de rand van het bed naar haar te staren. Het is pas zeven uur en Gillian hoeft niet voor twaalven op haar werk te zijn. Ze kreunt en trekt het dekbed over haar hoofd.

'Ik ben dertien,' zegt Kylie verbaasd, alsof ze zelf ook niet helemaal kan geloven dat dit haar is overkomen. Het is de wens die ze haar hele leven lang heeft gekoesterd en die nu in vervulling is gegaan.

Gillian gaat direct rechtop zitten en sluit haar nichtje in haar armen. Ze weet nog heel goed hoe verbijsterend het was om volwassen te worden, hoe verwarrend en opwindend, hoe plotseling.

'Ik voel me anders,' fluistert Kylie.

'Ja, natuurlijk voel je je anders,' zegt Gillian. 'Dat ben je ook.'

Haar nichtje is haar steeds meer in vertrouwen gaan nemen, misschien omdat ze een kamer delen en tot diep in de nacht met elkaar kunnen fluisteren, als alle lichten al gedoofd zijn. De ernst waarmee Kylie haar bestudeert ontroert Gillian, alsof zij een studieboek is waarin staat hoe je vrouw moet zijn. Ze kan zich niet herinneren dat ooit eerder iemand tegen haar heeft opgekeken. Het is een bedwelmende en tegelijkertijd raadselachtige ervaring.

'Gefeliciteerd,' zegt Gillian. 'Deze verjaardag wordt beter dan ooit.'

De walm van die ellendige seringen vermengt zich met de geur van het ontbijt dat Sally al in de keuken staat klaar te maken. Er is ook koffie en daarom hijst Gillian zich uit bed en graait de kleren bij elkaar die ze gisteravond op de vloer heeft laten vallen.

'Wacht maar eens af,' zegt Gillian tegen haar nichtje. 'Als je mijn cadeau hebt gekregen, ben je een ander mens. Honderdvijftig procent anders. De mensen zullen niet weten wat ze zien als jij over straat loopt.'

Ter ere van Kylie's verjaardag heeft Sally pannekoeken gebakken, en verder is er verse jus d'orange en fruitsalade met kokosnoot en rozijnen. Eerder vanochtend, toen de vogels nog sliepen, is ze de achtertuin ingelopen om seringen te snoeien die ze in een kristallen vaas heeft gezet. De bloemen lijken te gloeien, alsof elk bloemblad een pruimkleurig licht uitstraalt. Ze werken hypnotiserend als je er te lang naar kijkt. Sally was aan tafel gaan zitten om ernaar te kijken en voor ze het wist stonden er tranen in haar ogen en was de eerste portie pannekoeken aangebrand.

Vannacht heeft Sally gedroomd dat de aarde onder de seringen bloedrood kleurde, en dat het gras een huilend geluid maakte toen de wind opstak. Ze droomde dat de zwanen, die op onrustige nachten door haar hoofd spoken, een voor een hun witte veren uittrokken; ze bouwden een nest dat groot genoeg was voor een mens. Toen Sally wakker werd, waren haar lakens klam van het zweet; haar voorhoofd voelde aan alsof het klem had gezeten in een bankschroef. Maar dat was niets in vergelijking met de vorige nacht, toen ze droomde dat er een dode man hier bij hen aan tafel zat. Hij was niet tevreden over wat ze hem had voorgeschoteld, vegetarische lasagna. Met een ferme zucht blies hij alle borden van tafel; een seconde later lag overal gebroken porselein, een scherp en ruw tapijt dat over de vloer was gelegd.

Ze droomt zo vaak van Jimmy, waarbij ze zijn ijzige, heldere ogen voor zich ziet, dat ze soms nergens anders aan kan denken. Ze draagt hem overal en altijd met zich mee, terwijl zij hem niet eens heeft gekend. Het is gewoon niet eerlijk. Het ergste is dat haar band met deze dode man sterker is dan met welke andere man dan ook in de afgelopen tien jaar; dat is beangstigend.

Vandaag weet Sally niet zeker of haar nervositeit wordt veroorzaakt door haar dromen over Jimmy, of door alle koffie die ze al op heeft, of gewoon doordat haar kleintje dertien is geworden. Mogelijk is het de combinatie van de drie factoren. Nou ja, dertien is nog jong, het wil niet zeggen dat Kylie nu volwassen is. Tenminste, dat houdt Sally zichzelf voor. Maar als Kylie en Gillian de keuken in komen om te ontbijten, de armen om elkaar heen geslagen, barst Sally in snikken uit. Er is één factor die ze over het hoofd heeft gezien bij de analyse van haar onrust, en dat is jaloezie.

'Jij ook goedemorgen,' zegt Gillian.

'Van harte,' zegt Sally tegen Kylie, maar het klinkt treurig.

'Dat klinkt niet echt van harte,' vermaant Gillian Sally terwijl ze een flinke beker koffie voor zichzelf inschenkt.

Gillian ziet even haar spiegelbeeld in de broodrooster; op dit uur is ze niet op haar best. Ze wrijft over de huid rond haar ogen. Voortaan komt ze zeker niet meer voor een uur of negen, tien uit bed; het liefst pas ergens in de middag.

Sally overhandigt Kylie een doosje met een roze lint. Sally is heel zuinig geweest, heeft goed uitgekeken met boodschappen doen en restaurants gemeden om dit gouden hart met het kettinkje te kunnen bekostigen. Ongewild ziet ze dat Kylie, voor ze zichzelf een reactie toestaat, een blik in de richting van Gillian werpt.

'Mooi.' Gillian knikt. 'Echt goud?' vraagt ze.

Sally voelt iets warms en roods door haar borst en keel trekken. Stel dat Gillian had gezegd dat het hangertje een prul was; wat zou Kylie dan gedaan hebben?

'Bedankt, mam,' zegt Kylie. 'Heel mooi.'

'Wat opmerkelijk is, omdat je moeder helemaal geen smaak heeft wat sieraden betreft. Maar het is echt mooi.' Gillian houdt het kettinkje bij haar hals en laat het hartje boven haar borsten bungelen. Kylie stapelt pannekoeken op een bord. 'Ga je dat eten?' vraagt Gillian. 'Al die koolhydraten?'

'Ze is dertien. Een pannekoek kan heus geen kwaad.' Sally kan haar zus wel wurgen. 'Ze is veel te jong om zich zorgen te maken over koolhydraten.'

'Best,' zegt Gillian. 'Dan maakt ze zich er maar zorgen over als ze dertig is. Als het al te laat is.'

Kylie kiest voor de fruitsalade. Als Sally zich niet vergist, heeft ze Gillians blauwe oogpotlood gebruikt. Kylie schept met zorg twee piepkleine lepeltjes fruit in een kom en neemt een paar muizehapjes, al is ze bijna één meter tweeëntachtig en weegt ze maar vierenvijftig kilo.

Gillian neemt ook een bakje fruitsalade. 'Kom om zes uur maar naar de hamburgertent. Dan hebben we alle tijd voor we uit eten gaan.'

'Prima,' zegt Kylie.

Sally raakt bijzonder geïrriteerd. 'Tijd voor wat?'

'O, niets,' zegt Kylie, sloom als een volleerde puber.

'Meidendingen.' Gillian haalt haar schouders op. 'O, ja,' zegt ze, terwijl ze een hand in de zak van haar spijkerbroek steekt. 'Bijna vergeten.'

Gillian haalt een zilveren armband te voorschijn die ze bij een lommerd ten oosten van Tucson heeft opgescharreld, voor maar twaalf dollar, ondanks het indrukwekkende stuk turkoois in het midden. Iemand moet wel erg aan de grond hebben gezeten om die zomaar te verkopen. Het moet diegene wel ernstig hebben tegengezeten.

'Jeetje,' zegt Kylie als Gillian haar de armband geeft. 'Waanzinnig mooi. Ik doe hem nooit meer af.'

'Ik wil je spreken. Buiten,' zegt Sally tegen Gillian.

Sally's gezicht is tot aan de haargrens rood aangelopen en haar maag trekt samen van jaloezie, maar Gillian heeft niet in de gaten dat er iets aan de hand is. Langzaam vult ze haar beker bij, doet er halfvolle koffiemelk in en slentert achter Sally de tuin in.

'Ik wil dat je ophoepelt,' zegt Sally. 'Heb je me verstaan? Dringt het tot je door?'

Het heeft gisteravond geregend en het gras is zompig en zit vol wormen. De zussen dragen geen van beiden schoenen, maar het is nu te laat om weer naar binnen te gaan.

'Schreeuw niet zo,' zegt Gillian. 'Daar kan ik niet tegen. Ik ga gillen, Sally. Ik ben hier veel te labiel voor.'

'Ik schreeuw niet. Begrepen? Ik zeg alleen dat Kylie mijn dochter is.'

'Dacht je soms dat ik dat niet wist?' Gillian klinkt ijzig, maar het trillen van haar stem verraadt haar.

Naar Sally's mening is Gillian inderdaad labiel en dat is juist het punt. In elk geval denkt ze het te zijn en dat komt min of meer op hetzelfde neer.

'Misschien vind je dat ik een slechte invloed op haar heb,' zegt Gillian nu. 'Misschien is dat het punt.'

Het trillen wordt erger. Gillian klinkt zoals vroeger, als ze van school naar huis moesten lopen, eind november. Dan was het al donker en bleef Sally op haar wachten zodat ze niet zou verdwalen, wat op de kleuterschool wel eens was gebeurd. Ze was toen weggeslenterd en de tantes hadden haar pas om middernacht teruggevonden, op een bankje voor de bibliotheek, waarvan de luiken al gesloten waren. Ze had zo hard moeten huilen dat ze bijna geen adem meer kreeg.

'Luister,' zegt Sally. 'Ik wil geen ruzie.'

'Dat wil je wel.' Gillian neemt een grote slok koffie. Het valt Sally nu pas op hoe mager haar zus is. 'Alles wat ik doe, is verkeerd. Dacht je dat ik dat niet wist? Ik heb mijn leven naar de kloten geholpen en daardoor gaan alle mensen om me heen ook naar de kloten.'

'Toe nou. Niet doen.'

Sally wil een opmerking maken over verantwoordelijkheidsgevoel en over alle mannen die Gillian in de loop der jaren heeft gebruikt, maar ze slikt haar woorden in als Gillian op het gras ineenzakt en begint te snotteren. Als Gillian huilt worden haar oogleden altijd blauw, waardoor ze er breekbaar en verloren uitziet, nog mooier dan anders. Sally gaat op haar hurken naast haar zitten.

'Ik vind niet dat je je leven hebt verkloot,' zegt Sally tegen haar zus. Een leugentje om bestwil is toegestaan als je achter je rug je vingers kruist, of als je het vertelt zodat iemand waar je om geeft ophoudt met huilen.

'Ha.' Gillians stem knapt, als een hard suikerklontje.

'Ik ben heel blij dat je er bent.' Dat is niet helemaal gelogen. Niemand kent je zo goed als degene met wie je bent opgegroeid. Niemand zal je ooit zo goed kunnen begrijpen.

'Dat zal wel.' Gillian snuit haar neus in de mouw van haar witte blouse. Of eigenlijk in Antonia's blouse, die Gillian gisteren heeft geleend en die ze vrijwel meteen, omdat ze haar zo goed staat, als haar eigen blouse is gaan beschouwen.

'Nee, echt,' houdt Sally vol. 'Ik vind het fijn dat je er bent. Ik wil dat je blijft. Alleen: denk voortaan even na voor je iets doet.'

'Komt in orde,' zegt Gillian.

De zussen omhelzen elkaar en komen overeind uit het gras. Ze willen naar binnen gaan, maar hun blik wordt gevangen door de haag van seringen.

'Dat is een van de dingen waar ik niet meer aan wil denken,' fluistert Gillian.

'We moeten het uit ons hoofd zetten,' zegt Sally.

'Precies,' stemt Gillian in, alsof ze hem uit haar gedachten kan bannen. De seringen zijn hoog als telefoondraden en bloeien zo overdadig dat sommige takken doorbuigen naar de grond.

'Hij is hier nooit geweest,' zegt Sally. Haar stem zou waarschijnlijk overtuigender hebben geklonken zonder alle nachtmerries en het randje aarde onder haar nagels dat zich maar niet laat wegboenen. Dat, plus het feit dat ze maar niet kan vergeten hoe hij haar vanuit het gat in de grond aanstaarde.

'Jimmy? Nooit van gehoord,' zegt Gillian opgewekt, hoewel de blauwe plekken die hij op haar arm heeft achtergelaten nog altijd zichtbaar zijn, als kleine schaduwen.

Sally gaat naar binnen om Antonia wakker te maken en het

ontbijt af te ruimen, maar Gillian blijft nog even waar ze is. Ze legt haar hoofd in haar nek, sluit haar ogen tegen het waterige zonnetje en denkt eraan hoe krankzinnig de liefde kan zijn. En zo staat ze daar, op haar blote voeten in het gras, met de zilte resten van de tranen nog op haar wangen en een merkwaardige glimlach om haar lippen, wanneer de biologieleraar van de middelbare school door het hek de achtertuin in komt om Sally op de hoogte te stellen van de bijeenkomst in de cafetaria zaterdagavond. Hij komt echter niet verder dan het hek – zodra hij Gillian in het oog krijgt, blijft hij als aan de grond genageld op het pad staan. Voortaan zal hij telkens als hij seringen ruikt aan dit moment moeten denken. Hij zal eraan denken hoe de bijen boven zijn hoofd cirkelden, hoe de inkt van de papieren die hij rondbracht paars kleurde, hoe hij zich op dat moment plotseling realiseerde hoe mooi een vrouw kan zijn.

Alle jongens in de hamburgertent zeggen: 'zonder uien,' als Gillian hun bestelling opneemt. Ketchup is geen punt, mosterd en zuur evenmin. Een augurkje erbij moet ook nog kunnen. Maar als je verliefd bent, als je zo geobsedeerd bent dat je niet eens meer met je ogen kunt knipperen, wil je geen uien, en dat is niet om ervoor te zorgen dat je kus zoet blijft. Uien schudden je wakker, ze rammelen je door elkaar, ze verbreken de betovering en zetten je met beide benen op de grond. Zoek liever iemand die ook van jou houdt. Ga uit en blijf de hele nacht dansen, loop vervolgens hand in hand door de donkere nacht en vergeet degene die je hoofd op hol heeft gebracht.

De jongens op de barkrukken zijn nog zulke jonge dromers dat hun hart ongewild smelt als ze naar Gillian kijken. En, dat moet gezegd worden, Gillian is bijzonder vriendelijk tegen hen, zelfs als Ephraim, de kok, voorstelt om ze eruit te gooien. Ze beseft terdege dat hun harten misschien wel de laatste zijn die ze zal breken. Als je zesendertig en afgepeigerd bent, als je op plekken hebt gewoond waar de temperatuur kan oplopen tot een graad of vijfenveertig en de lucht zo droog is dat je liters water over je huid moet verstuiven, als een man die niet van de whisky kan afblijven je laat op de avond alle hoeken van de kamer heeft laten zien, begin je langzaam te beseffen dat overal een eind aan komt, zelfs aan je eigen schoonheid. Vertederd kijk je naar de jongens die nog maar zo weinig in hun mars hebben, maar denken alles te weten. Je kijkt naar tienermeisjes en krijgt kippevel op je armen – die arme schapen hebben geen notie van tijd of ondraaglijk verdriet of de prijs die je zo ongeveer voor alles moet betalen.

Daarom heeft Gillian besloten haar nichtje te hulp te schieten. Ze zal Kylie tot steun zijn bij het verlaten van haar jeugd. Gillian heeft nooit eerder een band met een kind gevoeld; om eerlijk te zijn heeft ze nooit een kind gekend, laat staan dat ze ooit enige belangstelling heeft kunnen opbrengen voor de toekomst of het lot van wie dan ook. Maar Kylie maakt een merkwaardig instinct in haar wakker, de drang om te beschermen en steun te bieden. Er zijn momenten waarop Gillian zich betrapt op de gedachte dat ze als ze een dochter had gehad, zou willen dat ze op Kylie leek. Alleen wat brutaler en ondernemender. Een beetje meer zoals Gillian zelf.

Hoewel ze meestal te laat is, heeft Gillian op de avond van haar nichtjes verjaardag alles al klaar als Kylie bij de hamburgertent arriveert; ze heeft zelfs met Ephraim geregeld dat ze eerder weg mag zodat ze op tijd bij Del Vecchio's kunnen zijn voor het etentje ter ere van Kylie's verjaardag. Maar eerst komt Gillians andere cadeau aan de beurt, het cadeau dat veel meer waard is dan de armband met turkoois. Dit cadeau zal zo'n twee uur in beslag nemen en zal, zoals de meeste dingen waar Gillian zich mee inlaat, een hoop ellende veroorzaken.

Kylie, die een afgeknipte spijkerbroek met een oud T-shirt van de Knicks draagt, loopt gedwee achter Gillian aan naar het damestoilet, hoewel ze geen flauw idee heeft wat er staat te gebeuren. Ze draagt de armband die ze van Gillian heeft gehad en het hangertje waar haar moeder zo lang voor heeft gespaard; ze heeft een raar gevoel in haar benen. Ze wilde dat ze tijd had om een paar straten om te rennen; misschien zou ze dan het gevoel kwijtraken dat ze op het punt staat ineen te zakken of uit elkaar te vallen.

Gillian doet het licht aan, draait de deur op slot en haalt een papieren zak onder de gootsteen vandaan. 'De geheime ingrediënten,' zegt ze tegen Kylie, terwijl ze een schaar, een fles shampoo en een pak bleekmiddel te voorschijn haalt. 'Nou, wat dacht je ervan?' vraagt ze als Kylie naast haar komt staan. 'Wil je weten hoe mooi je eigenlijk bent?'

Kylie weet dat haar moeder haar zal vermoorden. Ze krijgt de rest van haar leven huisarrest en mag nooit meer leuke dingen doen – niet meer in het weekend naar de film, geen radio, geen tv. Erger nog, haar moeder zal die vreselijke blik van teleurstelling in haar ogen krijgen – *Kijk nou wat je hebt gedaan*, zullen haar ogen zeggen. *Nadat ik zo mijn best heb gedaan om Antonia en jou alles te geven wat jullie hartje begeert en jullie fatsoenlijk op te voeden.*

'Tuurlijk,' zegt Kylie nonchalant, alsof haar hart niet als een bezetene tekeergaat. 'Waar wachten we nog op?' zegt ze tegen haar tante, alsof haar leven niet onherroepelijk zal gaan veranderen.

Het duurt een hele tijd om iets wezenlijks aan iemands haar te veranderen en nog langer als het zo'n radicale ingreep betreft. Sally en Antonia en Gideon Barnes zitten dan ook bijna een uur aan een tafeltje bij Del Vecchio's te wachten, terwijl ze Cola Light drinken en zich opvreten.

'Ik heb mijn voetbaltraining hiervoor afgezegd,' zegt Gideon somber.

'Nou en?' zegt Antonia.

Antonia heeft de hele dag in de ijssalon gewerkt en ze heeft pijn in haar rechterschouder van het scheppen. Ze voelt zich vanavond niet helemaal zichzelf, hoewel ze geen idee heeft wie ze anders zou kunnen zijn. Ze is al in geen weken meer mee uitgevraagd. De jongens die zo weg van haar waren, lijken plotseling alleen nog maar geïnteresseerd in jongere meisjes – die misschien minder mooi zijn dan Antonia maar wel onder de indruk van de kleinste dingen, een onbenullige onderscheiding van de computerclub of een beker van de zwemploeg, en die een smachtende blik in hun ogen krijgen zodra een jongen hen een complimentje maakt – of in oudere vrouwen, zoals haar tante Gillian, die op seksueel gebied zoveel meer ervaring heeft dan een meisje van Antonia's leeftijd, waardoor een middelbare scholier al een stijve krijgt als hij er alleen maar aan denkt wat ze hem in bed zou kunnen leren.

Deze zomer loopt alles anders dan Antonia had gehoopt. Ze weet nu al dat dit een verloren avond is. Haar moeder zat haar achter haar broek om op tijd te zijn voor het etentje en in de haast heeft Antonia zonder te kijken wat kleren uit de kast gegrist. Wat ze dacht dat een zwart T-shirt was, blijkt een foeilelijk olijfkleurig geval waarin ze zich normaal gesproken voor geen prijs zou vertonen. Meestal knipogen de obers hier naar Antonia en geven haar extra mandjes olijvenstokbrood. Vanavond heeft niet een van hen haar aanwezigheid opgemerkt, afgezien van een gluiperige hulpkelner die is komen vragen of ze gemberbier of cola wilde.

'Echt iets voor tante Gillian,' zegt ze tegen haar moeder, als ze voor haar gevoel al een eeuwigheid zitten te wachten. 'Zo onattent.'

Sally, die het niets zou verbazen als Gillian Kylie ertoe heeft aangezet op de goederentrein te springen of naar Virginia Beach te liften, enkel en alleen voor de lol, is aan de wijn gegaan, iets wat ze zelden doet.

'Ze kunnen allebei de kolere krijgen,' zegt ze uiteindelijk.

'Moeder!' zegt Antonia geschrokken.

'Laten we bestellen,' zegt Sally tegen Gideon. 'Laten we twee pizza's pepperoni nemen.'

'Je eet geen vlees,' helpt Antonia haar herinneren.

'Dan neem ik nog een glas Chianti,' zegt Sally. 'En wat gevulde champignons. En misschien wat pasta.'

Antonia heeft zich omgedraaid om de ober te wenken en draait nu haar hoofd weer terug. Haar wangen zijn rood en het zweet breekt haar uit. Aan een klein tafeltje achterin zit haar biologieleraar, meneer Frye. Hij drinkt een biertje en bespreekt de geneugten van aubergine-rollatini met de ober. Antonia is helemaal weg van meneer Frye. Hij is zo geweldig dat Antonia heeft overwogen om voor Biologie I te zakken, zodat ze hem opnieuw zou krijgen, tot ze er achterkwam dat hij in het najaar Biologie II zou geven. Het kan haar niets schelen dat hij veel te oud voor haar is; hij is zo onvoorstelbaar knap dat alle jongens van de hoogste klas bij elkaar, met een grote strik erom, nog niet aan hem kunnen tippen. Meneer Frye gaat elke dag tegen de schemering joggen en rent dan drie keer om het meertje aan de andere kant van de middelbare school. Antonia zorgt ervoor dat ze daar ook is als de zon ondergaat, maar hij lijkt haar nooit op te merken. Hij zwaait niet eens.

Natuurlijk moet ze hem uitgerekend nu tegenkomen, op de enige avond dat ze niet eens de moeite heeft genomen zich op te maken en zo'n afschuwelijk olijfgroen geval draagt dat, zo bedenkt ze zich nu, niet eens van haar is. Ze ziet er niet uit. Zelfs die stomme Gideon Barnes zit naar haar T-shirt te staren.

'Heb ik wat van je aan?' vraagt Antonia zo woest dat Gideon zijn hoofd intrekt, alsof hij bang is een klap te krijgen. 'Is er wat?' schreeuwt ze als Gideon haar blijft aanstaren. God, ze kan hem niet uitstaan. Als hij met zijn ogen knippert, lijkt hij wel een duif en hij maakt een eigenaardig geluid in zijn keel, alsof hij elk moment kan gaan overgeven.

'Volgens mij is dat mijn T-shirt,' zegt Gideon op verontschuldigende toon en inderdaad, dat klopt. Hij heeft het vorig jaar kerst tijdens een uitje naar St. Croix gekocht en het vorige week bij de Owenses laten liggen, waardoor het daar in de wasmand terecht is gekomen. Antonia zou van afgrijzen door de grond zijn gezakt als ze had geweten dat er met zwarte letters NOG MAAGD achterop stond.

Sally wenkt een ober en bestelt twee pizza's – margarita, geen pepperoni – drie porties gevulde champignons, een portie crostini, wat knoflookbrood en twee gemengde salades.

'Lekker,' zegt Gideon, die zoals gewoonlijk rammelt van de honger. 'Trouwens,' zegt hij tegen Antonia, 'je mag me dat T-shirt ook morgen wel teruggeven.'

'Nou, reuze bedankt.' Antonia kan niet veel meer hebben. 'Alsof ik dat ding ooit heb willen hebben.'

Heel voorzichtig werpt ze een blik over haar schouder. Meneer Frye kijkt naar de plafondventilator alsof hij nog nooit zoiets fascinerends heeft gezien. Antonia veronderstelt dat het iets te maken heeft met een wetenschappelijk onderzoek naar de snelheid van het licht, maar in werkelijkheid houdt het direct verband met een ervaring uit Ben Fryes jeugd, toen hij naar San Francisco ging om een vriend op te zoeken en bijna tien jaar wegbleef, waarin hij voor een vrij bekende producent van LSD werkte. Dat was zijn kennismaking met de wetenschap. Het is tevens de reden dat er momenten zijn dat de wereld te jachtig voor hem is. Dan neemt hij gas terug en staart naar dingen als plafondventilatoren of regendruppels op een ruit. Dan vraagt hij zich af wat hij in 's hemelsnaam van zijn leven heeft gemaakt.

Nu, terwijl hij kijkt hoe de ventilator rondwiekt, denkt hij aan de vrouw die hij eerder vandaag in de achtertuin van Sally Owens heeft zien staan. Hij is afgedropen, zoals altijd, maar dat zal hem geen tweede keer gebeuren. Als hij haar ooit weer ziet, stapt hij meteen op haar af en vraagt haar ten huwelijk, dat zal hij doen. Hij heeft er genoeg van om alle kansen aan hem voorbij te zien gaan. De afgelopen jaren vertoonde zijn leven veel overeenkomst met de ventilator in dit restaurant; rondjes draaien zonder ooit ergens te komen. Wat is, uiteindelijk, het verschil tussen hemzelf en een eendagsvlieg, die in vierentwintig uur zijn hele verdomde volwassen bestaan doorloopt? In Bens ogen is hij nu in zijn negentiende uur, als je afgaat op de statistieken voor de gemiddelde levensduur van de man. Als hij nog maar vijf uur te gaan heeft, kan hij net zo goed eindelijk eens gaan leven, kan hij net zo goed alles aan zijn laars lappen en gewoon doen waar hij zin in heeft.

Ben Frye denkt over dit alles na en probeert ondertussen te beslissen of hij nog een cappuccino zal nemen, aangezien hij dan vast de halve nacht wakker ligt, als opeens Gillian in de deuropening verschijnt. Ze heeft Antonia's mooiste witte blouse aan, met een verschoten spijkerbroek. Om haar lippen speelt een stralende glimlach. Haar lach kan een duif uit een boom doen vallen. Het hoofd van een volwassen man kan er zo door verdraaien dat hij zijn bier omgooit zonder zelfs maar te merken dat zich op het tafelkleed en de vloer een plas vormt.

'Hou je vast,' zegt Gillian als ze op het tafeltje afloopt waar drie zeer ongelukkige klanten met een laag bloedsuikergehalte en weinig geduld, zitten te wachten.

'We zitten hier al drie kwartier,' zegt Sally tegen haar zus. 'Als er een reden is, hoop ik voor je dat het een goede reden is.'

'Zien jullie dan niets?' zegt Gillian.

'We zien maar weer eens dat jij alleen maar aan jezelf denkt,' zegt Antonia.

'Oh, dacht je?' zegt Gillian. 'Nou, jij kan het weten. Jij weet het beter dan wie ook.'

'Jezus Christus,' zegt Gideon Barnes.

Op hetzelfde moment is hij zijn lege, rammelende maag vergeten. Hij merkt niet meer dat hij kramp in zijn benen heeft omdat ze al zo lang opgevouwen onder het kleine tafeltje zitten. Er komt iemand op hen af die sprekend op Kylie lijkt, maar dit is echt een stuk. Dit meisje heeft kort, blond haar en is rank, niet als een ooievaar maar als een vrouw waar je voor valt, ook als je haar al eeuwen denkt te kennen, hoewel je zelf eigenlijk nog maar een kind bent.

'Christus te paard,' zegt Gideon als het meisje dichterbij komt. Het ís Kylie. Dat kan niet anders, want als ze grinnikt ziet Gideon de tand die vorige zomer is afgebroken toen ze op voetbaltraining naar een bal dook.

Zodra ze merkt dat iedereen haar met open mond aanstaart, als een stel goudvissen bij wie ze net in de kom is geplaatst, voelt Kylie van binnen iets kriebelen dat aan verlegenheid doet denken, maar misschien is het wel spijt. Ze laat zich naast Gideon op het bankje vallen.

'Ik rammel,' zegt ze. 'Nemen we pizza?'

Antonia neemt een slok water, maar ze blijft het gevoel houden dat ze elk moment kan flauwvallen. Er is iets afschuwelijks gebeurd. Er is iets zo ingrijpend veranderd dat de wereld niet eens meer om dezelfde as lijkt te draaien. Antonia voelt zichzelf verbleken in het gelige licht van Del Vecchio's; ze is nu eigenlijk al de zus van Kylie Owens, die met dat peenrode haar die in de ijssalon werkt en platvoeten heeft en last van haar schouder, waardoor ze niet kan tennissen of zich opdrukken.

'Nou, zegt niemand iets?' vraagt Gillian. 'Zegt niemand: "Kylie, wat zie je er fantastisch uit! Verpletterend! Gefeliciteerd"?'

'Hoe haal je het in je hoofd?' Sally gaat staan en kijkt haar zus recht in de ogen. Ze heeft bijna een uur lang Chianti zitten drinken, maar nu is ze op slag nuchter. 'Is het ooit bij je opgekomen om mijn toestemming te vragen? Is het ooit bij je opgekomen dat ze misschien nog te jong is om haar haar te verven en make-up te gebruiken en wat voor ellende allemaal nog meer? Te jong om hetzelfde afschuwelijke pad te volgen dat jij je hele leven hebt bewandeld? Is het ooit bij je opgekomen dat ik niet wil dat ze net zo wordt als jij? En als je ook maar een greintje verstand had, zou je haar dat ook niet toewensen, zeker niet als je bedenkt wat jij hebt moeten doormaken en je weet heel goed wat ik daarmee bedoel.' Sally is inmiddels hysterisch en ze is niet van zins om zich in te houden. 'Hoe kun je?' vraagt ze. 'Hoe durf je!' gilt ze.

'Wind je niet zo op.' Dit is bepaald niet de reactie die Gillian had verwacht. Applaus wellicht. Een schouderklopje. Maar niet een dergelijke aantijging. 'We kunnen er wel een bruine kleurspoeling doorheen doen, als je het zo'n ramp vindt.'

'Het ís een ramp.' Sally kan maar met moeite ademhalen. Ze kijkt naar het meisje aan het tafeltje, het meisje dat Kylie is, of dat Kylie was, en ze heeft het gevoel alsof er een mes door haar ziel snijdt. Ze ademt in door haar neus en uit door haar mond, precies zoals ze het jaren geleden op zwangerschapsgymnastiek heeft geleerd. 'Iemand beroven van haar jeugd en haar onschuld, dat is niet niks. Dat noem ik een ramp, ja.'

'Moeder,' zegt Antonia smekend.

Antonia heeft zich nog nooit eerder zo vernederd gevoeld. Meneer Frye kijkt naar hen alsof haar familie een toneelstukje opvoert. En hij is niet de enige. Alle andere gesprekken in het restaurant zijn gestokt. Men luistert liever naar de Owenses. Men kijkt liever naar de voorstelling.

'Zullen we gewoon gaan eten?' smeekt Antonia.

De ober heeft hun bestelling gebracht en zet alles weifelend op tafel. Kylie probeert geen acht te slaan op de volwassenen. Ze had verwacht dat haar moeder kwaad zou worden, maar deze reactie is van een andere orde.

'Heb jij ook zo'n honger?' fluistert ze tegen Gideon. Kylie verwacht dat Gideon de enige verstandige aan de hele tafel is, maar zodra ze zijn gezichtsuitdrukking ziet, weet ze dat hij niet met zijn gedachten bij het eten is. 'Wat heb je?' vraagt ze.

'Het komt door jou,' zegt hij en het klinkt beschuldigend. 'Je bent opeens helemaal anders.'

'Onzin,' zegt Kylie. 'Alleen m'n haar maar.'

'Nee,' zegt Gideon. De schrik ebt weg en hij heeft het gevoel dat er net een diefstal heeft plaatsgevonden. Waar is zijn teamgenoot en zijn maatje? 'Je bent niet meer dezelfde. Hoe heb je zoiets stoms kunnen doen?'

'Ach, loop naar de hel,' zegt Kylie, gekwetst tot in haar ziel.

'Goed,' bits Gideon terug. 'Maar dan moet ik er wel even langs.'

Kylie gaat opzij, zodat Gideon langs haar van het bankje kan glippen. 'Je bent gek,' zegt ze tegen hem als hij wegloopt en ze klinkt zo onverschillig dat ze er zelf verbaasd van staat. Zelfs Antonia kijkt haar aan met iets van respect in haar blik.

'Dat is toch geen manier om met je beste vriend om te gaan,' zegt Sally tegen Kylie. 'Zie je nou wat je hebt gedaan?' vraagt ze Gillian.

'Hij is toch ook gek?' zegt Gillian. 'Wie gaat er nou weg voordat het feest is losgebarsten?'

'Het is al losgebarsten,' zegt Sally. 'Heb je dat niet eens door? Het is al afgelopen.' Ze graait in haar tas op zoek naar haar portemonnee en smijt wat geld op tafel voor het onaangeroerde eten. Kylie heeft al een stuk pizza gepakt, maar laat het ogenblikkelijk weer vallen als ze de onverbiddelijke blik in de ogen van haar moeder ziet. 'We gaan,' zegt Sally tegen haar dochters.

Ben Frye heeft binnen één tel door dat dit zijn kans is. Sally en haar dochters zijn opgestaan en Gillian zit in haar eentje aan het tafeltje. Ben loopt er nonchalant naartoe, bepaald niet als een man waarvan het bloed net de kritieke temperatuur heeft bereikt.

'Hé Sally,' zegt hij. 'Hoe gaat het?'

Ben is een van de weinige docenten die Sally als een gelijke behandelen, al is ze maar secretaresse. Niet iedereen is even aardig – Paula Goodings, de wiskundelerares, loopt Sally altijd te commanderen in de overtuiging dat ze gewoon een nietsnut achter een bureau is, ingehuurd om klusjes te doen voor iedereen die daar maar behoefte aan heeft. Ben en Sally kennen elkaar al jaren en hebben, toen Ben net op school kwam, met de gedachte gespeeld een verhouding te beginnen, tot ze beiden besloten dat ze meer behoefte hadden aan een vriend. Vanaf dat moment zijn ze regelmatig samen gaan lunchen en zijn ze bondgenoten op vergaderingen. Ze gaan graag samen uit; een biertje drinken en wat roddelen over de directie en het personeel.

'Belazerd,' zegt Sally voor ze er erg in heeft dat hij is doorgelopen zonder haar antwoord af te wachten. 'Leuk dat je het vraagt,' voegt ze eraan toe.

'Hé,' zegt Antonia tegen Ben Frye als hij langs haar loopt. Briljant, maar iets beters kan ze op dit moment niet bedenken. Ben werpt haar een wezenloze glimlach toe en blijft doorlopen, tot hij bij het tafeltje is gekomen waar Gillian naar haar onaangeroerde eten zit te staren.

'Is er iets met het eten?' vraagt Ben haar. 'Kan ik je ergens mee helpen?'

Gillian kijkt naar hem op. Er druppen tranen uit haar heldergrijze ogen. Ben doet een stap in haar richting. Hij is zo ver heen dat hij onmogelijk terug zou kunnen, al had hij het gewild.

'Nee hoor, er is niets,' stelt Sally hem gerust, terwijl ze haar dochters bij de hand pakt en koers zet naar de deur.

Als Sally's hart op dat moment niet zo verkild was, zou ze met Ben te doen hebben. Dan zou ze medelijden met hem hebben. Ben heeft al tegenover Gillian plaatsgenomen. Hij heeft de lucifers uit haar hand genomen – die weer zo ellendig trilt – en steekt haar sigaret aan. Terwijl Sally haar dochters het restaurant uit duwt, denkt ze dat ze hem tegen haar zus hoort zeggen: 'Huil nou maar niet.' Of misschien hoort ze hem wel zeggen: 'Trouw met me. Het kan vanavond nog.' Of misschien hoort ze die woorden alleen in haar hoofd, omdat ze wel weet waar hij op uit is. Iedere man die ooit naar Gillian heeft gekeken met de blik die Ben nu in zijn ogen heeft, heeft haar wel een of ander aanzoek gedaan.

Maar ja, Sally gaat ervan uit dat Ben Frye een volwassen man is die zijn eigen boontjes kan doppen, of dat in elk geval kan proberen. Maar bij haar dochters ligt dat anders. Sally is niet van plan om toe te kijken hoe Gillian opeens uit het niets opduikt, met drie scheidingen en een lijk in haar kielzog, om het welzijn van haar dochters in gevaar te brengen. Meisjes als Kylie en Antonia zijn veel te kwetsbaar; een paar scherpe woorden zijn genoeg om hen onderuit te halen, ze denken al snel dat ze niet goed genoeg zijn. Als ze over de parkeerplaats lopen, kan Sally wel janken bij de aanblik van Kylie's nek. Maar dat doet ze niet. En, wat belangrijker is, ze gaat het ook niet doen.

'Mijn haar zit best leuk,' zegt Kylie als ze eenmaal in de Honda zitten. 'Ik zie niet wat we nou voor ergs hebben gedaan.' Ze zit in haar eentje op de achterbank en voelt zich heel vreemd. Er is geen ruimte voor haar benen en ze moet zich helemaal opvouwen om te kunnen zitten. Ze heeft het gevoel dat ze zo uit de auto kan springen en kan weglopen. Ze kan een nieuw leven beginnen, zonder ooit nog om te kijken.

'Misschien moet je daar dan maar eens een poosje over nadenken,' zegt Sally. 'Je bent verstandiger dan je tante, dus is de kans groter dat jij je vergissing inziet. Denk er maar eens over na.'

Dat doet Kylie, en het enige waar dat toe leidt is haat. Niemand gunt het haar om gelukkig te zijn, behalve Gillian. Het kan niemand iets schelen.

Zwijgend rijden ze naar huis, maar als ze de oprit hebben bereikt en naar de voordeur lopen, kan Antonia zich niet langer beheersen. 'Je ziet er ordinair uit,' fluistert ze tegen Kylie. 'En weet je wat het ergste is?' Ze rekt haar woorden, alsof ze op het punt staat een vloek uit te spreken. 'Je lijkt op haar.'

Kylie's ogen prikken, maar ze is niet bang om haar zus weerwoord te bieden. Waarom zou ze ook? Antonia ziet vanavond ongewoon witjes en haar haar is droog, een bundel bloedrood stro, bijeengehouden door haarspelden. Ze is helemaal niet zo knap. Ze is niet zo geweldig als ze altijd heeft doen voorkomen.

'Nou, ik vind het prima,' zegt Kylie. Haar stem is als honing, zo liefjes en kalm. 'Ik ben blij dat ik op tante Gillian lijk.'

Sally hoort iets gevaarlijks doorklinken in de stem van haar dochter, maar dertien is dan ook een gevaarlijke leeftijd. Het is het moment waarop een meisje kan omslaan, waarop goed zonder aanwijsbare reden in kwaad kan veranderen en je je eigen kind kunt verliezen als je niet oppast.

'We gaan morgenochtend naar de drugstore,' zegt Sally. 'Als we er eenmaal een pak bruin door hebben gedaan, zie je er prima uit.'

'Dat bepaal ik zelf wel, dacht je niet?' Kylie staat versteld van zichzelf, maar dat wil niet zeggen dat ze van plan is om toe te geven.

'Daar ben ik het niet mee eens,' zegt Sally. Ze heeft een brok in haar keel. Ze wilde dat ze iets anders kon verzinnen dan gewoon maar blijven staan – Kylie een klap geven misschien, of een knuffel, maar ze weet dat het geen van beide kan.

'Nou, dat is dan pech,' zegt Kylie meteen. 'Want het is mijn haar.'

Met een brede grijns ziet Antonia dit alles aan.

'Gaat dit jou wat aan?' zegt Sally tegen haar. Ze wacht tot Antonia naar binnen is gegaan voordat ze Kylie aankijkt. 'We hebben het er morgen nog wel over. Naar binnen.'

De hemel is donker en zwaar. De sterren komen te voorschijn. Kylie schudt haar hoofd. 'Ik ga niet.'

'Dan niet,' zegt Sally. Haar stem hapert, maar ze is standvastig en onbuigzaam. Weken is ze bang geweest dat ze haar dochter kwijt zou raken, dat Kylie de voorkeur zou geven aan Gillians losse manier van leven, dat ze te vroeg volwassen zou worden. Sally had zich voorgenomen om zich begrijpend op te stellen, om dergelijk gedrag als iets van voorbijgaande aard te beschouwen, maar nu het echt zover is merkt Sally met verbijstering hoe razend ze is. *Na alles wat ik voor je heb gedaan*, spookt het ergens in haar hoofd, en wat nog erger is, ook in haar hart. 'Als jij je verjaardag zo wilt doorbrengen, moet je het zelf maar weten.'

Als Sally naar binnen is gegaan, gaat de deur met een piepend geluid achter haar dicht en valt dan met een klap in het slot. Kylie leeft al dertien jaar onder deze hemel, maar vandaag kijkt ze voor het eerst echt goed naar de sterren boven haar hoofd. Ze schopt haar schoenen uit, laat ze op het stoepje voor het huis staan en loopt de achtertuin in. Dit is voor het eerst dat de seringen op haar verjaardag bloeien en dat beschouwt ze als een gunstig voorteken. De struiken zijn zo weelderig en uitgeschoten dat ze moet bukken om erlangs te kunnen. Haar hele leven heeft ze zich gemeten met haar zus en dat is nu afgelopen. Dat is het geschenk dat Gillian haar vanavond heeft gegeven en daar zal ze haar eeuwig dankbaar voor zijn.

Alles is mogelijk. Dat ziet Kylie nu in. De tuin zit vol vuurvliegjes en de lucht is zwoel. Kylie steekt een arm uit en de vuurvliegjes vullen haar handpalm. Terwijl ze de vliegjes van haar hand schudt en kijkt hoe ze weer wegvliegen, vraagt zij zich af of ze iets heeft wat anderen niet hebben. Intuïtie of hoop – ze weet niet hoe ze het moet noemen. Misschien heeft zij domweg de gave om te voelen dat er iets is veranderd en nog altijd aan het veranderen is, onder deze donkere sterrenhemel.

Kylie is altijd al in staat geweest mensen te doorgronden, ook mensen die zich afsluiten. Maar nu ze dertien is, heeft haar bescheiden gave zich geïntensiveerd. De hele avond ziet ze al kleuren om mensen; alsof ze van binnenuit verlicht worden, als vuurvliegjes. De groene band van haar zus' jaloezie, het zwarte aura van angst op het moment dat haar moeder zag dat ze een vrouw was, niet langer een klein meisje. Deze gekleurde banden zijn zo echt voor Kylie dat ze weleens heeft geprobeerd ze aan te raken door haar hand uit te steken, maar dan lopen de kleuren uit en vervagen. En nu ze hier in haar eigen achtertuin staat ziet ze dat de seringen, die prachtige bloemen, een geheel eigen aura hebben dat ongekend donker is. Het is paars, maar het lijkt een van bloed doordrenkt relikwie dat als rook naar boven drijft.

Plotseling voelt Kylie zich helemaal niet meer zo volwassen. Ze verlangt naar haar bed, ze zou zelfs willen dat ze de tijd kon terugdraaien, al was het maar voor even. Maar dat is uitgesloten, de dingen kunnen niet ongedaan gemaakt worden. Het is bespottelijk, maar Kylie zou durven zweren dat er nog iemand in de tuin was. Ze loopt achteruit naar de deur en duwt de kruk naar beneden. Net voor ze naar binnen gaat, werpt ze een blik in de tuin. Dan ziet ze hem. Kylie knippert met haar ogen, maar hij is er nog steeds, onder de haag van seringen. Hij ziet eruit als het soort man waar geen vrouw die ook maar een greintje verstand heeft op een donkere nacht als deze iets mee te maken wil krijgen.

Hij heeft wel lef om op het erf van een ander te komen, om te doen alsof dit zijn tuin is. Maar hij heeft duidelijk lak aan dingen als etiquette en fatsoen. Hij zit te wachten en het laat hem koud of Kylie of wie dan ook zich stoort aan zijn aanwezigheid. Hij zit daar maar en bewondert met zijn mooie, kille ogen de nachtelijke hemel, klaar om iemand te laten boeten.

HELDERZIENDHEID

ALS EEN VROUW in moeilijkheden verkeert, moet ze altijd blauw dragen om zich te beschermen. Blauwe schoenen of een blauwe jurk. Een trui in de kleur van een roodborstjes-ei of een sjaaltje in de tinten van de hemel. Een dun satijnen lint, zorgvuldig door de witte, kanten zoom van een onderjurk geweven. Elk van deze mogelijkheden volstaat. Maar als de vlam van een kaars blauw kleurt, is er iets heel anders aan de hand. Dat is zeker geen teken van voorspoed, want het betekent dat er een geest door je huis waart. Wanneer de vlam begint te flakkeren en telkens aanzwelt als de kaars wordt aangestoken, heeft de geest zijn intrek in je huis genomen. Zijn wezen nestelt zich in de meubels en de vloerplanken, hij neemt bezit van de kasten en binnen afzienbare tijd zal hij ramen en deuren doen rammelen.

Soms kan het een hele tijd duren voor het tot iemand in huis is doorgedrongen wat er gebeurd is. Wat de mensen niet begrijpen, willen ze niet zien. Ze zijn op zoek naar logica, tot elke prijs. Een vrouw gelooft zonder meer dat ze zo dom is om avond na avond haar oorbellen op de verkeerde plek te leggen. Ze kan zichzelf ervan overtuigen dat een dolende pollepel de vaatwasser constant laat vastlopen en dat het toilet overloopt omdat de leidingen kapot zijn. Als mensen elkaar afsnauwen, als ze de deur in elkaars gezicht dichtsmijten en elkaar uitschelden, als ze 's nachts niet kunnen slapen van schuldgevoel en nachtmerries, en ze misselijk worden als ze verliefd zijn, in plaats van uitgelaten en vrolijk, is het de hoogste tijd om alle mogelijke oorzaken voor zoveel tegenslag te onderzoeken.

Als Sally en Gillian nog op goede voet met elkaar hadden gestaan in plaats van elkaar te ontlopen in de gang en aan de eettafel, waar de een zelfs niet aan de ander wilde vragen om de boter of de broodjes of de erwtjes door te geven, zouden ze er in de wit-hete en stille julimaand, achter zijn gekomen dat ze allebei even ongelukkig waren. Het kon gebeuren dat de zussen een lamp aandeden, eventjes de kamer verlieten en terugkeerden in volmaakte duisternis. Het kon gebeuren dat ze hun auto startten om halverwege de straat tot de ontdekking te komen dat ze zonder benzine stonden, terwijl ze een paar uur geleden nog een volle tank hadden gehad. Als een van de zussen onder de douche stapte, veranderde het warme water in ijswater, alsof iemand aan de kraan had gezeten. De melk begon te schiften zodra ze uit het pak kwam. De toast brandde aan. Brieven die de postbode netjes had afgeleverd, waren doormidden gescheurd en hadden zwart geblakerde hoekjes, als oude, verlepte rozen.

Het duurde niet lang of beide zussen raakten hun meest dierbare dingen kwijt. Op een ochtend werd Sally wakker en kwam tot de ontdekking dat de foto van haar dochters, die ze altijd op haar bureau had staan, uit het zilveren lijstje was verdwenen. De diamanten oorbellen die ze op haar trouwdag van de tantes had gekregen, zaten niet langer in haar juwelendoos; ze doorzocht haar slaapkamer van onder tot boven, maar ze waren nergens te vinden. De rekeningen die ze voor het einde van de maand moest betalen en die ooit op een keurig stapeltje op het aanrecht hadden gelegen, leken ook te zijn verdwenen, al wist ze zeker dat ze de overschrijvingen had getekend en alle enveloppen had dichtgelikt.

Gillian, die met recht vergeetachtig en chaotisch genoemd kon worden, miste dingen die zelfs zij vrijwel onmogelijk kon kwijtraken. Haar zo gekoesterde rode cowboylaarzen, die ze altijd naast het bed had staan, waren op een goede ochtend gewoon verdwenen, alsof ze domweg hadden besloten te vertrekken. Haar tarotkaarten, die ze in een dichtgeknoopte satijnen zakdoek bewaarde – en die haar een paar keer uit de brand hadden geholpen, met name na haar tweede huwelijk toen ze op zwart zaad zat en achter een tafeltje in het winkelcentrum moest gaan zitten om voor 2 dollar 95 de toekomst te voorspellen – waren allemaal in rook opgegaan, behalve de gehangene die voor wijsheid of egoïsme kan staan, al naar gelang de positie waarin hij ligt.

Er waren allerlei kleine voorwerpen verdwenen, zoals Gillians pincet en haar horloge, maar er waren ook grote dingen zoek. Gisteren was ze nog half slapend de voordeur uitgelopen en toen ze in de Oldsmobile wilde stappen, was hij nergens te bekennen. Ze zou te laat op haar werk komen en dacht dat een of andere jongen haar auto had gestolen. Ze was van plan om in de hamburgertent de politie te bellen. Maar toen ze daar was aangekomen, met zeer pijnlijke voeten omdat haar schoenen niet gemaakt waren om te wandelen, stond de Oldsmobile daar gewoon voor de deur. Alsof hij op haar stond te wachten, voortgedreven door een eigen wil.

Toen Gillian bij Ephraim, die al sinds de vroege ochtend achter de grill stond, informeerde of hij iemand uit de auto had zien stappen, klonk ze gespannen, misschien zelfs hysterisch.

'Het is vast een geintje,' dacht Ephraim. 'Of iemand heeft hem gejat en kreeg toen de zenuwen.'

Met de zenuwen was Gillian de laatste tijd zelf vertrouwd geraakt. Telkens als de telefoon ging, op haar werk of bij Sally thuis, dacht ze dat het Ben Frye was. Ze kreeg kippevel als ze alleen al aan hem dacht; kippevel tot aan haar tenen. Ben had haar bloemen gestuurd, rode rozen, de ochtend nadat ze elkaar in Del Vecchio's hadden getroffen. Maar toen hij belde, zei Gillian dat ze de rozen niet kon aannemen, dat ze niets kon aannemen.

'Je moet me niet meer bellen,' zei ze tegen hem. 'Je moet niet eens aan me denken,' schreeuwde ze.

Was die Ben Frye niet helemaal lekker – had hij niet door wat voor kneusje zij was? De laatste tijd viel alles wat ze aanraakte aan duigen – dierlijk, plantaardig, mineraal, alles. Niets was bestand tegen haar aanraking. Ze deed Kylie's kast open en de deur viel van zijn scharnieren. Ze zette een pan tomatensoep met rijst op het achterste pitje en de gordijnen in de keuken vatten vlam. Ze liep de veranda op om in alle rust een sigaretje te roken en trapte op een dode kraai, die zo uit de lucht op haar pad leek te zijn gevallen.

Ze was zo ongelukkig en noodlottig als de pest. Als ze het al aandurfde om een blik in de spiegel te werpen, zag ze er net zo uit als anders – hoge jukbeenderen, grote grijze ogen, een warme mond – alles even vertrouwd en naar de mening van velen ook mooi. Maar een of twee keer had ze haar spiegelbeeld te snel in het oog gekregen en was geschrokken van degene die haar aanstaarde. Onder een bepaalde hoek, in een bepaald licht, zag ze wat Jimmy waarschijnlijk had gezien, diep in de nacht, als hij ladderzat was en zij voor hem terugdeinsde, haar handen voor haar gezicht geslagen uit zelfbescherming. Die vrouw was een ijdele, onnozele gans die nooit nadacht voor ze iets zei. Die vrouw geloofde dat ze Jimmy kon veranderen, of, in het ergste geval, hem op de een of andere manier kon bijsturen. Dat iemand zo dom kon zijn. Geen wonder dat ze niet met het fornuis overweg kon en haar laarzen niet kon vinden. Geen wonder dat ze Jimmy had kunnen vermoorden, terwijl ze eigenlijk alleen maar wat tederheid had gewild.

Het was dom van Gillian geweest om met Ben Frye aan het tafeltje in Del Vecchio's te blijven zitten, maar ze was zo van streek dat ze zelfs tot na middernacht was gebleven. Aan het eind van de avond hadden ze alles opgegeten wat Sally had besteld en ze waren zo als een blok voor elkaar gevallen dat ze er geen erg in hadden gehad dat ze ieder een hele pizza hadden verorberd. Maar zelfs toen was het nog niet genoeg. Ze aten als mensen die onder hypnose zijn, zonder zelfs maar een blik te werpen op de blaadjes sla of de champignons die ze aan hun vork prikten, niet van plan het tafeltje te verlaten omdat ze dan ook elkaar zouden moeten verlaten.

Gillian kan nog altijd niet geloven dat Ben Frye echt bestaat. Hij is heel anders dan alle mannen waar ze ooit iets mee heeft gehad. Om te beginnen luistert hij naar haar. Hij is zo zachtmoedig dat de mensen hem vanzelf mogen. Hij geeft mensen het gevoel dat ze hem kunnen vertrouwen; als hij naar een stad gaat waar hij nog nooit is geweest, vragen mensen hem de weg, zelfs mensen die er wonen. Hij heeft in Berkeley biologie gestudeerd, maar hij geeft ook elke zaterdagavond een goochelvoorstelling op de kinderafdeling van het plaatselijke ziekenhuis. Niet alleen de kinderen drommen samen als Ben arriveert met zijn zijden sjaaltjes en zijn doos eieren en zijn pak kaarten. Het is onbegonnen werk om nog te proberen de aandacht van een verpleegster te vangen; sommigen durven te zweren dat Ben de aantrekkelijkste vrijgezel van de staat New York is.

Gillian is dan ook zeker niet de eerste die over Ben loopt te dromen. Er zijn vrouwen in de stad die al zo lang achter hem aan zitten dat ze zijn lesrooster en al zijn persoonlijke gegevens uit hun hoofd hebben geleerd. Ze zijn zo met hem bezig dat als iemand hun telefoonnummer vraagt, ze het zijne opgeven. Er zijn leraressen op de middelbare school die hem elke vrijdagavond stoofvlees brengen en pasgescheiden vrouwen uit de buurt die hem 's avonds laat bellen, omdat de stoppen zijn doorgeslagen en ze bij hoog en bij laag volhouden dat ze zich zonder zijn technische kennis zullen elektrokuteren.

Die vrouwen zouden er alles voor over hebben om rozen van Ben Frye te krijgen. Ze zouden zeggen dat Gillian niet goed snik was om ze terug te sturen. Je mag van geluk spreken, zouden ze tegen haar zeggen. Maar het is een verwrongen vorm van geluk: op het moment dat Ben Frye voor haar viel, wist Gillian dat ze nooit zou kunnen toestaan dat zo'n fantastische man iets met een vrouw als zij zou beginnen. Als je ziet wat een puinhoop zij van haar leven heeft gemaakt, is verliefdheid voorgoed van de baan. De enige manier waarop iemand haar ooit nog zo gek krijgt om weer te trouwen, is door haar aan de muur van de kerk te ketenen en een geweer tegen haar slaap te drukken. Toen ze terugkwam uit Del Vecchio's, de avond dat ze Ben had ontmoet, heeft ze gezworen nooit meer te trouwen. Ze sloot zichzelf op in de badkamer, stak een zwarte kaars aan en probeerde zich een paar spreuken van de tantes te herinneren. Toen dat niet lukte, herhaalde ze driemaal 'eeuwig ongehuwd' en dat lijkt te werken, want ondanks haar gevoelens blijft ze hem afwijzen.

'Laat me met rust,' zegt ze tegen Ben als hij belt. Ze denkt er niet aan hoe hij eruitziet, hoe het eelt op zijn vingers aanvoelt, het eelt dat is ontstaan doordat hij vrijwel elke dag knopen oefent voor zijn goocheltrucs. 'Zoek iemand die je gelukkig kan maken.'

Maar dat wil Ben niet. Hij wil haar. Hij belt en belt, tot iedereen telkens als de telefoon gaat, denkt dat hij het is. Als er gebeld wordt in huize Owens zegt degene die opneemt geen stom woord meer, niet eens hallo. Ze halen alleen maar adem en wachten af. Inmiddels kan Ben hun manier van ademhalen onderscheiden: Sally's nonchalante inademing. Kylie's gesnuif, als een paard dat geen enkel geduld kan opbrengen met de stommeling aan de andere kant van het hek. Antonia's treurige, nerveuze ademtocht. En dan natuurlijk nog het geluid waar hij altijd op hoopt – de geërgerde en lieflijke zucht die uit Gillians mond ontsnapt voordat ze zegt dat hij haar met rust moet laten, dat hij iets van zijn leven moet maken, moet opdonderen. Doe wat je wilt, als je mij maar niet meer belt.

Toch stokt haar stem zo nu en dan en Ben voelt dat ze treurig en verward is als ze ophangt. Het idee dat zij ongelukkig is, kan hij niet verdragen. Alleen al de gedachte aan de tranen in haar ogen maakt hem zo razend dat hij twee keer zijn gebruikelijke normale afstand jogt. Hij rent zo vaak rond het meertje dat de eenden hem beginnen te kennen en niet langer opvliegen als hij eraan komt. Hij is net zo vertrouwd als de schemering en de stukjes oud brood. Soms zingt hij 'Heartbreak Hotel' tijdens het rennen, en dan weet hij dat hij flink in de nesten zit. Een waarzegster op de illusionistenconventie in Atlantic City heeft hem ooit voorspeld dat áls hij verliefd zou worden, het ook voor altijd zou zijn. Destijds had hij er om moeten lachen, maar nu ziet hij in dat ze het volkomen bij het rechte eind had.

Ben is zo in de war dat hij goocheltrucs doet zonder het te willen. Bij het tankstation wilde hij zijn creditcard pakken en haalde de hartenvrouw te voorschijn. Hij liet zijn elektriciteitsrekening verdwijnen en liet de rozestruik in zijn achtertuin in brand vliegen. Hij haalde een muntje achter het oor van een oudere dame vandaan toen hij haar hielp met oversteken en bezorgde haar zo bijna een hartstilstand. Maar het ergste is nog wel dat hij niet langer welkom is in het Owl Café aan de noordkant van de grote weg, waar hij anders altijd ontbijt, omdat hij de laatste tijd alle zachtgekookte eieren laat rondtollen en de kleedjes van de tafeltjes rukt op weg naar zijn vertrouwde plekje.

Ben kan Gillian niet uit zijn gedachten zetten. Hij heeft tegenwoordig altijd een touw bij zich om de Tom Fool en de Jacoby-knoop te leggen en weer los te maken, een slechte gewoonte die opspeelt als hij zenuwachtig is of niet kan krijgen wat hij hebben wil. Maar zelfs het touw helpt niet. Hij verlangt zo naar haar dat hij in gedachten bezig is haar te neuken terwijl hij andere dingen zou moeten doen, zoals remmen voor een stoplicht of met zijn directe buurvrouw, mevrouw Fishman, over de paddenplaag praten. Hij is zo verhit dat de manchetten van zijn overhemden bijna verschroeien. Hij heeft constant een erectie en staat voortdurend klaar voor iets dat er nooit van lijkt te komen.

Ben weet niet hoe hij Gillian voor zich moet winnen, hij heeft geen flauw benul, en daarom gaat hij naar Sally en smeekt haar hem te helpen. Maar Sally wil hem niet eens binnenlaten. Ze praat tegen hem door de hordeur, op afstandelijke toon, alsof hij niet met zijn ziel onder zijn arm op de stoep staat, maar met een stofzuiger in zijn handen.

'Ik zal je één raad geven,' probeert Sally. 'Zet Gillian uit je hoofd. Vergeet haar. Zoek een aardige vrouw om mee te trouwen.'

Maar Ben Frye heeft zijn zinnen op Gillian gezet, vanaf het moment dat hij haar onder de seringen zag staan. Misschien waren het destijds voornamelijk zijn zinnen, maar inmiddels verlangt alles aan hem naar haar. Als Sally dan ook zegt dat hij naar huis moet gaan, weigert Ben te vertrekken. Hij gaat op het stoepje zitten, alsof hij ergens tegen protesteert of alle tijd van de wereld heeft. Hij blijft de hele dag zitten en als om zes uur het fluitje op het station bij de grote weg klinkt, heeft hij zich nog steeds niet verroerd. Gillian weigert ook maar één woord tegen hem te zeggen als ze uit haar werk komt. Vandaag is ze haar horloge en mooiste lippenstift kwijtgeraakt. Op het werk heeft ze zoveel hamburgers op de grond laten vallen dat ze durfde te zweren dat iemand de borden uit haar handen sloeg. En nu zit Ben Frye hier, tot over zijn oren verliefd, en ze kan hem niet eens kussen of in haar armen nemen, want ze is als een gif en dat weet ze maar al te goed, wat nog een geluk is.

Ze schiet langs hem heen en sluit zichzelf op in de badkamer, waar ze de kraan laat lopen zodat niemand haar hoort huilen. Ze is zijn liefde niet waard. Ze wilde dat hij in het niets oploste. Misschien zou ze dan dat gevoel diep van binnen kwijtraken, een gevoel dat ze nog zo hardnekkig kan proberen te ontkennen, maar dat toch verlangen heet. Ondanks haar voortdurende afwijzing kan ze het niet laten om even uit het badkamerraampje naar Ben te kijken. Daar zit hij, in het flauwe licht, zeker van zijn verlangen, zeker van haar. Als Gillian nog met haar zus zou praten, of liever gezegd als Sally dat nog met haar zou doen, zou ze haar hebben gewenkt om ook even uit het raam te kijken. *Wat is hij knap, hè?* Dat zou ze gezegd hebben als Sally en zij nog met elkaar zouden praten. *Ik zou willen dat ik zijn liefde waard was*, zou ze haar zus in het oor hebben gefluisterd.

Antonia voelt een kilte van binnen als ze meneer Frye op het stoepje ziet zitten, zo stapelverliefd dat hij zijn trots en zijn zelfrespect op het beton te grabbel gooit. Antonia vindt dit vertoon van adoratie weerzinwekkend, echt weerzinwekkend. Als ze langs hem loopt, op weg naar haar werk, zegt ze hem niet eens gedag. Er stroomt ijswater door haar aderen in plaats van bloed. De laatste tijd besteedt Antonia nauwelijks meer enige zorg aan haar kleding. Ze maakt 's avonds geen duizend slagen meer met de borstel, epileert haar wenkbrauwen niet meer en wast zich niet langer met sesamolie voor een mooie huid. Wat heeft het allemaal nog voor zin in een wereld zonder liefde? Ze heeft haar spiegel kapotgeslagen en haar pumps weggegooid. Van nu af aan zal ze proberen zoveel mogelijk in de ijssalon te werken. Dat is tenminste duidelijk: je maakt je uren en incasseert je loon. Geen verwachtingen of teleurstellingen, precies waar Antonia nu behoefte aan heeft.

'Zie je het niet meer zitten?' vraagt Scott Morrison als hij haar later op de avond in de ijssalon treft.

Scott zit op Harvard en heeft nu vakantie. Hij komt chocoladesiroop en marshmallowsaus brengen, plus kleurmusket, cocktailkersen en gekarameliseerde walnoten. Hij is de slimste jongen die ooit op hun middelbare school heeft gezeten en de enige die op Harvard is toegelaten. Maar wat zou het? Toen hij vroeger in deze buurt woonde, was hij zo slim dat niemand met hem praatte, Antonia al helemaal niet. Zij vond hem een slome duikelaar.

Antonia heeft alle ijsscheppen keurig schoongemaakt en vervolgens op een rijtje gelegd. Ze heeft Scott niet eens aangekeken toen hij de emmers siroop neerzette. Ze ziet er heel anders uit dan vroeger – ze was altijd beeldschoon en verwaand, maar vanavond heeft ze meer iets van een verzopen kat. Als hij haar nietsvermoedend vraagt of ze het niet meer ziet zitten, barst Antonia in snikken uit. Ze lost op in haar tranen. Ze is één en al nattigheid. Ze laat zichzelf op de grond zakken, haar rug tegen de vriezer geleund. Scott laat zijn metalen steekkarretje staan en komt op zijn hurken naast haar zitten.

'Gewoon "ja" of "nee" was ook goed geweest,' zegt hij.

Antonia snuit haar neus in haar witte schort. 'Nee.'

'Dat is duidelijk,' zegt Scott. 'Je bent rijp voor de psychiater.'

'Ik dacht dat ik verliefd was,' legt Antonia uit. De tranen stromen uit haar ogen.

'Liefde,' zegt Scott minachtend. Vol afgrijzen schudt hij zijn hoofd. 'Liefde is net zoveel waard als de som van zichzelf, maar meer ook niet.'

Antonia houdt op met huilen en kijkt hem aan. 'Zo is dat,' stemt ze in.

Op Harvard was Scott met grote schrik tot de ontdekking gekomen dat er honderden, zo niet duizenden mensen minstens zo slim waren als hij. Hij had zich jarenlang kunnen redden door slechts een tiende van zijn verstandelijke vermogens te gebruiken, maar nu moest hij zich echt inspannen. Hij was het hele jaar zo opgegaan in de concurrentiestrijd dat hij geen tijd had gehad voor een privé-leven; dingen als het ontbijt of de kapper waren erbij ingeschoten, met als gevolg dat hij tien kilo is afgevallen en zijn haar tot op zijn schouders hangt. Van zijn baas moet hij er een vlecht in maken met een stukje leer, zodat de klanten er geen aanstoot aan nemen.

Antonia neemt hem aandachtig op en realiseert zich dat Scott er heel anders en toch precies hetzelfde uitziet. Buiten op de parkeerplaats begint Scotts baas, die deze route al twintig jaar rijdt en nooit eerder een hulpje heeft gehad dat bij zijn schooltoets zo hoog scoorde, ongeduldig te toeteren.

'Werk,' zegt Scott spijtig. 'De betaalde hel.'

Dat doet het hem. Antonia loopt achter hem aan als hij zijn steekkarretje pakt. Haar gezicht is verhit, ook al staat de airconditioning aan.

'Tot volgende week,' zegt Scott. 'De karamelsaus is bijna op.'

'Je kunt ook eerder komen,' zegt Antonia tegen hem. Bepaalde dingen is ze niet verleerd, ondanks haar depressie en die toestand met haar tante Gillian en meneer Frye.

'Dat is waar,' geeft Scott toe en realiseert zich, voor hij naar de vrachtwagen loopt, dat Antonia Owens veel meer diepgang heeft dan hij ooit had durven denken.

Die avond rent Antonia de hele weg van haar werk naar huis. Ze blaakt opeens van levenslust; ze is één en al energie. Als ze de hoek van haar straat omslaat, ruikt ze de seringen al. De geur doet haar lachen om de merkwaardige reacties die een struik die buiten het seizoen bloeit, teweeg kan brengen. De meeste mensen uit de buurt zijn inmiddels gewend aan de ongekend grote bloemen. Het valt hen niet langer op dat er bepaalde uren van de dag zijn, waarop het in de hele straat gonst van de bijen. Ze hebben geen erg in de uitzonderlijk paarse en zwoele lucht. Toch zijn er mensen die keer op keer terugkomen. Er zijn vrouwen die op de stoep blijven staan en zonder aanwijsbare reden beginnen te huilen bij de aanblik van de seringen, en anderen die redenen te over hebben om luidkeels te snikken, al zullen ze die nooit opbiechten.

Er waait een warme wind door de bomen die de takken doet schudden; in het oosten begint het te onweren. Het is een vreemde nacht, zo warm en benauwd dat je je in de tropen waant, maar Antonia ziet dat er ondanks het weer twee vrouwen, waarvan de een grijs haar heeft en de ander eigenlijk nog maar een meisje is, naar de seringen zijn komen kijken. Als Antonia langs hen loopt, hoort ze hen huilen. Ze versnelt haar pas, gaat naar binnen en draait de deur achter zich in het slot.

'Stumpers,' oordeelt Antonia als ze met Kylie door het voorraam naar de huilende vrouwen op de stoep kijkt.

Sinds haar verjaardagsdiner is Kylie veel meer in zichzelf gekeerd dan anders. Ze mist Gideon; ze moet zichzelf dwingen sterk te zijn en hem niet te bellen. Ze voelt zich afschuwelijk, en dat terwijl ze nog mooier is geworden. Haar korte, blonde haar is niet langer zo schreeuwend. Ze loopt niet langer krom om te verhullen hoe lang ze is en nu ze zich in haar volle lengte heeft opgericht, is haar kin meestal geheven, waardoor het net lijkt alsof ze de blauwe lucht of de scheuren in het plafond van de woonkamer bestudeert. Ze knijpt haar grijsgroene ogen half dicht als ze door het raam kijkt. Deze vrouwen intrigeren haar, aangezien ze al weken lang elke nacht op de stoep staan. De oudere vrouw heeft een wit aura, alsof het alleen boven haar hoofd sneeuwt. Het meisje, haar kleindochter die net is afgestudeerd, heeft kleine roze vlekjes van verwarring op haar huid gekregen. Ze komen hier rouwen om dezelfde man – de zoon van de oudere vrouw, de vader van het meisje – iemand die van jongen man is geworden zonder ooit te veranderen, ervan overtuigd dat de wereld alleen om hem draaide. De vrouwen op de stoep hebben hem in de watten gelegd, allebei, en zichzelf vervolgens de schuld gegeven toen hij door zijn eigen roekeloosheid in Long Island Sound verongelukte met een motorboot. Nu voelen ze de seringen trekken omdat de bloemen hen herinneren aan een avond in juni, toen het meisje nog lief en verlegen was en de vrouw nog dik, zwart haar had.

Die avond stond er een karaf sangria op tafel, de seringen in grootmoeders tuin stonden allemaal in bloei en de man waar ze allebei zielsveel van hielden – zo veel dat ze hem door en door verwend hadden – nam zijn dochter in zijn armen en danste met haar over het gras. Op dat moment, onder de seringen en de heldere hemel, was hij alles wat hij had kunnen zijn als ze hem niet dag en nacht zijn zin hadden gegeven; als ze maar eens tegen hem hadden gezegd dat hij werk moest zoeken, wat aardiger moest doen of ook eens aan een ander moest denken. Ze huilen om wat hij had kunnen zijn, en wat zij hadden kunnen zijn in zijn aanwezigheid, aan zijn zijde. Kylie kijkt naar hen, voelt dat ze iets hebben verloren waar ze slechts korte tijd van hebben kunnen genieten, en huilt met hen mee.

'Toe,' zegt Antonia.

Door haar ontmoeting met Scott is ze wat zelfingenomen geworden. Onbeantwoorde liefde is zo'n cliché. Huilen onder een donkerblauwe hemel is iets voor sukkels en idioten.

'Laat je niet zo meeslepen,' adviseert ze haar zus. 'Het zijn twee totaal onbekenden, die ze waarschijnlijk niet helemaal op een rijtje hebben. Laat ze. Trek het rolgordijn naar beneden. Word eens volwassen.'

Maar dat is nu juist het punt. Kylie is volwassen geworden en heeft ontdekt dat ze te veel weet en te veel voelt. Waar ze ook komt – op de markt om boodschappen te doen, in het zwembad om 's middag lekker een baantje te trekken – wordt ze geconfronteerd met de diepste gevoelens van de mensen, die door de huid naar buiten sijpelen, opzwellen en als een wolk boven hun hoofd blijven drijven. Gisteren nog kwam Kylie een bejaarde vrouw tegen die haar oude poedeltje uitliet, dat kreupel was van de reuma en nauwelijks nog kon lopen. Het verdriet van de vrouw was zo overweldigend – ze zou de hond aan het eind van de week naar de dierenkliniek brengen om hem uit zijn lijden te verlossen – dat Kylie geen stap meer kon verzetten. Ze ging op de stoeprand zitten en bleef daar tot het begon te schemeren. Toen ze uiteindelijk naar huis liep, voelde ze zich duizelig en slap.

Ze zou willen dat ze gewoon met Gideon kon gaan voetballen zonder het verdriet van anderen te voelen. Ze zou willen dat ze weer twaalf was, dat ze langs de grote weg kon lopen zonder dat mannen uit hun autoraampjes hingen en begonnen te joelen dat ze haar wel eens lekker zouden pakken. Ze zou willen dat ze een zus had die zich als een mens gedroeg en een tante die zich niet altijd in slaap huilde, zodat ze elke ochtend haar kussensloop moest uitwringen.

Maar wat Kylie het liefste wil, is dat de man in de achtertuin verdwijnt. Hij zit er nu weer, terwijl Antonia neuriënd naar de keuken loopt om iets lekkers te pakken. Kylie ziet hem door het raam, dat zowel uitzicht biedt op de tuin achter het huis als op de tuin aan de zijkant van het huis. Slecht weer deert hem niet; sterker nog, hij lijkt te genieten van donkere luchten en wind. Hij heeft totaal geen last van de regen; die lijkt dwars door hem heen te gaan, waarbij elke druppel blauw oplicht. Over zijn glanzende laarzen ligt een flinterdun laagje stof. Zijn witte overhemd lijkt pas gewassen en gestreken. Ondanks dat alles heeft hij er een puinhoop van gemaakt. Telkens als hij uitademt, komen er afschuwelijke dingen uit zijn mond. Kleine groene kikkers. Druppels bloed. Chocolaatjes verpakt in mooie papiertjes, maar met giftige vullingen die een smerige geur verspreiden wanneer hij ze in tweeën breekt. Hij maakt dingen kapot door met zijn vingers te knippen. Hij laat de dingen in het honderd lopen. De pijpen langs de muur zijn gaan roesten. De tegelvloer in de kelder valt uiteen. De buizen van de koelkast zijn verwrongen en alles bederft; de eieren verrotten in hun schaal, de kaas is groen uitgeslagen.

De man in de tuin heeft zelf geen aura, maar hij steekt regelmatig zijn handen in de paars-rode schaduw boven zijn hoofd en smeert het aura van de seringen om zich heen. Kylie is de enige die hem kan zien, maar toch is hij in staat om al die vrouwen uit hun huizen te lokken. Hij is het die diep in de nacht, als ze in hun bed liggen, in hun oor fluistert. *Schatje*, zegt hij, zelfs tegen diegenen die nooit hadden gedacht dat ze ooit nog een man zo tegen zich zouden horen praten. Hij dringt het hoofd van een vrouw binnen en blijft daar zitten, tot ze plotseling midden op de stoep in snikken uitbarst, in vervoering gebracht door de geur van de seringen. Zelfs dan gaat hij nog niet weg. Voorlopig niet, tenminste. Hij is nog lang niet klaar.

Kylie heeft hem sinds haar verjaardag in de gaten gehouden. Ze weet dat niemand anders hem kan zien, hoewel de vogels zijn aanwezigheid wel voelen en uit de buurt van de seringen blijven, en de eekhoorntjes stokstijf blijven staan als ze te dicht in zijn buurt komen. De bijen zijn daarentegen helemaal niet bang voor hem. Hij lijkt ze aan te trekken; ze cirkelen om hem heen en wie te dicht in zijn buurt komt, loopt grote kans gestoken te worden, misschien wel twee keer. De man in de tuin is het beste te zien op regenachtige dagen, of 's avonds laat, wanneer hij uit het niets opduikt; als een ster waar je een poosje naar hebt zitten staren voordat je hem plotseling echt ziet, hoog aan de hemel. Hij eet niet, hij slaapt niet en drinkt niet, maar dat wil niet zeggen dat hij nergens behoefte aan heeft. Zijn begeerte is zo sterk dat Kylie haar kan voelen, als elektrische golven die de lucht om hem heen in beweging zetten. Niet al te lang geleden is hij terug gaan staren. Ze is als de dood wanneer hij dat doet. De kou dringt zo door haar huid. Hij doet het vaker en vaker, hij staart maar en staart maar. Het maakt niet uit waar ze zich bevindt, achter het keukenraam of op het pad naar de achterdeur. Als hij wil kan hij vierentwintig uur per dag naar haar kijken, omdat hij nooit met zijn ogen hoeft te knipperen – zelfs niet heel even, niet meer.

Kylie heeft schoteltjes zout in de raamkozijnen gezet. Ze strooit rozemarijn onder alle deuren. Toch weet hij het huis binnen te dringen als iedereen ligt te slapen. Kylie blijft op als alle anderen al naar bed zijn. Maar ze kan niet eeuwig wakker blijven, al doet ze nog zo haar best. Vaak valt ze met haar kleren aan in slaap, met een boek opengeslagen naast zich en het grote licht nog aan omdat haar tante Gillian, waar ze nog altijd een kamer mee deelt, niet in het donker wil slapen en er de laatste tijd ook op staat dat de ramen potdicht blijven, al is het nog zo'n broeierige nacht, om de geur van die seringen buiten te houden.

Er zijn nachten dat iedereen in huis op hetzelfde moment een nachtmerrie heeft. Andere keren slapen ze allemaal zo diep dat geen wekker hen uit bed kan krijgen. In beide gevallen weet Kylie dat hij in de buurt is geweest als ze wakker wordt en hoort dat tante Gillian in haar slaap ligt te huilen. Ze weet het als ze door de gang naar de badkamer loopt en ziet dat het toilet is verstopt. Als ze doortrekt, komt het lijkje van een vogel of een vleermuis bovendrijven. Er zitten naaktslakken in de tuin en reuzenwaterwantsen in de kelder en er heeft zich een stel muizen genesteld in Gillians pumps, die zwarte van echt leer die ze in Los Angeles heeft gekocht. Kijk in de spiegel en het beeld verschuift. Loop langs een raam en de ruit begint te rammelen. Het is aan de man in de tuin te wijten als de ochtend begint met binnensmonds gevloek, een gestoten teen of een lievelingsjurk met zo'n enorme scheur erin dat je zou denken dat iemand er een schaar of een jachtmes in heeft gezet.

Vandaag is het ongeluk dat uit de tuin opstijgt wel heel erg pijnlijk. Niet alleen heeft Sally haar oorbellen met diamantjes, die ze op haar trouwdag heeft gekregen, diep weggestopt in Gillians jaszak teruggevonden, maar Gillian heeft haar cheque van de hamburgertent in duizend stukjes gescheurd aangetroffen, uitgestrooid over het kanten kleedje op de salontafel.

Het stilzwijgen waar Sally en Gillian allebei voor hebben gekozen tijdens Kylie's verjaardagsetentje, toen ze van woede en wanhoop hun kaken op elkaar klemden, is nu verbroken. Tijdens deze dagen van stilte hebben beide zussen migraineaanvallen gehad. Ze hadden een chagrijnige blik en opgezette ogen en ze zijn beiden afgevallen omdat ze het ontbijt oversloegen uit angst de ander al op de vroege morgen tegen het lijf te lopen. Maar twee zussen die onder één dak wonen, kunnen elkaar niet lang negeren. Vroeg of laat wordt het hen te veel en volgt de ruzie die ze al meteen aan het begin hadden moeten maken. Machteloosheid en woede leiden tot voorspelbaar gedrag: kinderen gaan altijd slaan en aan elkaars haren trekken, pubers schelden elkaar uit of gaan huilen en volwassen vrouwen die ook nog zussen zijn, zeggen zulke wrede woorden dat elke lettergreep de gedaante van een slang aanneemt; maar dan wel het soort dat zich opkrult en zijn eigen staart opeet zodra de harde woorden eruit zijn.

'Vals stuk ellende,' zegt Sally tegen haar zus, die de keuken binnen komt strompelen op zoek naar koffie.

'Had je wat?' zegt Gillian. Ze is helemaal klaar voor deze ruzie. Ze heeft de versnipperde cheque in haar hand geklemd en laat hem nu als confetti op de vloer dwarrelen. 'Diep van binnen, achter al dat brave gedoe, zit een kreng van de bovenste plank.'

'Nu is het genoeg,' zegt Sally. 'Ik wil dat je vertrekt. Ik wilde al dat je zou vertrekken op het moment dat je kwam. Ik heb je nooit gevraagd om te blijven. Je denkt alleen maar aan jezelf, zoals je altijd hebt gedaan.'

'Ik wil niets liever dan vertrekken. Ik tel de seconden af. Maar het zou sneller gaan als je m'n cheque niet zou verscheuren.'

'Hoor eens,' zegt Sally. 'Als je het nodig vindt om mijn oorbellen te jatten om je vertrek te bekostigen, moet je dat vooral doen. Mij best.' Ze opent haar vuist en de diamanten rollen op de keukentafel. 'Als je maar niet denkt dat je mij voor de gek kunt houden.'

'Wat zou ik in godsnaam met die dingen moeten?' zegt Gillian. 'Ben je nou echt zo stom? De tantes hebben je die oorbellen gegeven omdat niemand anders zulke lelijke dingen wil dragen.'

'Val dood, verdomme' zegt Sally. De woorden rollen naar buiten, zacht als boter in haar mond. Voor zover ze weet heeft ze nog nooit eerder hardop in haar eigen huis gevloekt.

'Val zelf dood,' zegt Gillian. 'Je bent toch al een oud lijk.'

Op dat moment komt Kylie naar beneden. Haar gezicht is wit en haar haar is opgekamd. Als Gillian voor een spiegel had gestaan die haar beeld had vervormd tot iemand die jonger, langer en knapper was, had ze Kylie in de ogen gekeken. Als je op je zesendertigste met zoiets wordt geconfronteerd, op je nuchtere maag, kun je plotseling een droge mond krijgen, kan je huid gaan irriteren en trekken, al heb je er nog zoveel crème op gesmeerd.

'Jullie mogen geen ruzie meer maken.' Kylie's stem klinkt nuchter en is zwaarder dan die van de meeste andere meisjes van haar leeftijd. Vroeger dacht ze alleen aan doelpunten en het feit dat ze zo lang was; nu denkt ze na over leven en dood en mannen die je maar beter niet de rug toe kunt keren.

'O nee, van wie niet?' reageert Gillian uit de hoogte. Ze heeft, misschien net even te laat, bedacht dat het misschien beter zou zijn als Kylie kind bleef, in elk geval nog een paar jaar.

'Bemoei je er niet mee,' zegt Sally tegen haar dochter.

'Snap het dan. Hij vindt het juist leuk als jullie ruziemaken. Dat is precies zijn bedoeling.'

Sally en Gillian vallen ogenblikkelijk stil. Met een verontruste blik kijken ze elkaar aan. Het keukenraam heeft de hele nacht opengestaan en het gordijn wappert in de wind, drijfnat van de stortbui van vannacht.

'Over wie heb je het?' vraagt Sally op rustige, bedaarde toon, helemaal niet alsof ze het tegen iemand heeft die haar verstand is verloren.

'De man onder de seringen,' zegt Kylie.

Gillian stoot Sally met haar blote voet aan. Dit zint haar niets. Kylie heeft ook een vreemde blik in de ogen, alsof ze iets heeft gezien maar niet wil zeggen wat. Ze moeten het spelletje meespelen en blijven raden tot ze het goed hebben.

'Die man die wil dat we ruziemaken – is dat een slechte man?' vraagt Sally.

Kylie haalt snuivend adem en pakt vervolgens de koffiepot en een filterzakje. 'Vilein,' zegt ze – een woord dat ze vorig semester heeft geleerd en nu eindelijk eens kan gebruiken.

Gillian kijkt Sally aan. 'Dan denk ik dat we hem wel kennen.'

Sally neemt niet de moeite haar zus eraan te herinneren dat Gillian de enige is die hem kent. Zij heeft hen met die vent opgezadeld, alleen maar omdat ze nergens anders heen kon. Sally heeft geen flauw idee tot welke stommiteiten haar zus allemaal in staat is. Ze deelt een kamer met Kylie en wie weet wat ze haar allemaal heeft opgebiecht.

'Je hebt haar van Jimmy verteld, hè?' Sally's huid voelt veel te warm aan; straks zal haar gezicht vlekkerig rood zijn, haar keel droog van woede. 'Je kon je mond weer eens niet houden.'

'Fijn dat je zo'n vertrouwen in me stelt.' Gillian is oprecht beledigd. 'Maar als je het echt wilt weten: Ik heb niets gezegd. Maar dan ook niets,' benadrukt Gillian, hoewel ze dat op dit moment ook niet meer zeker weet. Ze kan zich niet kwaad maken om Sally's wantrouwen, want ze vertrouwt zichzelf niet eens. Misschien heeft ze in haar slaap gepraat; misschien heeft ze alles verteld terwijl Kylie in het bed naast haar elk woord opving.

'Heb je het over een echte man?' vraagt Sally aan Kylie. 'Iemand die door ons huis sluipt?'

'Ik weet niet of hij echt is of niet. Hij is er gewoon.'

Sally kijkt hoe haar dochter décafé in het witte filterzakje schept. Op dit moment is Kylie een vreemde, een volwassen vrouw met haar eigen geheimen. In het schemerige ochtendlicht lijken haar ogen echt groen, als van een kat die in het donker kan zien. Alles wat Sally haar wilde geven, een goed en normaal leven, is in rook opgegaan. Kylie is allesbehalve gewoon, dat valt niet te ontkennen. Ze is volkomen anders dan de meisjes uit de buurt.

'Zeg me of je hem nu ziet,' zegt Sally.

Kylie kijkt haar moeder aan. Ze is bang, maar de toon van haar moeders stem dwingt haar te gehoorzamen; ondanks haar angst loopt ze naar het raam. Sally en Gillian komen naast haar staan. Ze zien hun spiegelbeeld in de ruit en in het natte gras. Buiten bloeien de seringen, groter en weelderiger dan iemand ooit voor mogelijk had gehouden.

'Onder de seringen.' Kleine vlekjes van angst verspreiden zich over Kylie's armen en benen, en overal ertussenin. 'Waar het gras groener is. Daar zit hij.'

Het is precies die plek.

Gillian gaat vlak achter Kylie staan en knijpt haar ogen toe, maar ze ziet alleen de schaduw van de seringen. 'Kan verder nog iemand hem zien?'

'De vogels.' Kylie vecht tegen haar tranen. Het zou haar veel waard zijn om naar te buiten te kijken en tot de ontdekking te komen dat hij weg was. 'De bijen.'

Gillian is lijkbleek. Zij is het die gestraft zou moeten worden. Zij is degene die het verdient, niet Kylie. Jimmy zou haar moeten achtervolgen; zíj zou zijn gezicht voor zich moeten zien, elke keer als ze haar ogen sloot. 'Klote,' zegt ze, tegen niemand in het bijzonder.

'Was het een vriendje van je?' vraagt Kylie aan haar tante.

'Ooit wel,' zegt Gillian. 'Als je het kunt geloven.'

'Haat hij ons daarom zo?' vraagt Kylie.

'Schat, hij is vervuld van haat,' zegt Gillian. 'Of het nou om ons gaat of om anderen. Had ik dat maar begrepen toen hij nog leefde.'

'En nu gaat hij niet meer weg.' Dat snapt Kylie ook wel. Zelfs meisjes van dertien snappen dat de geest van een man een afspiegeling vormt van alles wat hij ooit is geweest en heeft gedaan. Er schuilt een hoop kwaadaardigheid onder die seringen. Een hoop wraakgevoelens.

Gillian knikt. 'Hij gaat niet meer weg.'

'Jullie praten erover alsof hij echt is,' zegt Sally. 'Maar dat is niet zo. Dat kan niet! Er is helemaal niemand buiten.'

Kylie draait zich om en kijkt naar buiten. Ze wil niets liever dan haar moeder gelijk geven. Wat zou het een opluchting zijn om naar buiten te kijken en alleen gras en bomen te zien, maar er is meer in de tuin.

'Hij zit rechtop en steekt een sigaret aan. Hij heeft de brandende lucifer net in het gras gegooid.'

Kylie's stem klinkt broos en er staan tranen in haar ogen. Sally is verkild en stil. Haar dochter staat onmiskenbaar in contact met Jimmy. Heel soms had Sally ook het gevoel dat er iets in de tuin was, maar ze sloeg geen acht op de donkere gestalte die ze vanuit haar ooghoek zag, ze weigerde aandacht te besteden aan de huivering die door haar botten trok als ze de komkommers besproeide. Het is niets, hield ze zichzelf voor. Een schaduw, een koel briesje, alleen maar een dode man die niemand meer kwaad kan doen.

Terwijl ze haar eigen achtertuin bestudeert, bijt Sally per ongeluk op haar lip, maar ze merkt nauwelijks dat ze bloedt. Boven het gras kringelt rook en ze vangt een scherpe, branderige geur op, alsof er inderdaad iemand achteloos een lucifer in het natte gras heeft laten vallen. Hij zou het huis in brand kunnen steken, als hij wilde. Hij zou bezit kunnen nemen van de achtertuin en hen zo bang kunnen maken dat ze alleen nog maar door het raam zouden durven gluren. In de tuin wemelt het van het harig vingergras en het onkruid, en het gras wordt veel te weinig gemaaid. Toch zijn er vuurvliegjes in juli. Als het gestormd heeft, vinden de roodborstjes hier altijd wormen. Dit is de tuin waarin haar kinderen zijn opgegroeid. Sally vertikt het om zich door Jimmy te laten verjagen, al helemaal omdat hij tijdens zijn leven geen knip voor zijn neus waard was. Ze staat niet toe dat hij daar in de tuin blijft zitten en haar dochters bedreigt.

'Maak je maar geen zorgen,' zegt Sally tegen Kylie. 'Wij regelen het wel.' Ze loopt naar de deur, doet hem open en knikt naar Gillian.

'Ik?' Gillian peutert net een sigaret uit haar pakje, met handen die trillen als de vleugels van een vogeltje. Ze piekert er niet over de tuin in te gaan.

'Mee, jij,' zegt Sally, met de merkwaardige autoriteit die ze op dit soort momenten kan hebben, op de moeilijkste momenten, momenten van paniek en verwarring, momenten waarop Gillian instinctief de benen neemt, zo snel en zo onbekommerd mogelijk.

Ze gaan samen naar buiten, zo dicht tegen elkaar aan dat ze elkaars hartslag kunnen voelen. Het heeft de hele nacht geregend en de zware lucht deint in zachtpaarse golven door de tuin. De vogeltjes zingen niet vanochtend, daar is het te donker voor. Door de vochtigheid zijn de padden uit het slootje achter de middelbare school te voorschijn gekomen en ze brengen een soort gezang ten gehore, een zwaar gebrom dat door de slaperige buurt trekt. De padden zijn dol op stukjes Snickers, die de kinderen ze tussen de middag soms toewerpen. Ze banen zich een weg door de buurt, op zoek naar snoepgoed. Ze springen door de zompige tuinen en de plassen regenwater die in de goot zijn blijven staan. Nog geen half uur geleden is de krantenjongen opgewekt over een van de grootste padden heengereden en vervolgens tot zijn ontzetting recht tegen een boom aangeknald, waarbij zijn voorwiel is verbogen en hij twee botjes in zijn enkel heeft gebroken; vandaag worden er in elk geval geen kranten meer bezorgd.

Een van de padden uit de sloot bevindt zich halverwege het grasveld, op een paadje naar de haag van seringen. Nu ze buiten staan hebben de zussen het allebei koud; ze voelen zich net als vroeger op winterse dagen, als ze een oude sprei van de tantes om zich heen sloegen en in de woonkamer keken hoe zich aan de binnenkant van de ruiten ijs afzette. Bij de aanblik van de seringen daalt Sally's stem ongewild.

'Ze zijn groter dan gisteren. Hij laat ze groeien. Of hij ze nu voedt met wrok of met haat, het werkt in elk geval goed.'

'Godverdomme, Jimmy,' fluistert Gillian.

'Spreek nooit kwaad over de doden,' zegt Sally. 'Bovendien hebben wij hem daar begraven. De ellendeling.'

Gillians keel voelt gortdroog aan. 'Vind je dat we hem weer moeten opgraven?'

'Ja, dat is nog eens een goed idee,' zegt Sally. 'Geniaal. En wat doen we dan met hem?' Ze hebben ongetwijfeld een miljoen details over het hoofd gezien. Een miljoen manieren waarop hij hen kan laten boeten. 'Stel nou dat iemand naar hem op zoek gaat.'

'Dat gebeurt niet. Hij is het soort man dat je liever uit de weg gaat. Niemand geeft iets om hem, niemand gaat hem zoeken. Geloof me. Wat dat betreft zitten we goed.'

'Jij moest wel iets van hem hebben,' helpt Sally haar herinneren. 'En je hebt het gekregen ook.'

In een aangrenzende tuin hangt een vrouw witte lakens en spijkerbroeken aan de waslijn. Het gaat niet meer regenen, dat hebben ze op de radio gezegd. Het wordt de rest van de week prachtig, zonnig weer, tot eind juli.

'Ik kreeg wat ik dacht verdiend te hebben,' zegt Gillian.

Het is zo'n diepe, treffende uitspraak dat Sally nauwelijks kan geloven dat de woorden uit Gillians zorgeloze mond zijn gerold. Ze zijn allebei altijd hard geweest in het oordeel over zichzelf en dat zijn ze nog steeds, alsof ze de twee onopvallende, kleine meisjes die op het vliegveld stonden te wachten tot er iemand kwam die hen wilde hebben, nooit helemaal zijn ontgroeid.

'Maak je maar geen zorgen om Jimmy,' zegt Sally tegen haar zus.

Gillian zou graag geloven dat dat mogelijk was, ze zou er zelfs veel geld voor over hebben, als ze het had gehad, maar ze schudt haar hoofd, niet overtuigd.

'Hij is bijna weg,' verzekert Sally haar. 'Wacht maar af.'

De pad in het midden van de tuin is dichterbij gekomen. Hij is echt mooi, met zijn gave, natte huid en groene ogen. Hij is oplettend en geduldig, iets wat van de meeste mensen niet gezegd kan worden. Vandaag zal Sally het voorbeeld van de pad volgen en geduld als wapen en als schild gebruiken. Ze zal haar gewone dingen doen; ze zal stofzuigen en het beddegoed verschonen, maar ondertussen zal ze het moment afwachten dat Gillian en Kylie en Antonia het huis verlaten hebben.

Als ze eindelijk alleen is, gaat Sally naar de achtertuin. De pad zit er nog; net als Sally heeft hij gewacht. Hij nestelt zich dieper in het gras als Sally naar de schuur loopt om de heggeschaar te pakken, en hij zit er nog steeds als zij terugkomt met de heggeschaar en de keukentrap die ze gebruikt om lampen te verwisselen of op de bovenste plank van de kast te kijken.

De heggeschaar, die is achtergelaten door de vorige bewoners van het huis, is oud en roestig, maar zeker nog goed genoeg. Het begint al warm en drukkend te worden; er stijgt damp op uit de plassen regenwater. Sally verwacht dat er iets zal gebeuren. Ze heeft geen enkele ervaring met rusteloze zielen, maar ze gaat ervan uit dat ze zich aan de echte wereld zullen vastklampen. Ze verwacht half en half dat Jimmy door het gras omhoogreikt en haar enkel beetpakt; het zou haar niets verbazen als ze het topje van haar duim zou afknippen of van het trapje zou kukelen. Maar het werk vordert met verrassend gemak. Een man als Jimmy is dan ook niet op zijn best in dit soort weer. Hij houdt meer van airconditioning en een kratje bier. Hij wacht liever tot het avond wordt. Als een vrouw zich in de brandende zon in het zweet wil werken, zal hij de laatste zijn die haar tegenhoudt; hij ligt al op zijn rug, lekker ontspannen in de schaduw, nog voordat zij het trapje heeft uitgeklapt.

Sally is echter gewend om hard te werken, zeker hartje winter als de wekker op vijf uur staat zodat ze de tijd heeft om sneeuw te ruimen en vast een wasje te draaien vóór de meisjes en zij de deur uitgaan. Ze dacht al dat ze had geboft met haar baantje op school, omdat ze daardoor tijd met haar dochters kon doorbrengen. Nu ziet ze dat dat inderdaad zo is. De zomer is altijd van haar geweest en zal dat ook altijd blijven. Daarom heeft ze nu alle gelegenheid om de struiken te snoeien. Als het moet heeft ze de hele dag, maar tegen de schemering moeten die seringen verdwenen zijn.

Helemaal achter in de tuin blijven alleen nog wat stompjes over, zo donker en knoestig dat ze alleen nog maar als holletje voor een pad kunnen dienen. Er zal zo'n stilte in de lucht hangen dat een enkele mug al hoorbaar is; de laatste roep van de spotvogel zal nagalmen en vervolgens wegsterven. Tegen het vallen van de avond zullen er armen vol takken en bloemen aan de weg liggen, keurig bijeengebonden, wachtend op de vuilniswagen van morgenochtend. De vrouwen die de seringen voelen trekken, zullen bij aankomst ontdekken dat de struiken tot op de grond zijn weggesnoeid en dat er van de schitterende bloemen niet veel meer is overgebleven dan wat afval op straat en in de goot. Dat zal het moment zijn waarop ze elkaar om de hals zullen vallen, weer van eenvoudige dingen kunnen genieten en zich eindelijk bevrijd zullen voelen.

Tweehonderd jaar geleden dacht men dat op een warme, broeierige julimaand altijd een koude, gure winter zou volgen. De schaduw van een aardvarken werd nauwlettend in de gaten gehouden, als voorteken van slecht weer. De huid van de paling werd alom gebruikt als middel tegen reuma. Katten werden nooit binnengelaten, omdat het een bekend gegeven was dat ze een kind de adem konden benemen, waardoor de arme baby zou sterven in de wieg. Men dacht dat alles een oorzaak had en dat die oorzaak eenvoudig vast te stellen was. Als dat niet mogelijk bleek, moesten er wel kwade geesten in het spel zijn. Het was niet alleen mogelijk om in contact met de duivel te staan, sommigen onder ons sloten zelfs een verbond met hem. Wie zoiets deed liep uiteindelijk altijd tegen de lamp, wat duidelijk werd door zijn of haar eigen pech of het ongekende geluk van zijn of haar naasten.

Als een man en een vrouw geen kind konden krijgen, legde de man een parel onder het kussen van zijn vrouw. Als zij dan nog niet zwanger werd, begonnen de roddels en de speculaties over haar ware aard. Als alle aardbeien op elk lapje grond door oorwurmen waren aangevreten, plotseling en onverwacht, werd de oude vrouw die even verderop woonde en scheel was en dronk tot ze geen stap meer kon verzetten, voor verhoor naar het stadhuis gebracht. Zelfs als een vrouw had bewezen dat ze zich aan geen enkel kwaad schuldig had gemaakt – als ze door water kon waden en niet in rook opging of als was gebleken dat alle aardbeien van het Verenigd Koninkrijk waren aangetast – betekende dat nog niet dat ze weer welkom was in de stad of dat ook maar iemand vond dat ze nergens schuld aan had.

Zo luidde de algemene opvatting, toen Maria Owens in Massachusetts arriveerde met slechts een tasje spullen, een baby en een zakje diamanten, dat ze in de zoom van haar jurk had genaaid. Maria was jong en mooi, maar ze droeg altijd zwart en was ongehuwd. Toch had ze genoeg geld om de twaalf timmerlieden te betalen die het huis in Magnolia Street moesten bouwen, en ze geloofde zo stellig in zichzelf en in haar eigen ideeën dat ze de mannen van advies ging dienen in zaken als het soort hout voor de schoorsteenmantel in de woonkamer en het aantal ramen dat nodig was om het beste zicht op de achtertuin te krijgen. De mensen begonnen argwaan te koesteren, en neem het ze eens kwalijk. De baby van Maria Owens huilde nooit, zelfs niet als ze werd gebeten door een spin of gestoken door een bij. Maria's tuin werd nooit geteisterd door oorwurm of muizen. Als Magnolia Street werd getroffen door een orkaan gingen alle huizen tegen de vlakte, behalve het huis dat door de twaalf timmerlieden was gebouwd; er was niet één luik weggewaaid en ook de vergeten was hing nog gewoon aan de lijn, er miste zelfs geen sok.

Als Maria Owens iets tegen je wilde zeggen keek ze je recht aan, ongeacht of je ouder was, of van stand. Ze stond erom bekend dat ze gewoon deed waar ze zin in had, zonder over de gevolgen na te denken. Mannen die niet verliefd op haar hoorden te worden, werden het toch en geloofden stellig dat ze in het holst van de nacht bij hen kwam en hun vleselijke verlangens deed ontvlammen. Vrouwen voelden zich tot haar aangetrokken en wilden haar al hun geheimen opbiechten in de schaduw van de veranda, waar de blauweregen was uitgeschoten en zich om de zwartgeverfde balustrade slingerde.

Maria Owens had alleen aandacht voor zichzelf en haar dochter en een man in Newburyport waarvan geen van de buren wist dat hij bestond, hoewel iedereen in zijn eigen stad hem kende en hoogachtte. Drie keer per maand wikkelde Maria haar slapende baby in een dekentje, trok haar lange wollen jas aan en liep door de velden, langs boomgaarden en vijvers vol ganzen. Voortgestuwd door het verlangen zette ze er flink de pas in, ongeacht het weer. Soms dachten de mensen haar te zien gaan, haar jas achter haar aan wapperend. Ze rende zo hard dat haar voeten de grond nauwelijks leken te raken. Of het nu vroor en sneeuwde, of de appelbomen vol witte bloesems zaten, het was onmogelijk te voorspellen wanneer Maria Owens door de velden zou lopen. Sommige mensen wisten niet eens dat ze vlak langs hun huis kwam; ze hoorden alleen een vaag geluid achter het huis, op de plek waar de frambozen groeiden, waar de paarden sliepen; er kwam een glans van verlangen over hun huid, de vrouwen in hun nachtjapon en de mannen uitgeput van het harde werken en hun saaie bestaan. Als ze Maria overdag zagen, op straat of in een winkel, namen ze haar onderzoekend op en vertrouwden niet helemaal wat ze zagen – het lieflijke gezicht, de koele grijze ogen, de zwarte jas, de geur van een bloem waarvan niemand uit de stad de naam wist.

Op een dag had een boer op zijn akker een kraai vleugellam geschoten, een beest dat al maanden schaamteloos van zijn koren had gepikt. Toen Maria Owens de volgende ochtend op straat verscheen, met haar arm in een mitella en haar rechterhand in een wit verband gewikkeld, wisten de mensen wel hoe dat kwam. Ze bleven vriendelijk als ze in de winkel koffie of stroop of thee kwam kopen, maar zodra ze zich had omgekeerd maakten ze het teken van de vos, pink en wijsvinger in de hoogte; dit gebaar stond erom bekend betoveringen te kunnen verbreken. Ze speurden de nachtelijke hemel af op zoek naar vreemde dingen, ze hingen paardehoeven boven de voordeur, vastgetimmerd met drie flinke spijkers, en sommige mensen legden bosjes maretak in de keuken en de woonkamer om hun geliefden te beschermen tegen het kwaad.

Alle vrouwen van Owens die na Maria waren gekomen hadden haar heldere, grijze ogen geërfd, en de wetenschap dat je je nooit echt kunt behoeden voor het kwaad. Maria was geen kraai die boeren en akkers belaagde. Het was de liefde die haar verwond had. De man die de vader van haar kind was – en tevens de reden waarom Maria naar Massachusetts was gekomen – had besloten dat hij er genoeg van had. Zijn hartstocht was geluwd, in ieder geval waar het Maria betrof, en hij had haar een grote som geld overgemaakt om haar koest te houden en uit zijn leven te bannen. Maria kon niet geloven dat hij haar zo behandelde; maar hij was drie keer niet komen opdagen en ze hield het niet langer uit. Ze was naar zijn huis in Newburyport gegaan, iets wat hij haar ten strengste had verboden, en ze had haar arm gekneusd en een botje in haar rechterhand gebroken bij het bonzen op zijn deur. De man waar ze van hield was doof voor haar smeekbeden; in plaats daarvan schreeuwde hij dat ze weg moest gaan, met een stem die zo afstandelijk klonk dat iedereen zou zweren dat ze elkaar nauwelijks kenden. Maar Maria ging niet weg, ze bleef kloppen, zonder te merken dat haar knokkels waren gaan bloeden; er verschenen striemen op de huid.

Uiteindelijk stuurde de man waar Maria van hield zijn vrouw naar de deur. Toen Maria de kleurloze vrouw in haar flanellen nachtjapon zag, draaide ze zich om en rende de hele weg naar huis, over de door maanlicht beschenen weilanden, snel als een hinde, sneller nog, en drong de dromen van de mensen binnen. De volgende ochtend werden de meeste mensen in de stad buiten adem wakker, hun benen trillend van uitputting. Ze waren zo moe dat het leek alsof ze geen oog hadden dichtgedaan. Maria had niet eens gemerkt wat ze zichzelf had aangedaan, tot ze haar rechterhand wilde gebruiken en dat niet lukte. Maar ze vond het gepast om op een dergelijke manier getekend te zijn. Vanaf dat moment hield ze haar handen thuis.

Natuurlijk moest ongeluk zoveel mogelijk worden voorkomen en Maria was dan ook altijd zeer behoedzaam in kwesties waarbij geluk een rol speelde. Ze plantte fruitbomen bij het donkere schijnsel van de maan, en een aantal van de winterharde exemplaren die zij heeft opgekweekt, bloeien nog altijd in de tuin van de tantes. De uien zijn nog steeds zo groot en stevig dat het begrijpelijk is dat ze als het beste medicijn tegen hondenbeten en kiespijn werden gezien. Maria zorgde ervoor dat ze altijd iets blauws droeg, zelfs toen ze een oude dame was en haar bed niet meer uitkwam. De stola om haar schouders was blauw als de hemelhof en als ze in haar schommelstoel op de veranda zat, was het moeilijk te zeggen waar zij ophield en de lucht begon.

Tot op de dag dat ze stierf droeg Maria een saffier die ze had gekregen van de man van wie ze hield, alleen om zichzelf eraan te herinneren wat van belang was en wat niet. Lang nadat ze was overleden waren er nog mensen die beweerden dat ze een ijsblauwe gedaante in de weilanden zagen, 's avonds laat, als de lucht koud en roerloos was. Ze durfden te zweren dat ze door de boomgaarden liep, in noordelijke richting, en als je heel stil was en je niet verroerde, maar geknield naast de oude appelboom bleef zitten, kon je haar jurk langs je huid voelen strijken. Vanaf dat moment zou het je in alles meezitten, en dat gold ook voor je kinderen en je kindskinderen.

Op het portret dat de tantes Kylie voor haar verjaardag hebben gestuurd, en dat twee weken te laat in een kist arriveert, draagt Maria haar blauwe lievelingsjurk en wordt haar donkere haar bijeengehouden door een blauw satijnen lint. Het olieverfschilderij heeft honderdtweeënnegentig jaar bij de trap in het huis van Owens gehangen, in het donkerste hoekje van de overloop, naast de damasten gordijnen. Gillian en Sally zijn er duizenden keren langsgelopen, op weg naar bed, zonder er echt naar te kijken. In de zomervakantie speelden Antonia en Kylie triktrak op de overloop zonder er ook maar bij stil te staan dat er nog iets anders aan de muur hing dan spinnewebben en stof.

Nu valt het hen wel degelijk op. Maria Owens hangt boven Kylie's bed. Ze lijkt zo levensecht dat de schilder vast verliefd op haar was tegen de tijd dat hij het portret af had. Als het al heel laat is en de nacht is heel stil, kun je bijna zien hoe ze in- en uitademt. Als een geest van plan zou zijn om door het raam naar binnen te klauteren of door het pleisterwerk binnen te dringen, zou hij zich misschien bedenken als hij oog in oog met Maria komt te staan. Je ziet meteen dat zij nog nooit bakzeil heeft gehaald of de mening van een ander zwaarder heeft laten wegen dan de hare. Ze was er altijd van overtuigd dat ervaring niet alleen de beste leerschool was, maar tevens de enige. Daarom stond ze erop dat de schilder ook de bult op haar rechterhand zou weergeven, die nooit helemaal was weggetrokken.

Op de dag dat het schilderij werd gebracht, kwam Gillian uit haar werk met de geur van patat en suiker nog in haar kleren. Sinds Sally de seringen had gesnoeid, was de ene dag nog mooier geweest dan de andere. De lucht was blauwer, de boter op tafel zachter, en je kon de hele nacht rustig slapen, zonder nachtmerries of angst voor het donker. Zingend veegde

Gillian de tafeltjes in de hamburgertent schoon; fluitend ging ze naar het postkantoor of de bank. Maar toen ze de trap opliep naar boven en bij het openen van Kylie's slaapkamerdeur oog in oog met Maria kwam te staan, slaakte ze een kreet waarvan de mussen in de aangrenzende tuinen opschrokken en de honden begonnen te janken.

'Wat een afschuwelijke verrassing,' zei ze tegen Kylie.

Gillian ging zo dicht bij Maria staan als ze durfde. Ze had de onweerstaanbare behoefte om een doek voor het schilderij te hangen of het te vervangen door iets vrolijks en minder opvallends, een gezellig plaatje van stoeiende hondjes of van kinderen die hun teddybeer cake serveren op een tea party. Wie wilde het verleden nou aan de muur hebben hangen? Wie wilde nou iets hebben dat in het huis van de tantes had gehangen, op die naargeestige overloop, naast de sleetse gordijnen?

'Veel te luguber voor in de slaapkamer,' deelde Gillian haar nichtje mee. 'Hij moet naar beneden.'

'Maria is niet luguber,' zei Kylie. Kylie's haar begon alweer te groeien, waardoor er midden op haar hoofd een centimeter bruin te zien was. Je zou denken dat ze er gek en onaf uit zou zien; in plaats daarvan werd ze alleen maar mooier. Ze had wel iets van Maria; als je hen naast elkaar zag, zouden ze een tweeling kunnen zijn. 'Ik vind haar mooi,' zei Kylie tegen haar tante en omdat het haar kamer was, was de zaak daarmee afgedaan.

Gillian zei dat ze met Maria boven haar bed van de zenuwen geen oog dicht zou doen, dat ze nachtmerries en misschien wel stuipen zou krijgen, maar dat bleek niet het geval. Ze dacht nooit meer aan Jimmy en was niet meer bang dat iemand naar hem op zoek zou gaan; als hij schulden had gehad of iemand had belazerd, zouden de benadeelden inmiddels wel zijn komen opdagen. Ze zouden zijn gekomen, hebben genomen wat ze wilden hebben en weer zijn vertrokken. Nu het portret van Maria aan de muur hangt, slaapt Gillian nog beter. Elke ochtend wordt ze met een glimlach op haar gezicht wakker. Ze is niet meer zo bang voor de achtertuin als eerst, al trekt ze Kylie zo nu en dan nog weleens mee naar het raam om zeker te weten dat Jimmy niet is teruggekeerd. Kylie verzekert haar keer op keer dat ze zich geen zorgen hoeft te maken. De tuin is verlaten en groen. De seringen zijn zo dicht op de wortels gesnoeid dat het jaren kan duren voor ze weer uitlopen. Heel af en toe valt er wel een schaduw over het gras, maar die wordt waarschijnlijk veroorzaakt door de pad die zich tussen de wortels van de seringen heeft genesteld. Als het Jimmy was, zouden ze het toch wel gemerkt hebben? Dan hadden ze zich bedreigd en veel kwetsbaarder gevoeld.

'Er is niemand meer in de tuin,' heeft Kylie haar bezworen. 'Hij is weg.' En misschien is dat ook echt zo, want Gillian huilt niet meer, zelfs niet in haar slaap; de blauwe plekken die hij op haar arm had achtergelaten zijn weggetrokken en ze is wat met Ben Frye begonnen.

Onderweg van haar werk had ze een impulsief besluit genomen om het een kansje te geven met Ben, in Jimmy's Oldsmobile waar onder de stoelen nog oude bierblikjes lagen te rammelen. Ben belde nog altijd een paar keer per dag, maar dat kon natuurlijk niet eeuwig zo doorgaan, al had hij een engelengeduld. Als jongen had hij acht maanden geoefend om uit een stel metalen handboeien te kunnen ontsnappen. Voor hij de kunst meester was om een lucifer onder zijn tong te doven, had hij keer op keer zijn verhemelte verbrand, waardoor hij weken niets anders kon nuttigen dan karnemelk en vla. Trucs die op het toneel luttele seconden in beslag namen, vergden maanden en soms zelfs jaren van voorbereiding en oefening. Maar in de liefde ging het niet om oefening en voorbereiding, daar draaide het om geluk; als je er te lang over deed, liep je de kans dat het in rook was opgegaan nog voor het iets was geworden. Vroeg of laat zou Ben het opgeven. Hij zou onderweg naar haar toe zijn, een boek onder de arm om de tijd te doden die hij wachtend op haar op de veranda doorbracht, en plotseling zou hij denken: *Nee*, gewoon, zomaar opeens. Gillian hoefde alleen maar haar ogen te sluiten om de vertwijfelde blik te zien die over zijn gezicht zou glijden. *Vandaag maar eens niet*, zou hij besluiten en hij zou zich omdraaien om weer naar huis te gaan en waarschijnlijk nooit meer terugkomen.

Als Gillian erover nadacht hoe het zou zijn als Ben niet meer achter haar aan zou lopen, werd ze misselijk. Een leven zonder hem, zonder zijn telefoontjes en zijn trouwe toewijding, had haar niets te bieden. En tegen wie nam ze hem eigenlijk in bescherming? Het roekeloze meisje dat harten brak en alleen maar plezier wilde maken, bestond niet meer; daar had Jimmy wel voor gezorgd. Die periode lag zo ver achter haar en stond zo ver van haar af dat Gillian zich niet eens meer kon herinneren waarom ze ooit had gedacht dat ze verliefd was geweest, of wat ze had gedacht te winnen bij al die kerels die niet eens wisten wie zij was.

Op die avond, met de fletsblauwe lucht en de bierblikjes die telkens als zij op de rem trapte heen en weer rolden, gooide Gillian midden op de weg het stuur om en reed naar Ben Frye's huis, vóór de moed haar in de schoenen zou zinken. Ze hield zich voor dat ze volwassen was en een volwassen relatie aankon. Ze hoefde heus niet weg te rennen, of iemand ten koste van haarzelf in bescherming te nemen, of bang te zijn om kleine stapjes te zetten op het door haar verkozen pad. Toch dacht ze dat ze zou flauwvallen toen Ben de deur opendeed. Ze had willen zeggen dat ze geen vastigheid of bindingen wilde – ze wist niet of ze hem zou kussen, laat staan met hem naar bed zou gaan – maar ze kreeg geen tijd om zoiets te zeggen, want toen ze eenmaal een voet in Bens gang had gezet, was hij niet van plan nog langer te wachten.

Hij had genoeg geduld gehad, hij had zijn tijd uitgezeten, nu zou hij zich niet laten ontglippen waar hij naar verlangde. Hij begon Gillian te kussen voordat ze kon zeggen dat ze er nog over na wilde denken. Zijn kussen riepen emoties in haar wakker die ze niet wilde voelen, in elk geval nog niet. Hij drukte haar tegen de muur en liet zijn handen onder haar blouse glijden en dat was dat. Ze zei niet: 'Hou op', ze zei niet: 'Wacht', maar ze beantwoordde zijn kus, tot ze zo ver heen was dat ze nergens meer over na kon denken. Ben maakte haar gek en stelde haar op de proef – telkens als ze heel erg opgewonden was, hield hij op om te zien hoe ze reageerde, hoezeer ze ernaar verlangde. Als hij haar niet gauw meenam naar de slaapkamer, zou ze hem nog gaan smeken om haar te neuken. Uiteindelijk zou ze zeggen: 'Pak me dan, schat', precies wat ze tegen Jimmy zei, hoewel ze het nooit echt meende. Toen niet. Geen enkele vrouw kan zich helemaal geven als ze zo bang is. Te bang om adem te halen, te bang om zelfs maar te durven zeggen: *Niet zo. Het doet te veel pijn als je dat doet.*

Ze zei schunnige dingen tegen Jimmy omdat ze wist dat hij dan eerder een stijve kreeg. Als hij de hele avond had gedronken en hem niet overeind kreeg, kon hij zo plotseling in razernij ontsteken dat het haar duizelde. Het ene moment was alles nog goed, het volgende moment leek de lucht om hem heen te ontvlammen door zijn allesverterende woede. Als dat het geval was, begon hij haar te slaan; of ze moest zeggen hoe graag ze hem in haar wilde voelen. Hij kon zijn woede tenminste kwijt als Gillian zei dat hij haar de hele nacht moest neuken, dat ze tot alles bereid was omdat ze zo naar hem verlangde, dat ze alles zou doen wat hij wilde. Had hij niet het volste recht om kwaad te zijn en te doen waar hij zin in had? Was zij niet zo slecht dat ze gestraft moest worden? Was hij niet de enige die dat kon, die het goed kon?

Vuile praatjes en geweld wonden Jimmy op en dus begon Gillian altijd maar meteen. Ze was slim genoeg om te zorgen dat hij snel een stijve kreeg, om gore taal uit te slaan en hem te pijpen voor hij echt kwaad kon worden. Daarna neukte hij haar, maar hij kon heel gemeen en egoïstisch zijn. Hij vond het lekker als ze huilde. Als ze huilde wist hij dat hij gewonnen had en om de een of andere reden was dat belangrijk voor hem. Hij leek zich niet te realiseren dat hij van meet af aan had gewonnen, al op het moment dat ze hem voor het eerst zag, toen ze hem voor het eerst in de ogen had gekeken.

Zodra ze klaar waren met vrijen deed Jimmy weer aardig tegen haar en ze had er bijna alles voor over om bij hem te zijn als hij zo was. Als hij zich goed voelde en niets hoefde te bewijzen, was hij de man waar ze als een blok voor was gevallen, de man die praktisch iedere vrouw kon doen geloven wat hij wilde. Als het moet, kun je makkelijk vergeten wat je in het donker uitspookt. Gillian wist dat ze volgens andere vrouwen geboft had, en zij was het met hen eens. Ze was in de war geraakt, dat was het. Ze was gaan geloven dat het in de liefde nu eenmaal zo ging en ergens had ze gelijk, want met Jimmy was dat ook zo.

Gillian was er zo aan gewend om meteen op handen en knieën te worden gedwongen; ze ging er zo vanuit geslagen te worden en vervolgens te horen te krijgen dat ze hem maar eens lekker moest pijpen, dat ze niet kon geloven dat Ben zoveel tijd nam om haar te kussen. Ze raakte door het dolle van al dat zoenen; het riep de herinnering boven aan wat je kon voelen en hoe het kon zijn, als je net zoveel naar iemand verlangde als hij naar jou. Ben was de absolute tegenpool van Jimmy. Hij was er niet op uit om haar aan het huilen te maken en achteraf zoete broodjes te bakken, zoals Jimmy, en hij had geen hulp nodig zoals Jimmy altijd. Tegen de tijd dat Ben haar panty uittrok had Gillian knikkende knieën. Van haar hoefden ze helemaal niet naar de slaapkamer, ze wilde het hier en ze wilde het nu. Ze hoefde niet langer na te denken over een eventuele relatie met Ben Frye; die relatie was al een feit, ze was er zonder enig voorbehoud ingestapt en ze was niet van plan er nog uit weg te lopen.

Ze vrijden zo lang ze konden, midden in de gang, en gingen vervolgens naar Bens bed, waar ze uren sliepen, als verdoofd. Voordat ze in slaap vielen had Gillian durven zweren dat ze Ben *Het Lot* hoorde zeggen – alsof ze voor elkaar waren voorbestemd en alles wat er in hun leven gebeurd was naar dit moment had geleid. Als je zo dacht, kon je zonder piekeren in slaap vallen, kon je alles in je leven een plaats geven, al het verdriet en alle zorgen, en toch het gevoel houden dat je uiteindelijk alles had gekregen wat je wilde. Ondanks alle tegenslag en alle verkeerde beslissingen kon je zelfs tot de ontdekking komen dat jij had gewonnen.

Toen Gillian wakker werd, was het avond. De kamer was donker, op een soort wit wolkje na dat aan het voeteneinde van het bed balanceerde. Gillian vroeg zich af of ze droomde, of ze misschien uit haar lichaam was getreden en nu rondzweefde boven haarzelf en het bed waar ze met Ben Frye in lag. Maar toen ze in haar arm kneep deed het pijn. Ze was nog altijd echt. Ze liet haar hand over Bens rug glijden om zich ervan te verzekeren dat hij ook echt was. Hij was zo echt dat ze ervan schrok; zijn spieren en zijn huid en de warmte van zijn slapende lijf deden haar opnieuw naar hem verlangen en ze voelde zich een dwaas, een schoolmeisje dat dingen doet zonder aan de consequenties te denken.

Gillian ging rechtop zitten, het witte laken om haar bovenlijf gewikkeld, en zag dat het witte wolkje aan het voeteneind gewoon Buddy was, Bens konijn, dat op haar schoot sprong. Nog maar een paar weken geleden had Gillian in de Sonorawoestijn gestaan, haar handen tegen haar oren gedrukt, terwijl Jimmy met twee vrienden op prairiehonden schoot. Ze wisten er dertien te raken en Gillian vond dat ze ongelooflijk veel geluk hadden. Ze was rillerig en bleek, te overstuur om het te kunnen verbergen. Gelukkig was Jimmy in een opperbeste bui, omdat hij meer prairiehonden had buitgemaakt dan zijn maten. Hij had er acht geraakt, als je twee kleintjes meetelde. Hij kwam naar Gillian toe en sloeg zijn armen om haar heen. Als hij zo naar haar keek, wist ze weer waarom ze zo dol op hem was geweest, en nog altijd was. Hij kon je het gevoel geven dat je de enige vrouw op de wereld was; de bom kon vallen, de bliksem kon inslaan, maar hij zou zijn blik niet van jou afwenden.

'Het enige goede knaagdier is een dood knaagdier,' had Jimmy tegen haar gezegd. Hij rook naar sigaretten en hitte en was zo levend als een mens maar kon zijn. 'Geloof me. Als je er ooit eentje tegenkomt, moet je meteen schieten. En raak.'

Jimmy zou zich rot lachen als hij haar met een knaagdier in bed zou zien. Gillian duwde het konijn van zich af, stond op en ging op zoek naar de keuken om een glas water te halen. Ze was gedesoriënteerd en in de war. Ze wist niet wat ze hier in Bens huis te zoeken had, hoewel het een heel gezellig huis was, met mooie vurehouten meubelen en planken vol boeken. De meeste mannen waar Gillian ooit iets mee had gehad, meden de keuken; sommigen wisten niet eens dat zich in hun huis een dergelijke ruimte bevond, compleet met fornuis en aanrecht. Maar hier werd de keuken intensief gebruikt – op een verweerde vurehouten tafel lagen stapels natuurkundeboeken en recepten uit Chinese restaurants. En toen ze in de koelkast keek, zag Gillian dat er echt eten in lag: een paar schalen met lasagna en broccoli-kaassoufflés, een pak melk, restjes vlees, flessen water, bosjes wortelen. Vlak voordat ze in allerijl Tucson hadden moeten verlaten, lag er niet veel meer in hun koelkast dan blikjes bier en Cola Light. Weggestopt tussen de ijsklontjes lag een pak diepvriesburrito's, maar het was een vriesvak waarin alles ontdooide en vervolgens weer bevroor, waardoor het maar beter niet geconsumeerd kon worden.

Gillian pakte een fles van het sjieke water en toen ze zich omdraaide zag ze dat het konijn achter haar aan was gekomen.

'Ga weg,' zei ze tegen hem, maar hij ging niet.

Buddy was helemaal weg van Gillian. Hij schokte met zijn pootje, zoals verliefde konijnen dat kunnen. Hij sloeg geen acht op de frons in haar voorhoofd en op het feit dat ze met haar handen door de lucht maaide, alsof hij een kat was die ze wilde verjagen. Hij drentelde achter haar aan de huiskamer binnen. Toen Gillian bleef staan, ging Buddy op het kleed zitten en keek haar aan.

'Schei daar onmiddellijk mee uit,' zei Gillian.

Ze hief een vinger naar hem op en keek hem strak aan, maar Buddy bleef zitten waar hij zat. Hij had grote bruine ogen, met een roze randje eromheen. Hij had een ernstige, waardige uitstraling, zelfs als hij met zijn tongetje zijn poten waste.

'Je bent gewoon een knaagdier,' zei Gillian tegen hem. 'Meer niet.'

Gillian kon wel huilen, en waarom ook niet? Ze kon nooit voldoen aan het beeld dat Ben van haar had; ze had een geheim, afschuwelijk verleden te verbergen. Ze had met mannen in stilstaande auto's geneukt om te laten zien dat het haar geen zak kon schelen; ze had haar veroveringen geteld en gelachen. Ze zat op de bank die Ben uit een catalogus had besteld toen zijn vorige bank begon door te slijten. Het was een mooie bank met een pruimkleurige, corduroy bekleding. Precies het soort bank dat Gillian zou willen hebben als ze hem in een catalogus had zien staan; als ze een huis of geld had gehad, of zelfs maar een vast adres waar ze catalogi en tijdschriften naartoe kon laten sturen. Ze wist niet eens zeker of ze wel een normale relatie kon onderhouden. Stel dat ze er genoeg van kreeg dat iemand aardig tegen haar was? Stel dat ze hem niet gelukkig kon maken? Stel dat Jimmy gelijk had en dat ze erom vroeg geslagen te worden – misschien niet met zoveel woorden, maar op een impliciete manier waar ze zich niet van bewust was. Stel dat hij haar zover had gekregen dat ze nu niet meer zonder kon?

Het konijn hupte op haar af en nestelde zich aan haar voeten.

'Ik ben een wrak,' zei Gillian tegen hem.

Ze ging met opgetrokken knieën op de bank liggen en huilde, maar zelfs daardoor liet het konijn zich niet afschrikken. Buddy had veel tijd doorgebracht op de kinderafdeling van het ziekenhuis aan de grote weg. Elke zaterdag toverde Ben hem tijdens zijn optreden uit een oude hoed, die naar alfalfa en zweet stonk. Buddy was gewend aan felle lampen en huilende mensen en hij gedroeg zich altijd voorbeeldig. Hij had nog nooit een kind gebeten, zelfs niet als hij een por kreeg of gepest werd. Hij ging op zijn achterpoten staan en bleef keurig in balans, precies zoals hij had geleerd.

'Je hoeft me heus niet op te vrolijken,' zei Gillian, maar dat deed hij toch. Toen Ben eenmaal uit de badkamer te voorschijn kwam, zat Gillian naast Buddy op de grond en voerde hem pitloze druiven.

'Wat een slim beestje is dit,' zei Gillian. Het laken dat ze van het bed had meegenomen, hing losjes om haar schouders en haar haar hing als een aura om haar hoofd. Ze voelde zich rustiger en opgeruimder dan in lange tijd. 'Weet je dat hij de lamp aan kan doen door op de schakelaar te springen? Hij kan die fles water tussen zijn pootjes houden en een slok nemen zonder een druppel te morsen. Je gelooft je ogen niet. Straks vertel je me nog dat hij op de bak gaat, net als een kat.'

'Klopt.'

Ben stond bij het raam en in het vale ochtendlicht zag hij eruit alsof hij de slaap der onschuldigen had geslapen; niemand kon vermoeden dat hij in paniek was geraakt toen hij wakker werd en merkte dat Gillian niet meer naast hem lag. Hij had op het punt gestaan om naar buiten te rennen, de politie te bellen en te eisen dat er een zoektocht op touw werd gezet. Gedurende de paar seconden waarin hij uit bed stapte, dacht hij dat hij het had klaargespeeld haar kwijt te raken, zoals hij alles in zijn leven was kwijtgeraakt, maar hier zat ze, zijn laken om zich heen geslagen. Als hij eerlijk was moest hij bekennen dat hij altijd als de dood was dat mensen zomaar zouden verdwijnen; daarom had hij zich destijds op de goochelkunst gestort. Bij Ben Frye's optredens kwam alles wat verdwenen was weer terug, of het nu een ring of een muntje was, of Buddy. Maar toch was Ben verliefd geworden op de meest onvoorspelbare vrouw die hij ooit had gekend. En hij kon zich er niet tegen verzetten, wilde het niet eens proberen. Hij wilde dat hij haar kon vastbinden in zijn kamer, met ketenen van zijde; hij wilde dat hij haar nooit meer hoefde te laten gaan. Hij knielde naast Gillian, zich maar al te zeer bewust van het feit dat hij de geketende was. Hij wilde haar vragen om met hem te trouwen, om nooit meer bij hem weg te gaan; in plaats daarvan stak hij een hand onder het kussen van de bank, schudde met zijn arm en toverde uit het niets een wortel te voorschijn. Voor het eerst van zijn leven was Buddy niet geïnteresseerd in eten; hij kroop dichter naar Gillian toe.

'Zo te zien heb ik een rivaal,' zei Ben. 'Misschien moest ik hem maar in de pan doen.'

Gillian nam het konijn in haar armen. Terwijl Ben had liggen slapen, had zij haar verleden onder de loep genomen. Ze had ermee afgerekend. Ze zou haar leven niet laten bepalen door dat meisje op de stoffige treden van de achtertrap in de keuken van de tantes. Ze vertikte het zich te laten leiden door de stommeling die zich met Jimmy had ingelaten. 'Buddy is waarschijnlijk het slimste konijn van het hele land. Hij is zo slim dat hij me morgen vast te eten uitnodigt.'

Ben begreep dat hij het konijn een hoop dank verschuldigd was. Als Buddy er niet was geweest, was Gillian misschien wel stilletjes vertrokken; in plaats daarvan was ze gebleven, had ze gehuild en de balans opgemaakt. Daarom maakte Ben de volgende avond ter ere van Buddy wortelsoep, een salade met jonge slablaadjes en Welsh rabbit, wat tot Gillians grote opluchting alleen maar toast met gesmolten kaas bleek te zijn. Er werd een bordje sla met een kommetje soep op de grond gezet voor Buddy. Het konijn werd geaaid en bedankt, maar na het eten werd hij in zijn kist gezet. Ze wilden niet hebben dat hij aan de slaapkamerdeur zou krabben, ze wilden niet gestoord worden, niet door Buddy en niet door iemand anders.

Sinds die avond hebben ze elke nacht samen geslapen. Rond de tijd dat Gillian stopt met werken, gaat Buddy naar de voordeur en hupt daar nerveus heen en weer tot Gillian er is, de geur van patat en kruidenzeep nog in haar haren. De jongens van de hamburgertent volgen haar tot halverwege de grote weg, maar ze blijven staan als zij Bens straat inslaat. In het najaar zullen deze jongens zich inschrijven voor Bens biologielessen, ook de luilakken en de domoren die nog nooit een voldoende voor een exact vak hebben gehaald. Ze denken dat meneer Frye iets weet wat zij ook willen weten, en liefst zo snel mogelijk. Maar al gaan die jongens het hele semester zitten blokken en komen ze bij elke practicumles op tijd, ze zullen pas weten wat Ben weet als ze tot over hun oren verliefd zijn. Als het hen niet langer kan schelen dat ze voor gek staan, als risico's nemen hun het beste lijkt wat ze kunnen doen, als ze koorddansen of in een schuimende waterval springen als kinderspel beschouwen, vergeleken bij één enkele kus, pas dan zullen ze het begrijpen.

Maar nu weten die jongens nog niet het minste of geringste van de liefde en al helemaal niets van vrouwen. Weten zij veel dat Gillian tijdens haar werk in de hamburgertent koppen dampende koffie laat vallen omdat ze er steeds aan moet denken wat Ben met haar doet als ze in zijn bed liggen. Op weg naar huis raakt ze de weg kwijt omdat ze eraan denkt hoe hij haar dingen in het oor fluistert; ze is zo opgewonden en verward als een puber.

Gillian heeft zichzelf altijd als een buitenbeentje gezien en het is een grote opluchting voor haar om te merken dat Ben minder gewoontjes is dan ze aanvankelijk dacht. Op zondagochtend zit hij rustig drie uur in het Owl Café en bestelt dan borden met pannekoeken en gebakken eieren; de meeste serveersters hebben weleens iets met hem gehad en krijgen een dromerige blik in de ogen zodra hij binnenkomt. Ze geven hem gratis koffie en negeren de vrouw die bij hem is. Hij gaat laat naar bed; hij is vingervlug dankzij alle oefening met kaarten en sjaaltjes en hij hoeft maar even zijn hand uit te steken om een voorbijvliegende mus of mees uit de lucht te plukken.

De onverwachte kanten van Bens karakter kwamen als een volslagen verrassing voor Gillian, die nooit had durven dromen dat een leraar biologie zo'n voorliefde voor knopen zou hebben en haar aan het bed zou willen binden, of dat zij, zeker gezien haar eerdere ervaringen, bereid was erover na te denken, ermee in zou stemmen en er uiteindelijk om zou smeken. Gillian hoeft in de winkel maar een pakje schoenveters of een rolletje touw te zien en ze raakt helemaal opgewonden. Dan moet ze zo snel mogelijk naar Sally's huis om ijsklontjes uit het vriesvak te halen en die over haar armen en langs de binnenkant van haar dijen te wrijven om haar verlangen te bekoelen.

Nadat ze in Bens kast een paar handboeien had aangetroffen – die hij vaak bij zijn goocheltrucs gebruikte – waren de ijsklontjes niet langer toereikend. Gillian moest de tuin in, de kraan opendraaien en het water uit de slang over haar hoofd laten stromen. Ze werd verteerd door verlangen als ze eraan dacht wat Ben allemaal met die handboeien zou kunnen doen. Ze had wat graag zijn gezicht gezien toen hij de kamer binnenkwam en zag dat zij ze op tafel had gelegd. De boodschap was overgekomen. Die avond zorgde hij ervoor dat het sleuteltje zo ver weg lag dat ze het geen van beiden vanuit bed konden pakken. Hij bedreef zo lang de liefde met haar dat het begon te schrijnen, en nog kwam het niet bij haar op om hem te vragen op te houden.

Het probleem is dat ze wil dat hij nooit meer ophoudt, en dat zit haar niet lekker omdat het altijd andersom is geweest. Zelfs bij Jimmy – hij verlangde naar haar en dat vond ze prettig. Als je zelf naar iemand verlangt, heeft hij je in zijn macht. Het is zo sterk dat Gillian zelfs naar school is gegaan toen Ben bezig was zijn lokaal in te richten voor de herfst, om hem te vragen de liefde met haar te bedrijven. Ze kan niet wachten tot hij thuiskomt, tot het avond zal zijn, tot de deur van de slaapkamer dichtgaat. Ze gaat naar hem toe, slaat haar armen om hem heen en zegt dat ze niet kan wachten. Het is heel anders dan met Jimmy; ze meent het echt. Ze meent het zo serieus dat ze zich niet eens kan herinneren diezelfde woorden ooit tegen een ander te hebben gezegd. Voor haar gevoel heeft ze dat ook niet.

Iedereen in het schooldistrict weet het van Ben en Gillian; het nieuws heeft zich als een lopend vuurtje door de buurt verspreid. Zelfs de conciërge heeft gezegd dat Ben maar een bofkont is. Ze zijn het stel dat in de gaten wordt gehouden door de buren en over de tong gaat in de winkel en aan de bar van Bruno's Tavern. Als ze een ommetje maken, lopen er honden achter hen aan; katten verzamelen zich om twaalf uur 's nachts in Bens achtertuin. Als Ben gaat hardlopen en Gillian met een stopwatch boven op een rots bij de vijver zit om zijn tijd op te nemen, komen de padden uit de modder kruipen om hun zware, bloedeloze gezang te laten horen. Als Ben uitgerend is, moet hij over de hele verzameling vochtige, grijsgroene beestjes heenstappen om Gillian van de rots te helpen.

Als ze samen uit zijn en Ben komt een leerling tegen, begint hij een serieus gesprek over het eindexamen van vorig jaar of de nieuwe apparatuur voor het practicumlokaal of de landelijke wetenschapsbeurs in oktober. Meisjes die bij hem in de klas hebben gezeten kijken hem met grote ogen aan en vallen stil, jongens hebben alleen maar oog voor Gillian en horen geen woord van wat hij zegt. Maar Gillian luistert naar hem. Ze vindt het heerlijk om Ben over wetenschap te horen praten. Haar maag trekt samen van verlangen als hij over cellen begint. Als hij het over de alvleesklier of de lever heeft, moet ze moeite doen om van hem af te blijven. Hij is zo wijs, maar dat is niet het enige wat Gillian raakt – hij geeft haar de indruk dat zij het ook is. Hij gaat ervan uit dat ze begrijpt waar hij het allemaal over heeft en wonderlijk genoeg is dat ook zo. Voor het eerst van haar leven begrijpt ze wat het verschil is tussen een ader en een slagader. Ze kent alle belangrijke organen uit haar hoofd en, wat veel belangrijker is, ze kan zo vertellen wat elk orgaan voor functie heeft en vanzelfsprekend ook waar in het menselijk lichaam het zich precies bevindt.

Op een dag rijdt Gillian tot haar eigen verbazing naar het community college en schrijft zich in voor twee cursussen die in het najaar beginnen. Ze weet niet eens of ze hier in september nog wel woont, maar mocht ze blijven dan gaat ze geologie en biologie volgen. Als ze 's nachts thuiskomt na bij Ben geweest te zijn, sluipt Gillian naar Antonia's kamer om haar biologieboek te lenen. Ze leest over bloed en botten. Met haar vinger volgt ze het spijsverteringskanaal. Als ze bij het hoofdstuk over erfelijkheidsleer is beland, blijft ze de hele nacht op. Het idee dat er sprake is van een ontwikkeling en een waar scala aan mogelijkheden als het erom gaat wie een mens is en hoe hij kan worden, is adembenemend. Het portret van Maria Owens boven Kylie's bed lijkt opeens zo helder en duidelijk als een wiskundige vergelijking; er zijn avonden dat Gillian ernaar ligt te staren en het gevoel heeft dat ze in de spiegel kijkt. *Logisch*, denkt ze dan. Wiskunde plus verlangen is wie je bent. Voor het eerst van haar leven heeft ze vrede met haar eigen grijze ogen.

Als ze nu naar Kylie kijkt, die zo sterk op haar lijkt dat veel mensen ervan uitgaan dat ze moeder en dochter zijn, voelt Gillian de bloedband. Haar gevoelens voor Kylie bestaan uit gelijke hoeveelheden wetenschap en liefde; ze zou alles voor haar nichtje overhebben. Ze zou zich voor een vrachtwagen werpen en jaren van haar leven willen offeren om te zorgen dat Kylie gelukkig is. Maar ondertussen gaat Gillian zo op in Ben Frye dat ze niet merkt dat Kylie nauwelijks nog iets tegen haar zegt, ondanks al die warme gevoelens. Het komt niet bij haar op dat Kylie zich misschien wel gebruikt en afgedankt voelt sinds Ben zijn intrede heeft gedaan, wat extra pijnlijk is gezien het feit dat ze bij het verjaardagsdebâcle de kant van haar tante heeft gekozen, tégen haar moeder. Ondanks het feit dat Gillian ook háár kant heeft gekozen en de enige ter wereld is die haar als een volwassene behandelt in plaats van als een klein kind, voelt Kylie zich verraden.

Kylie heeft stiekem gemene dingen gedaan, rotstreken die de kwaadaardige Antonia niet hadden misstaan. Ze heeft as in Gillians schoenen gestrooid zodat haar tante vieze, gore tenen zou krijgen, en er zelfs wat lijm bij gedaan voor een beter effect. Ze heeft een blikje tonijn laten leeglopen in de afvoer van het bad, waardoor Gillian plotseling in vettig badwater zat dat zo'n sterke lucht verspreidde dat er vier zwerfkatten door het open raam naar binnen sprongen.

'Is er iets?' vroeg Gillian op een dag toen ze opkeek en zag dat Kylie haar aanstaarde.

'Of er iets is?' Kylie knipperde met haar ogen. Ze wist hoe onschuldig ze kon overkomen als ze haar best deed. Ze kon een bijzonder lief kind zijn, precies zoals vroeger. 'Wat zou er moeten zijn?'

Die avond liet Kylie vijf pizza's met ansjovis bij Ben Frye bezorgen. Het was afschuwelijk om haatdragend te zijn; ze wilde blij voor Gillian zijn dat ze zo gelukkig was, echt waar, maar het lukte haar gewoon niet, tot op de dag dat ze Gillian en Ben toevallig samen langs school zag lopen. Kylie was op weg naar het zwembad, een handdoek over haar schouder geslagen, maar plotseling bleef ze stokstijf staan, op de stoep voor het huis van mevrouw Jerouche, al stond mevrouw Jerouche erom bekend dat ze met de tuinslang op je af kwam als je op haar gazon kwam. Bovendien had ze een nare cocker spaniël, een ongekend kreng dat Mary Ann heette en mussen opvrat en kwijlde en kleine jongetjes in hun enkels en knieën beet.

Er leek een kring van matgeel licht om Ben en Gillian te zweven; het licht steeg op en waaierde vervolgens uit door de straat en over de daken. De lucht zelf was citroengeel, en als Kylie haar ogen sloot had ze het gevoel alsof ze in de tuin van de tantes stond. Als je daar in de hitte van augustus in de schaduw ging zitten en wilde tijm tussen je vingers wreef, werd de lucht zo geel dat je zou zweren dat er een zwerm bijen boven je hoofd hing, zelfs op dagen dat het aan één stuk door regende. Op warme, zwoele dagen kwamen er in die tuin zomaar dingen bij je op waar je nooit eerder aan had gedacht. Het was alsof de hoop uit het niets opdook, naast je kwam zitten en niet meer wegging, je nooit meer in de steek zou laten.

Die middag dat Kylie voor het huis van mevrouw Jerouche stond, was ze niet de enige die voelde dat er iets vreemds in de lucht hing. Een groepje jongens hield op met voetballen, getroffen door de zoete lucht die vanaf de daken neerdaalde. Ze wreven aan hun neus. De jongste draaide zich om, rende naar huis en vroeg zijn moeder om cake met citroenschilletjes, warm en met een laagje honing. Vrouwen liepen naar het raam, steunden met hun ellebogen in de vensterbank en haalden dieper adem dan ze in jaren hadden gedaan. Ze geloofden niet eens meer in hoop, maar toch zagen ze het daar gloren, in de boomtoppen en tussen de schoorstenen. Als die vrouwen naar de straat keken en Gillian en Ben zagen lopen, de armen om elkaar heen geslagen, voelden ze vanbinnen iets schrijnen. Ze kregen zo'n droge keel dat alleen limonade hun dorst kon lessen, maar zelfs na een hele kan hadden ze niet genoeg.

Het was moeilijk om daarna nog kwaad op Gillian te zijn; het was onmogelijk om haar te haten of je miskend te voelen. Gillian hield zo vurig van Ben Frye dat de boter in Sally's huis voortdurend was gesmolten, zoals dat gaat in een huis waar liefde woont. Zelfs de plakjes boter in de koelkast smolten en wie boter wilde, moest het op het geroosterde brood gieten of een lepel gebruiken.

Wanneer Gillian 's nachts in bed biologieboeken ligt te lezen, gaat Kylie op haar eigen bed liggen en bladert wat tijdschriften door, hoewel ze in werkelijkheid naar Gillian kijkt. Ze voelt zich bevoorrecht om via iemand als haar tante de liefde te leren kennen. Ze heeft de mensen horen praten; zelfs diegenen die zo nodig moeten zeggen dat Gillian heus niets bijzonders is, lijken diep vanbinnen toch jaloers. Gillian mag dan serveerster zijn in de hamburgertent, ze mag rimpeltjes om haar ogen en mond hebben van de zon in Arizona, Ben Frye is toch maar verliefd op háár. Zij is het bij wie er een glimlach om de lippen speelt, dag en nacht.

'Raad eens wat het grootste orgaan van het menselijk lichaam is,' vraagt Gillian op een avond aan Kylie, als ze beiden in bed liggen te lezen.

'De huid,' zegt Kylie.

'Wijsneus,' zegt Gillian tegen haar. 'Betweter.'

'Iedereen is jaloers dat jij meneer Frye hebt,' zegt Kylie.

Gillian leest verder in haar biologieboek, maar dat wil niet zeggen dat ze niet luistert. Ze bezit de gave om over het een te praten en met het ander bezig te zijn. Dat heeft ze in al die jaren met Jimmy wel geleerd.

'Dat klinkt net alsof ik hem uit een winkel heb. Alsof hij een grapefruit is of iets wat in de uitverkoop was en wat ik voor een prikkie op de kop heb weten te tikken.' Gillian trekt haar neus op. 'Het is trouwens geen kwestie van geluk.'

Kylie draait zich op haar buik om naar het dromerige gezicht van haar tante te kunnen kijken. 'Van wat dan wel?'

'Het lot.' Gillian slaat haar biologieboek dicht. Ze heeft de mooiste glimlach ter wereld, dat moet Kylie haar nageven. 'Het was voorbestemd.'

Kylie denkt de hele nacht na over het lot. Ze denkt aan haar vader, die ze zich slechts van een enkele foto herinnert. Ze denkt aan Gideon Barnes, omdat ze weet dat ze verliefd op hem zou kunnen worden als ze dat wilde, en hij ook op haar. Maar Kylie weet niet zeker of ze dat wil. Ze weet niet of ze er al aan toe is; of ze dat ooit zal zijn. De laatste tijd is ze zo gevoelig en ontvankelijk dat ze Gillians dromen uit het bed naast haar kan opvangen. Dromen die zo aanstootgevend en prikkelend zijn dat Kylie helemaal opgewonden wakker wordt en zich opgelatener en verwarder voelt dan ooit.

Dertien jaar oud zijn is niet wat ze ervan had verwacht. Het is eenzaam en helemaal niet leuk. Soms heeft ze het gevoel dat ze verzeild is geraakt in een verborgen wereld die ze niet begrijpt. Als ze in de spiegel kijkt, kan ze niet uitmaken wie ze is. Als ze daar ooit nog eens achterkomt, zal ze misschien ook weten of ze haar haar blond of bruin moet verven, maar voorlopig zit het er een beetje tussenin. Ze zit er bij alles een beetje tussenin. Ze mist Gideon; ze gaat naar de kelder en haalt het schaakbord te voorschijn dat haar altijd aan hem doet denken, maar ze kan het niet opbrengen hem te bellen. Als een meisje uit haar klas haar vraagt of ze meegaat naar het zwembad of het winkelcentrum, heeft Kylie geen zin. Niet omdat ze die meisjes niet aardig vindt; ze wil alleen niet dat zij zien wie ze eigenlijk is, terwijl ze het zelf nog niet weet. Wat ze wel weet is dat er vreselijke dingen kunnen gebeuren als je niet oppast. Dat heeft de man in de tuin haar duidelijk gemaakt en het is een les die ze niet gauw zal vergeten. Het leed is alom aanwezig; de meeste mensen kunnen het alleen niet zien. De meeste mensen vinden wel een manier om niet aan alle ellende te hoeven denken – ze nemen een stevige borrel, trekken honderd baantjes in het zwembad of eten de hele dag niets, op een glimmend gepoetst appeltje en een krop sla na – maar zo zit Kylie niet in elkaar. Ze is veel te gevoelig en haar gave om het verdriet van anderen te voelen wordt steeds sterker. Als ze langs een wandelwagen loopt waarin een baby ligt te krijsen tot hij rood is aangelopen van frustratie en verwaarlozing, is Kylie zelf de rest van de dag knorrig. Als een hond hinkt omdat hij een steentje in zijn poot heeft, of als een vrouw in de supermarkt haar ogen sluit om terug te denken aan de jongen die vijftien jaar geleden is overleden, het kind waar ze zoveel van hield, krijgt Kylie het gevoel dat ze onderuit gaat.

Sally houdt haar dochter in de gaten en maakt zich zorgen. Ze weet wat er gebeurt als je verdriet opkropt, ze weet wat ze zichzelf heeft aangedaan, de muur die ze heeft opgetrokken, de toren die ze heeft gebouwd, steen voor steen. Maar het zijn muren van verdriet en de toren is ondergedompeld in duizenden tranen, dat biedt geen bescherming; één duwtje en alles dondert in elkaar. Als ze Kylie de trap naar haar kamertje op ziet lopen, voelt Sally dat er nog een toren wordt gebouwd, misschien nog maar een enkele steen, maar het is genoeg om haar te beklemmen. Ze wil er met Kylie over praten, maar telkens als ze een poging waagt, rent Kylie naar haar kamer en gooit met een klap de deur achter zich dicht.

'Ik heb ook recht op privacy,' antwoordt Kylie op vrijwel elke vraag van Sally. 'Laat me toch met rust.'

De moeders van andere dertienjarigen bezweren Sally dat dergelijk gedrag volstrekt normaal is. Linda Bennett, de buurvrouw, houdt vol dat dit pubergedrag tijdelijk is, hoewel haar dochter Jessie – waar Kylie nooit iets mee te maken wilde hebben omdat ze een sukkel en een studiehoofd zou zijn – onlangs haar naam heeft veranderd in Isabella en een ringetje in haar navel en haar neusvleugel heeft. Maar Sally had dit soort problemen nooit verwacht met Kylie, die altijd zo open en opgewekt was. Toen Antonia dertien werd was het niet zo'n verrassing, aangezien zij altijd al egoïstisch en bot was geweest. Zelfs Gillian kreeg haar wilde haren pas op de middelbare school, toen de jongens er oog voor kregen hoe knap ze was, en Sally had zichzelf nooit toegestaan om chagrijnig of brutaal te zijn. Ze ging ervan uit dat zij niet het voorrecht had om iets terug te mogen zeggen; voor zover zij wist was alles verboden. De tantes waren niet verplicht om voor haar te zorgen. Ze konden haar zonder enig pardon op straat zetten en zij was niet van plan daar aanleiding toe te geven. Op haar dertiende maakte Sally het avondeten, deed de was en ging op tijd naar bed. Ze stond er nooit bij stil of ze recht op privacy had, of ze gelukkig was of wat dan ook. Dat durfde ze niet.

Nu met Kylie probeert Sally zich in te houden, maar het kost haar grote moeite. Ze klemt haar lippen stijf op elkaar en houdt haar meningen en goede raad voor zich. Ze krimpt ineen als Kylie met de deuren smijt; ze huilt om Kylie's verdriet. Soms luistert Sally aan de slaapkamerdeur van haar dochter, maar Kylie neemt Gillian niet langer in vertrouwen. Dat zou een opluchting kunnen zijn, maar Kylie heeft van iedereen afstand genomen. Sally kan alleen maar toekijken hoe Kylie's afzondering een vicieuze cirkel wordt: hoe eenzamer je je voelt, hoe meer je je terugtrekt, tot de mensheid een vreemde diersoort lijkt, met een taal en gewoontes waar je niets van begrijpt. Dat weet Sally als geen ander. Daar is ze zich 's avonds laat maar al te goed van bewust, als Gillian bij Ben Frye is en de motten tegen de hordeur vliegen. Dan voelt ze zich zo van de zomernacht afgesloten dat de horren ook van steen hadden kunnen zijn.

Het lijkt erop dat Kylie de hele zomer in haar eentje op haar kamer gaat doorbrengen, met een vastberadenheid alsof ze een gevangenisstraf uitzit. Eind juli loopt de temperatuur op tot ver in de dertig graden, elke dag weer. Door de hitte zijn er witte vlekjes op Kylie's oogleden verschenen, die zichtbaar worden als ze knippert. De vlekjes worden wolkjes en de wolkjes stijgen op, en de enige manier om ervan af te komen is actie ondernemen. Dat wordt haar vrij plotseling duidelijk. Als ze niets doet, blijft ze hier steken. Andere meisjes gaan door, ze zullen zich ontwikkelen en vriendjes krijgen en fouten maken, en zij zal precies dezelfde blijven, versteend. Als ze niet snel iets doet, zullen ze haar allemaal ingehaald hebben, terwijl zij nog altijd een kind is, bang om buiten haar kamertje te komen, bang om volwassen te worden.

Aan het eind van de week, als de klamme hitte het onmogelijk maakt om deuren of ramen te sluiten, besluit Kylie een taart te bakken. Het is een bescheiden concessie, een klein stapje in de richting van de wereld. Ze gaat ingrediënten kopen en als ze terugkomt is het vijfendertig graden in de schaduw, maar dat kan haar niet weerhouden. Ze is niet van haar plan af te brengen, alsof ze denkt dat deze ene taart haar redding zal zijn. Ze zet de oven op tweehonderd graden en gaat aan de slag, maar pas als het beslag klaar is en de vorm is ingevet, realiseert ze zich dat ze bezig is Gideons lievelingstaart te bakken.

De hele middag staat de taart op het aanrecht, geglaceerd en onaangeroerd, op een blauwe schaal. Als de avond valt weet Kylie nog steeds niet wat ze moet doen. Gillian is bij Ben, maar er wordt niet opgenomen als Kylie belt om te vragen of Gillian het stom zou vinden als ze naar Gideon zou gaan. Waarom wil ze dat eigenlijk? Wat kan het haar schelen? Hij deed lullig tegen haar; dan moet hij toch ook de eerste stap zetten? Eigenlijk zou hij háár zo'n stomme taart moeten brengen – een taart met stukjes chocolade en een laagje glazuur, of een mokkataart, als dat het enige is wat hij kan.

Kylie gaat bij haar slaapkamerraam zitten, op zoek naar koele, frisse lucht. In plaats daarvan ziet ze een pad in de vensterbank. Vlak voor haar raam staat een wilde-appelboom, een lelijk exemplaar dat zelden in bloei staat. De pad moet zich een weg hebben gebaand langs de stam en over de takken en vervolgens in haar raamkozijn zijn gesprongen. Hij is groter dan de meeste andere padden bij de sloot, en opmerkelijk rustig. Hij lijkt niet bang te zijn, zelfs niet als Kylie hem oppakt en in haar hand houdt. Deze pad doet haar denken aan de padden die Antonia en zij 's zomers in de tuin van de tantes vonden. Ze waren dol op kool en blaadjes sla en hupten altijd achter de meisjes aan, bedelend om iets lekkers. Soms zetten Antonia en Kylie het op een rennen om te kijken hoe hard de padden konden lopen; ze renden en renden totdat ze gierend van de lach in elkaar zakten, in de aarde of tussen de rijen bonen; maar hoe ver ze ook renden, als ze zich omkeerden zaten de padden hen vlak op de hielen en staarden hen met wijd opengesperde ogen aan.

Kylie zet de pad op haar bed en gaat op zoek naar een blaadje sla. Ze heeft er spijt van dat ze vroeger zo stom was om naar Antonia te luisteren, al die keren dat ze de padden achter hen aan hadden laten rennen. Zo stom is ze nu niet meer; ze is een stuk verstandiger en een heel stuk meelevender. Iedereen is weg en het huis is vrediger dan anders. Sally is naar een vergadering die Ed Borelli heeft georganiseerd in verband met het naderende nieuwe schooljaar, iets wat het administratief personeel niet als een onafwendbaar feit wenst te beschouwen. Antonia is op haar werk, kijkt naar de klok en wacht op de komst van Scott Morrison. Beneden in de keuken is het zo stil dat je het water uit de kraan kunt horen druppen. Trots is iets merkwaardigs; het kan iets wat waardeloos is van onschatbare waarde doen lijken. Zodra je het loslaat, krimpt je trots ineen tot de grootte van een vlieg, eentje zonder kop of staart en zonder vleugels om zich mee van de grond te verheffen.

Nu ze hier in de keuken staat, weet Kylie nauwelijks meer wat haar een paar uur geleden nog zo belangrijk toescheen. Ze weet alleen dat de taart zal bederven als ze nog veel langer wacht, of dat de mieren eraan zullen beginnen, of dat iemand de keuken binnen zal komen en een stuk zal nemen. Ze gaat nu meteen naar Gideon, voor ze zich kan bedenken.

Er ligt geen sla in de koelkast en daarom pakt Kylie het eerste het beste eetbare dat ze ziet – een halve, aangevreten Snickers die Gillian op het aanrecht heeft laten smelten. Kylie staat op het punt om weer naar boven te stormen, maar als ze zich omdraait ziet ze dat de pad haar achterna is gekomen.

Te uitgehongerd om nog langer te wachten, vermoedt Kylie.

Ze neemt de pad in haar hand en breekt een piepklein stukje Snickers af. Maar dan gebeurt er iets heel merkwaardigs: als ze het aan de pad wil voeren, doet hij zijn mond open en spuwt een ring uit.

'Jeetje,' zegt Kylie lachend. 'Dank je wel.'

De ring voelt zwaar en koud aan in haar hand. De pad moet hem in de modder hebben gevonden; er zit zo'n dikke laag vuil op dat Kylie niet kan zien wat ze nou eigenlijk in handen heeft gekregen. Als ze de tijd had genomen om hem eens goed te bekijken, als ze hem tegen het licht had gehouden, zou ze hebben gezien dat er een merkwaardige, paarse gloed over het zilver ligt. Onder het laagje vuil gaan druppels bloed schuil. Als ze niet zo'n haast had gehad om naar Gideon te gaan, als ze zich had gerealiseerd wat het was, had ze de ring mee de achtertuin in genomen om hem te begraven, onder de seringen, waar hij thuishoort. In plaats daarvan gooit Kylie hem op een plastic schoteltje waar haar moeder een treurige cactus op heeft gezet. Ze pakt de taart, duwt met haar heup de hordeur open en zodra ze buiten staat, bukt ze zich voorover om de pad in het gras te zetten.

'Ga maar weer,' zegt ze, maar de pad zit nog altijd roerloos in het gras als Kylie al de hoek van het volgende huizenblok is omgeslagen.

Gideon woont aan de andere kant van de grote weg, in een wijk die deftiger moet ogen dan hij is. De huizen in zijn buurt hebben een zonneterras en een souterrain en openslaande deuren die toegang bieden tot keurig verzorgde tuinen. Gewoonlijk is Kylie in twaalf minuten van haar huis bij het zijne, maar dan rent ze en heeft ze geen grote chocoladetaart bij zich. Vanavond is ze bang om de taart te laten vallen en daarom neemt ze kleine passen terwijl ze langs het tankstation loopt en vervolgens langs het winkelcentrum met de supermarkt, het Chinese restaurant, daarnaast de broodjeszaak en de ijssalon waar Antonia werkt. Dan kan ze kiezen; ze kan langs Bruno's gaan, de kroeg aan de rand van het winkelcentrum waarvan de naam in roze neonletters op de gevel staat, of ze kan de weg oversteken en een stuk afsnijden door het overwoekerde weiland waar binnenkort een fitnessclub schijnt te komen, compleet met wedstrijdzwembad. Omdat er twee kerels uit Bruno's komen die op te luide toon met elkaar praten, kiest Kylie voor het weiland. Als ze afsnijdt, kan ze twee straten bij Gideon vandaan uitkomen. Het onkruid is zo hoog en scherp, dat Kylie wilde dat ze een spijkerbroek had aangetrokken in plaats van een korte broek. Maar het is een mooie avond en de stank van de plassen aan de andere kant van het weiland wordt verdrongen door de geur van het laagje chocolade op

Kylie's taart. Kylie vraagt zich af of het al te laat is om nog een potje te gaan basketballen – Gideon heeft een echte bucket op hun oprit hangen, die zijn vader hem uit schuldgevoel heeft gegeven, vlak nadat hij van Gideons moeder was gescheiden – als het haar opvalt dat de lucht om haar heen dreigend en koud wordt. De rand van het weiland is zwart. Er is iets mis. Kylie versnelt haar pas en op dat moment gebeurt het. Op dat moment roepen ze dat ze moet wachten.

Als ze een blik over haar schouder werpt, ziet ze haarscherp wie het zijn en wat ze willen. De twee mannen uit de kroeg zijn de weg overgestoken en komen haar achterna; ze zijn groot, hun schaduw heeft een vuurrode rand en ze noemen haar schatje. Ze roepen: 'Hé, ben je doof of zo? Wacht even. Wacht nou.'

Kylie voelt haar hart al veel te snel kloppen, nog voor ze is gaan rennen. Ze weet wat dit voor mannen zijn; ze zijn net zoals de man die ze uit de tuin moesten verdrijven. Ze kunnen net zo kwaad worden als hij, om niets, enkel om de pijn diep van binnen waar ze zich niet eens meer van bewust zijn, en ze willen iemand te grazen nemen. Nu op dit moment. De taart klapt tegen Kylie's borst; de struiken zitten vol doornen die haar huid openhalen. De mannen beginnen te joelen als ze gaat rennen, alsof het daardoor alleen maar leuker wordt om achter haar aan te zitten. Als ze ladderzat waren, hadden ze niet de moeite genomen om te gaan rennen, maar zo dronken zijn ze nog niet. Kylie gooit de taart weg; hij spat uiteen als hij de grond raakt, waar de veldmuizen en de mieren zich eraan tegoed zullen doen. Maar ze kan de chocolade nog ruiken; haar handen zitten onder. Nooit zal ze meer chocolade kunnen eten. De geur zal haar hart als een bezetene doen bonzen. De smaak zal haar maag doen omkeren.

Ze achtervolgen haar en dwingen haar naar het donkerste deel van het weiland te rennen, daar waar de plassen zijn, daar waar niemand haar vanaf de weg kan zien. Een van de mannen is dik en hij verliest terrein. Hij vervloekt haar, maar waarom zou ze zich iets van zijn woorden aantrekken? Haar lange benen bewijzen nu hun waarde. Uit haar ooghoek ziet ze de lichtjes van het winkelcentrum en ze weet dat de man die nog achter haar aanzit, haar te pakken zal krijgen als ze in deze richting blijft doorlopen. Dat heeft hij ook geroepen, en als hij haar te pakken krijgt zal hij haar eens een lesje leren. Hij zal zorgen dat ze nooit meer wegloopt. Hij zal dat lekkere poesje van haar eens wat laten voelen en hij zal zorgen dat ze het nooit meer vergeet.

Hij heeft de hele tijd de vreselijkste dingen naar haar geroepen, maar plotseling valt hij stil. Hij zegt geen woord meer en Kylie weet dat het nu gaat gebeuren. Hij rent erg hard, ze kan hem voelen; of hij krijgt haar nu te pakken, of nooit meer. Kylie's ademhaling is hoog en hysterisch. Ze haalt nog een keer diep adem en draait zich heel plotseling om, ze rent op hem af en hij steekt zijn armen al uit om haar te pakken, maar ze duikt opzij en rent naar de weg. Haar benen zijn zo lang dat ze plassen en meren zou kunnen ontwijken. Met een flinke sprong kan ze daar zijn waar de sterren schitteren, waar het koud en helder en onveranderlijk is, waar dit soort dingen nooit, maar dan ook nooit, gebeuren.

Als hij haar zo dicht is genaderd dat hij haar blouse kan pakken, heeft Kylie de grote weg bereikt. Even verderop laat een man zijn golden retriever uit. Op de hoek loopt een groepje zestienjarige jongens, op weg naar huis na een training van de zwemploeg. Ze zouden Kylie zeker horen gillen, maar dat is niet nodig. De man die haar achterna zat, blijft waar hij is en trekt zich terug in het struikgewas. Hij krijgt haar nu niet meer te pakken, want Kylie blijft rennen. Ze rent tussen de auto's door naar de overkant van de weg; ze rent langs de kroeg en de supermarkt. Ze kan niet ophouden met rennen of haar pas vertragen voordat ze in de ijssalon is en het belletje boven de deur begint te klingelen, om aan te geven dat de deur open is geweest en weer stevig achter haar is dichtgevallen.

Haar benen zitten onder de modder en haar ademhaling zit zo hoog dat ze een soort verstikt gepiep voortbrengt, als van een konijn dat de geur van een coyote of een hond opvangt. Een ouder echtpaar dat samen een sorbet nuttigt, kijkt met halftoegeknepen ogen op. De vier gescheiden vrouwen aan het tafeltje bij het raam zijn het erover eens dat Kylie er niet uitziet, herinneren zich wat ze met hun eigen kinderen te stellen hebben gehad en besluiten plotseling dat ze maar eens op huis aan moesten gaan.

Antonia heeft weinig oog gehad voor de klanten. Glimlachend steunt ze met haar ellebogen op de bar om beter in Scott Morrisons ogen te kunnen kijken, terwijl hij het verschil uitlegt tussen nihilisme en pessimisme. Hij komt elke avond, eet ijs met nootjes en wordt steeds verliefder. Ze hebben uren zitten vrijen op de voor- en achterbank van de auto van Scotts moeder, kussend tot hun lippen gloeiden en opgezet waren; ze hebben met hun handen in elkaars broek gezeten en zo heftig naar elkaar verlangd dat ze aan weinig anders konden denken. In de afgelopen week zijn zowel Scott als Antonia weleens overgestoken zonder goed uit te kijken en door een schallende toeter weer de stoep opgejaagd. Ze leven in hun eigen wereld, die zo dromerig en harmonieus is dat ze niet op het verkeer hoeven te letten, noch op het feit dat er nog andere mensen in rondlopen.

Het duurt even voor het tot Antonia doordringt dat het haar zus is, die voor haar staat en het linoleum dat zij moet schoonhouden bevuilt met modder en bladeren.

'Kylie?' zegt ze, voor alle zekerheid.

Scott draait zich om en ziet dan dat het merkwaardige geluid achter hem, waarvan hij aannam dat het de reutelende airconditioning was, een raspende ademhaling is. De schrammen op Kylie's benen zijn gaan bloeden. Haar blouse en handen zitten onder het chocoladeglazuur.

'Jezus,' zegt Scott. Hij overweegt medicijnen te gaan studeren, maar als puntje bij paaltje komt heeft hij het niet zo op de verrassingen waarvoor het menselijk lichaam je kan plaatsen. Zuivere wetenschap is meer iets voor hem. Een stuk veiliger en exacter.

Antonia komt achter de bar vandaan. Kylie kijkt haar alleen maar aan en op dat moment weet Antonia precies wat er is gebeurd.

'Kom mee.' Ze pakt Kylie's hand en neemt haar mee naar de voorraadkamer waar blikken siroop en de dweilen en bezems staan. Scott komt hen achterna.

'Misschien moeten we haar naar de eerste hulp brengen,' zegt hij.

'Kun jij even achter de toonbank gaan staan?' stelt Antonia voor. 'Voor het geval er klanten komen.'

Als Scott aarzelt, weet Antonia zeker dat hij verliefd op haar is. Iedere andere jongen zou het onmiddellijk hebben gedaan. Hij zou wat blij zijn geweest om aan een dergelijke toestand te kunnen ontsnappen.

'Weet je het zeker?' vraagt Scott.

'Ja hoor,' knikt Antonia. 'Heel zeker.' Ze trekt Kylie mee de voorraadkamer in. 'Wie was het?' vraagt ze. 'Heeft hij je wat gedaan?'

Kylie ruikt chocolade en ze wordt er zo misselijk van dat ze nauwelijks kan blijven staan. 'Ik ben weggerend,' zegt ze. Haar stem klinkt gek. Hij klinkt alsof ze een jaar of acht is.

'Hij heeft je niet aangeraakt?' Antonia's stem klinkt ook vreemd.

Antonia heeft het licht in de voorraadkamer niet aangedaan. Bij het maanlicht dat door het open raam naar binnen valt, lijken de meisjes zilverkleurig als vissen.

Kylie kijkt haar zus aan en schudt haar hoofd. Antonia denkt aan de ontelbare afschuwelijke dingen die ze heeft gezegd en gedaan, om redenen die ze zelf niet eens begrijpt, en haar hals en gezicht kleuren paars van schaamte. Ze is nooit op het idee gekomen om vriendelijk of aardig te doen. Ze zou haar zus willen troosten en haar in haar armen nemen, maar ze doet het niet. Ze denkt *Het spijt me*, maar ze kan de woorden niet hardop zeggen. Ze blijven in haar keel steken, omdat ze ze jaren geleden had moeten uitspreken.

Toch begrijpt Kylie wat haar zus wil zeggen en daarom kan ze haar tranen eindelijk de vrije loop laten, wat ze al wil vanaf het moment waarop ze in het weiland begon te rennen. Als ze uitgehuild is, sluit Antonia de zaak af. Scott brengt hen naar huis door de donkere, klamme nacht. De padden zijn uit de beek gekropen en Scott moet zigzaggen, maar ondanks al zijn inspanningen raakt hij er toch een paar. Hij begrijpt dat er iets ergs is gebeurd, al weet hij niet precies wat. Het valt hem op dat Antonia een streep van sproeten over haar neus en wangen heeft lopen. Al zou hij haar de rest van zijn leven elke dag zien, dan nog zou hij telkens verrast en opgewonden zijn als hij naar haar keek. Als ze bij het huis zijn aangekomen wil Scott op zijn knieën vallen en haar ten huwelijk vragen, ook al heeft ze nog een jaar school voor zich. Antonia is heel anders dan hij had gedacht: een verwaand, verwend nest. Nee, ze is iemand die zijn hart als een razende kan doen kloppen, door alleen maar een hand op zijn been te leggen.

'Doe je licht uit,' zegt Antonia tegen Scott als hij de oprit indraait. Kylie en zij werpen elkaar een veelbetekenende blik toe. Hun moeder is al thuis en heeft het buitenlicht aangelaten. Ze hebben geen idee of ze al doodmoe naar bed is gegaan. Misschien is ze voor hen opgebleven, maar ze hebben geen behoefte aan iemand van wie de bezorgdheid nog groter zal zijn dan hun eigen angst. Ze hebben er geen behoefte aan om het uit te leggen. 'We proberen ongemerkt naar binnen te glippen,' zegt Antonia tegen Scott.

Ze geeft hem een vluchtige kus en doet voorzichtig het portier open, zodat het niet kraakt zoals anders. Er is een pad onder een van Scotts wielen terechtgekomen; de lucht voelt waterig aan en lijkt groen als de zussen over het grasveld schieten en naar binnen sluipen. Op de tast lopen ze naar boven en sluiten zichzelf op in de badkamer, waar Kylie de modder en de chocolade van haar armen en gezicht en het bloed van haar benen kan wassen. Van haar blouse is weinig over en Antonia verstopt hem in de prullenmand, onder een paar tissues en een lege shampoofles. Kylie's ademhaling is nog altijd onregelmatig; telkens als ze inademt is er dat vleugje paniek.

'Gaat het?' fluistert Antonia.

'Nee,' fluistert Kylie terug en daar moeten ze allebei om lachen. De meisjes slaan een hand voor hun mond om te zorgen dat het geluid de slaapkamer van hun moeder niet bereikt; uiteindelijk liggen ze slap van de lach op de vloer, buiten adem, met tranen in hun ogen.

Misschien zullen ze later nooit meer over deze avond praten, maar toch zal alles erdoor veranderen. Jaren later zullen ze in het holst van de nacht aan elkaar denken; ze zullen elkaar zonder goede reden opbellen en niet willen ophangen, ook al valt er niets meer te zeggen. Ze zijn niet langer de meisjes die ze een uur geleden nog waren en dat zullen ze ook nooit meer worden. Ze kennen elkaar te goed om nu nog terug te krabbelen. Meteen al de volgende ochtend is de kring van jaloezie, die om Antonia heen hing, verdwenen. Op haar kussen is alleen nog een vale, groene contour te zien op de plek waar haar hoofd heeft gelegen.

In de dagen erna lachen Kylie en Antonia als ze elkaar in de gang of in de keuken tegenkomen. Geen van beiden houdt de badkamer bezet of scheldt op de ander. 's Avonds na het eten ruimen ze samen af en doen ze zij aan zij de afwas, zonder dat iemand het hen gevraagd heeft. Als de meisjes 's avonds allebei thuis zijn, hoort Sally ze praten. Zodra ze het gevoel hebben dat er iemand naar hen luistert vallen ze stil, maar dan lijkt het alsof ze nog met elkaar communiceren. Sally durft te zweren dat ze diep in de nacht geheimen uitwisselen door morsetekens op hun slaapkamermuur te kloppen.

'Wat zou er aan de hand zijn?' vraagt Sally aan Gillian.

'Iets merkwaardigs,' zegt Gillian.

Net die ochtend had Gillian gezien dat Kylie een zwart T-shirt van Antonia aanhad. 'Als ze ziet dat jij dat ding draagt, scheurt ze het zo van je lijf,' waarschuwde Gillian.

'Ach, dat valt wel mee.' Kylie trok haar schouders op. 'Ze heeft veel te veel zwarte T-shirts. Bovendien heb ik hem van haar gekregen.'

'Hoezo merkwaardig?' vraagt Sally aan Gillian. Ze is de halve nacht op geweest om lijstjes te maken van de dingen die zo'n uitwerking op de meisjes zouden kunnen hebben. Sektes, seks, criminele bezigheden, angst voor zwangerschap – in de afgelopen uren is ze alle mogelijkheden afgegaan.

'Misschien is het niets,' zegt Gillian, die niet wil dat Sally zich zorgen maakt. 'Misschien worden ze gewoon volwassen.'

'Wat?' zegt Sally. Alleen al het idee maakt haar nerveuzer en meer van streek dan een zwangerschap of een sekte dat zouden kunnen. Dit is de mogelijkheid die ze niet in overweging wenste te nemen. Gillian heeft de ongekende gave om altijd precies het verkeerde te zeggen. 'Wat bedoel je daar in godsnaam mee? Het zijn kinderen.'

'Ze zullen toch een keer volwassen moeten worden,' zegt

Gillian, zich nog dieper in de nesten werkend. 'Voor je het weet zijn ze gevlogen.'

'Nou, je wordt bedankt voor je wijze opvoedkundige raad.'

Het sarcasme in deze opmerking ontgaat Gillian; nu ze eenmaal op dreef is, heeft ze nog een goede tip voor haar zus. 'Je moet je niet zo vastklampen aan je moederrol. Straks blijft er alleen nog een hoopje stof over en moeten we je opvegen. Ga eens een keer uit. Wat houdt je tegen? Je dochters gaan ook uit – waarom jij dan niet?'

'Nog meer wijze woorden?' Sally's stem is zo ijzig dat het zelfs Gillian niet kan ontgaan dat ze afgekapt wordt.

'Niet één.' Gillian houdt zich nu gedeisd. 'Zelfs geen lettergreep.'

Gillian heeft trek in een sigaret en realiseert zich dat ze al bijna twee weken niet meer heeft gerookt. Het gekke is dat ze niet langer haar best doet om te stoppen. Het komt door al die afbeeldingen van het menselijk lichaam. Het komt door die tekeningen van de longen.

'Mijn dochters zijn kinderen,' zegt Sally. 'Het is maar dat je het weet.'

Ze klinkt wat hysterisch. De afgelopen zestien jaar – afgezien van het jaar waarin Michael overleed en ze zo in zichzelf zat opgesloten dat ze geen uitweg meer wist te vinden – heeft ze aan haar dochters gedacht. Zo nu en dan dacht ze wel aan sneeuwstormen en de kosten van gas en licht en het feit dat ze meestal netelroos krijgt als de septembermaand nadert en ze weet dat ze weer aan het werk moet; maar haar gedachten werden voornamelijk beheerst door Antonia en Kylie, door koortsaanvallen en krampjes, door het feit dat er twee maal per jaar nieuwe schoenen aangeschaft dienden te worden en door de uitgebalanceerde maaltijden die iedereen voorgeschoteld moest krijgen en de acht uur per nacht die iedereen moest slapen. Ze weet niet of ze zonder die zorgen wel zal blijven bestaan. Als die wegvallen, wat blijft er dan eigenlijk voor haar over?

Die avond gaat Sally naar bed, slaapt als een blok en staat de volgende ochtend niet op.

'Griep,' vermoedt Gillian.

Weggekropen onder haar dekbed hoort Sally hoe Gillian koffie zet. Ze hoort hoe Antonia door de telefoon met Scott praat en hoe Kylie onder de douche gaat. Sally komt de hele dag haar bed niet uit. Ze wacht tot iemand haar nodig heeft, ze wacht op een ongeluk of een noodgeval, maar dat komt niet. Die nacht staat ze op om naar het toilet te gaan en haar gezicht te wassen met koud water. Ze slaapt nog steeds als Kylie haar om twaalf uur 's middags wat te eten brengt op een houten dienblad.

'Een maaggriepje,' oppert Gillian als ze thuiskomt uit haar werk en verneemt dat Sally haar kippesoep en haar thee niet heeft aangeroerd en heeft gevraagd of de gordijnen in haar kamer dicht kunnen blijven.

Sally kan hen nog steeds horen; ook nu. Ze hoort hoe ze fluisteren en eten koken, lachen en met scherpe mesjes wortelen en bleekselderij in stukken snijden. Hoe ze de was doen en de lakens aan de lijn in de tuin te drogen hangen. Hoe ze hun haar kammen en hun tanden poetsen en hoe hun leven doorgaat.

Op de derde dag in bed doet Sally haar ogen niet meer open. Ze wil niets weten van toast met vruchtenjam, of van aspirine of extra kussens. Haar zwarte haar zit vol klitten; haar huid is krijtwit. Antonia en Kylie zijn bang; ze staan in de deuropening en kijken naar hun slapende moeder. Ze durven niet te praten uit angst haar wakker te maken en het wordt stiller en stiller in huis. De meisjes geven zichzelf de schuld, omdat ze niet braaf zijn geweest toen ze dat hadden moeten zijn, omdat ze al die jaren ruzie hebben gemaakt en zich als egoïstische, verwende krengen hebben gedragen. Antonia belt de dokter, maar hij legt geen visites af en Sally weigert zich aan te kleden om naar hem toe te gaan.

Het is bijna twee uur 's nachts als Gillian terugkomt van Ben. Het is de laatste nacht van de maand en de maan is broos en zilverkleurig; de lucht is mistig. Gillian gaat altijd terug naar Sally's huis; het is een soort vangnet. Maar vanavond heeft Ben gezegd dat hij het zat is dat ze altijd weggaat zodra ze uitgevreeën zijn. Hij wil dat ze bij hem intrekt.

Gillian dacht dat hij een grapje maakte, dat dacht ze echt. Ze lachte en zei: 'Dat zeg je vast tegen iedereen, nadat je ze een keer of twintig, dertig hebt gepakt.'

'Nee,' zei Ben. Hij lachte niet. 'Ik heb het nog nooit tegen iemand gezegd.'

Ben had de hele dag het gevoel gehad dat het er nu op aan zou komen, en hij had geen idee of hij zou winnen of verliezen. Die ochtend had hij een voorstelling gegeven in het ziekenhuis en een van de kinderen, een jongetje van acht, was gaan huilen toen Ben Buddy had laten verdwijnen in een grote, houten kist.

'Hij komt wel weer terug,' stelde Ben het ontroostbare toeschouwertje gerust.

Maar het jongetje was ervan overtuigd dat Buddy nooit meer zou terugkomen. Als iemand eenmaal weg was, zei hij tegen Ben, was het ook afgelopen. En in het geval van het jongetje was die theorie onweerlegbaar. Hij had zijn halve leven in het ziekenhuis gelegen en ditmaal zou hij niet meer naar huis gaan. Hij was al bezig uit zijn lichaam te treden; Ben wist het door alleen maar naar hem te kijken. Hij verdween stukje bij beetje.

Daarom deed Ben iets wat een goochelaar bijna nooit doet: hij nam het jongetje apart en liet hem zien hoe Buddy rustig en knusjes onder de valse bodem van de verdwijnkist zat. Maar de jongen liet zich niet troosten. Misschien was dit niet eens hetzelfde konijn; er was tenslotte geen enkel bewijs. Een wit konijn was niets bijzonders, je kon er tientallen kopen in de dierenwinkel. En dus bleef het jongetje huilen en Ben had zo met dat kind mee kunnen gaan huilen, ware het niet dat hij het geluk had de kneepjes van het vak te kennen. Hij toverde gauw een zilveren muntstuk achter het oor van het jongetje te voorschijn.

'Kijk eens,' grinnikte Ben. 'Presto,' zei hij.

Het jongetje hield ogenblikkelijk op met huilen; de schok had zijn tranen doen opdrogen. Toen Ben zei dat hij de zilveren munt mocht houden, keek het jongetje hem heel even aan op de manier zoals hij waarschijnlijk had gekeken als hem niet zulke gruwelijke dingen zouden zijn overkomen. Om twaalf uur verliet Ben het ziekenhuis en ging naar het Owl Café, waar hij drie koppen zwarte koffie dronk. Hij at niets; hij bestelde geen hachee met eieren, waar hij zo van hield, of volkorenbrood met bacon, sla en tomaat. De serveersters hielden hem nauwlettend in de gaten, in de hoop dat hij snel weer zijn vertrouwde trucjes zou laten zien, het peper-en-zoutstel op zijn kop zou zetten, fikkies zou stoken in de asbakken door met zijn vingers te knippen, of tafelkleedjes onder het servies vandaan zou trekken, maar Ben dronk alleen zijn koffie. Nadat hij had betaald en een flinke fooi had gegeven, reed hij urenlang rond. Hij moest steeds denken aan de levensduur van een eendagsvlieg en aan alle tijd die hij had verkwist. Eerlijk gezegd was hij niet van plan om nog meer tijd te verdoen.

Ben is zijn leven lang bang geweest dat iedereen waar hij om geeft, zal verdwijnen zonder ooit teruggevonden te worden: niet achter de gordijnen en niet onder de valse bodem van zijn grootste houten kist; die roodgelakte kist die hij in de kelder heeft staan maar niet durft te gebruiken, al is hem nog zo verzekerd dat hij zwaarden door het hout kan steken zonder dat er ook maar één krasje op komt. Nou, dat was nu allemaal anders. Hij wilde een antwoord, nu meteen, vóór Gillian zich had aangekleed en weer naar het veilige huis van haar zus was gevlucht.

'Het is heel eenvoudig,' zei hij. 'Ja of nee?'

'Dit is geen vraag die je met ja of nee kunt beantwoorden,' probeerde Gillian ontwijkend.

'O, jawel,' zei Ben met overtuiging. 'Dat is het wel.'

'Nee,' hield Gillian vol. Toen ze naar zijn ernstige gezicht keek, wilde ze dat ze hem altijd al had gekend. Ze zou willen dat hij de eerste was die haar had gekust en de eerste waar ze mee naar bed was gegaan. Ze zou willen dat ze 'ja' kon zeggen. 'Het is meer een vraag om over na te denken.'

Gillian wist waar deze discussie op uit zou draaien. Als je eenmaal met iemand ging samenwonen was je getrouwd voor je er erg in had, en het huwelijk was een situatie waar Gillian niet meer in verzeild wilde raken. In die arena was ze een soort onheilsbrenger. Zodra ze haar jawoord had gegeven, drong het altijd tot haar door dat ze het helemaal niet wilde en ook nooit had gewild en maar beter kon maken dat ze wegkwam.

'Begrijp het dan,' zei Gillian tegen Ben. 'Als ik niet van je hield, zou ik vandaag nog bij je intrekken, zonder er ook maar één tel over na te denken.'

In feite denkt ze nergens anders aan sinds ze bij hem is weggegaan en ze zal er ook aan blijven denken, of ze het wil of niet. Ben weet niet hoe gevaarlijk de liefde kan zijn, maar Gillian weet het maar al te goed. Het is te vaak fout gelopen om er nog gemakkelijk over te kunnen denken. Ze moet alert blijven en niet trouwen. Ze heeft behoefte aan een warm bad en rust, maar als ze door de achterdeur naar binnen glipt, zitten Antonia en Kylie op haar te wachten. Ze zijn compleet over hun toeren en staan op het punt een ambulance te bellen. Ze zijn vreselijk ongerust. Er is iets met hun moeder, maar ze weten niet wat.

In de slaapkamer is het zo donker dat het even duurt voor Gillian beseft dat het hoopje onder de dekens echt een menselijk lichaam is. Als er iets is waar Gillian verstand van heeft, dan is het wel zelfmedelijden en wanhoop. Ze is in staat die diagnose binnen twee seconden te stellen, aangezien ze er zelf honderden keren precies zo aan toe is geweest, en ze weet ook wat de remedie is. Ze slaat geen acht op de protesten van de meisjes en stuurt hen naar bed. Vervolgens gaat ze naar de keuken en maakt een kan margarita. Ze pakt de kan en twee glazen die ze in grof zeezout heeft gedoopt, loopt naar de achtertuin en zet alles neer bij de twee tuinstoelen naast het moestuintje, waar de komkommers een wanhopige poging doen om te groeien.

Als ze weer in de deuropening van Sally's slaapkamer staat, laat ze zich niet om de tuin leiden door het hoopje dekens. Er ligt iemand onder.

'Sta op,' zegt Gillian.

Sally houdt haar ogen gesloten. Ze zweeft ergens waar het licht en stil is. Ze zou willen dat ze haar oren ook kon sluiten, want ze hoort Gillian dichterbij komen. Gillian trekt het laken weg en grijpt Sally's arm.

'Eruit,' zegt ze.

Sally valt uit bed. Ze doet haar ogen open en knippert.

'Ga weg,' zegt ze tegen haar zus. 'Laat me met rust.'

Gillian helpt Sally overeind en manoeuvreert haar de kamer

uit en de trap af. Het voortduwen van Sally heeft veel weg van het sjouwen van een bundel takken; ze stribbelt niet tegen, maar het is dood gewicht. Gillian duwt de achterdeur open en zodra ze buiten staan, is de klamme buitenlucht als een klap in Sally's gezicht.

'Oh,' zegt ze.

Ze voelt zich echt heel slap en is opgelucht als ze zich in een tuinstoel kan laten zakken. Ze laat haar hoofd achterover hangen en wil net haar ogen sluiten als ze ziet hoeveel sterren er vannacht aan de hemel staan. Heel lang geleden klommen ze in zomerse nachten op het dak van het huis van de tantes. Je kon door het zolderraam naar buiten klimmen, als je tenminste geen hoogtevrees had of bang was voor de kleine, bruine vleermuizen die zich tegoed kwamen doen aan de wolken muggen die door de lucht zwermden. Ze zorgden er allebei voor dat ze bij het zien van de eerste ster een wens deden, altijd dezelfde wens, die ze elkaar natuurlijk nooit vertelden.

'Maak je geen zorgen,' zegt Gillian. 'Ze hebben je ook nog nodig als ze groot zijn.'

'Ja, vast.'

'Ik heb je ook nog nodig.'

Sally kijkt haar zus aan, die voor hen allebei een margarita inschenkt. 'Waarvoor?'

'Als jij er niet was geweest met die toestand met Jimmy, had ik nu in de bak gezeten. Je moet weten dat ik het zonder jou nooit had gered.'

'Alleen maar omdat hij zo zwaar was,' zegt Sally. 'Als je een kruiwagen had gehad, had je mij niet nodig gehad.'

'Ik meen het,' dringt Gillian aan. 'Ik sta voor altijd bij je in het krijt.'

Gillian heft het glas in de richting van Jimmy's graf. 'Adios, baby,' zegt Gillian. Ze huivert en neemt een slok.

'Opgeruimd staat netjes,' zegt Sally tegen de klamme, vochtige aarde.

Na zo lang opgesloten te hebben gezeten, is het prettig om weer buiten te zijn. Het is prettig om op dit uur samen in de tuin te zitten, terwijl de krekels hun lome, nazomerse roep laten horen.

Er zit zout van de margarita aan Gillians vingers. Om haar lippen speelt haar prachtige glimlach, en ze lijkt jonger dan anders. Misschien doet de vochtige lucht van New York haar huid goed, misschien komt het door het maanlicht, maar iets in haar lijkt gloednieuw. 'Ik heb nooit in geluk geloofd. Ik dacht dat het niet bestond. En moet je me nu zien. Ik zou bijna overal in geloven.'

Sally wilde dat ze de maan kon aanraken om te voelen of hij echt zo koud was als hij eruitzag. Ze heeft zich de laatste tijd afgevraagd of de levenden een leegte achterlaten als ze sterven, een gat dat niemand anders kan opvullen. Eens is ze gelukkig geweest, gedurende een heel korte periode. Misschien moet ze daar dankbaar voor zijn.

'Ben heeft gevraagd of ik bij hem kom wonen,' zegt Gillian. 'Ik heb zijn aanbod min of meer afgeslagen.'

'Doen,' zegt Sally tegen haar.

'Gewoon, zonder meer?' zegt Gillian.

Sally knikt vol overtuiging.

'Misschien doe ik het wel,' geeft Gillian toe. 'Een poosje. Zolang er geen sprake is van verplichtingen.'

'Je trekt bij hem in,' verzekert Sally haar.

'Dat zeg je ook alleen maar omdat je van me af wilt.'

'Ik ben dan niet van je af. Je zou drie straten verderop wonen. Als ik van je af wilde, zou ik wel zeggen dat je terug moest gaan naar Arizona.'

Om de buitenlamp dwarrelt een kring witte motten. Hun vleugels zijn zo zwaar en vochtig dat het net is alsof ze in slow motion vliegen. Ze zijn wit als de maan en als ze plotseling wegvliegen, laten ze een poederig wit spoor achter.

'Ten oosten van de Mississippi.' Gillian haalt een hand door haar haar. 'Oeps.'

Sally gaat languit in haar tuinstoel liggen en kijkt naar de lucht. 'Om eerlijk te zijn,' zegt ze, 'ben ik blij dat je er bent.'

Toen ze samen op het dak van het huis van de tantes zaten, in die warme, eenzame nachten, deden ze allebei dezelfde wens. Ergens in de toekomst, als ze allebei volwassen waren, wilden ze naar de sterren kunnen kijken zonder bang te hoeven zijn. Dit is de nacht die ze gewenst hebben. Dit is die toekomst, dit moment. En ze kunnen buiten blijven zo lang ze maar willen, ze kunnen in de tuin blijven zitten tot alle sterren zijn verflauwd, tot het middaguur waarop ze naar de strakblauwe hemel kunnen kijken.

LEVITATIE

ZET IN AUGUSTUS altijd mint in de vensterbank om de bromvliegen buiten te houden, waar ze thuishoren. Denk niet dat de zomer afgelopen is, zelfs niet als de rozen verwelken en bruin kleuren en de sterren aan de hemel van positie veranderen. Denk nooit dat augustus een veilige of betrouwbare maand is. Het is het seizoen van de omkering, waarin de vogels 's ochtends niet langer zingen en de avonden uit gelijke delen goudkleurig licht en zwarte wolken bestaan. Het onwrikbare en het subtiele kunnen gemakkelijk van plaats verwisselen, tot alles wat je weet begint te wankelen en in twijfel getrokken kan worden.

Op extreem warme dagen, als je iedereen die je pad kruist wel kunt vermoorden, of in elk geval een ferme klap zou willen verkopen, kun je maar beter limonade drinken. Koop de beste ventilator die je kunt vinden. Let goed op dat je niet op een van de krekels trapt die hun heil in een donker hoekje van je woonkamer hebben gezocht, want anders zal voorspoed omslaan in tegenspoed. Vermijd het gezelschap van mannen die je Schatje noemen, van vrouwen zonder vriendinnen en honden die aan hun buik krabben en weigeren aan je voeten te gaan liggen. Draag een zonnebril; was je met lavendelolie en koel, fris water. Zoek rond het middaguur beschutting tegen de zon.

Gideon Barnes is van plan de hele maand augustus ongemerkt voorbij te laten gaan en vier weken lang te slapen, om pas in september weer wakker te worden, als het leven zijn normale loop heeft hervat en de school weer is begonnen.

Maar er is nog geen week van deze moeilijke maand verstreken of zijn moeder vertelt hem dat ze gaat trouwen met een vent waarvan Gideon eigenlijk nauwelijks wist dat hij bestond.

Ze gaan een paar kilometer verderop langs de grote weg wonen. Dat betekent dat Gideon naar een andere school moet, samen met de drie andere kinderen die hij volgende week zal ontmoeten, tijdens het etentje dat zijn moeder gaat geven. Omdat Jeannie Barnes zich zorgen maakte over de reactie van haar zoon, heeft ze deze mededeling een hele tijd voor zich uitgeschoven, maar nu het hoge woord eruit is knikt Gideon alleen maar. Hij denkt even na, terwijl zijn moeder nerveus zijn reactie afwacht, en zegt na een poosje: 'Leuk, mam. Fijn voor je.'

Jeannie Barnes kan nauwelijks geloven dat ze het goed heeft verstaan, maar ze heeft geen tijd om te vragen of Gideon het wil herhalen, want hij rent naar zijn kamer en is dertig seconden later alweer vertrokken. Hij smeert hem, pronto, precies zoals hij over vijf jaar ook zal doen, alleen dan echt. Dan gaat hij naar Berkeley of UCLA in plaats van zich naar de grote weg te haasten. Hij moet weg. Hij wordt gedreven door zijn instinct; hij hoeft niet na te denken, want diep van binnen weet hij heel goed waar hij naartoe wil. Nog geen tien minuten later staat hij bij Kylie op de stoep, badend in het zweet. Hij ziet haar zitten op een oude, Indiaanse sprei onder de wilde-appelboom, een glas ijsthee in haar hand. Ze hebben elkaar niet meer gezien sinds Kylie's verjaardag, maar als Gideon naar haar kijkt is ze hem zo ontzettend vertrouwd. De welving van haar nek, haar schouders, haar lippen, de vorm van haar handen; Gideon krijgt een droge keel als hij het ziet. Het zal wel stom zijn dat hij zich zo voelt, maar hij kan er niets aan doen. Hij weet niet eens of hij in staat is om iets te zeggen.

Het is zo warm dat de vogels niet vliegen, zo klam dat niet één bij zich in de lucht weet te verheffen. Kylie schrikt als ze Gideon ziet; het ijsklontje waar ze op zat te kauwen, glijdt uit haar mond en valt op haar knie. Ze voelt het nauwelijks. Ze merkt niet dat er een vliegtuig overkomt of dat er een rups over de sprei kruipt of dat haar huid nog warmer aanvoelt dan een minuut geleden.

'Eens kijken hoe snel ik je schaak zet,' zegt Gideon. Hij heeft zijn schaakbord bij zich, het oude houten bord dat hij van zijn vader heeft gekregen voor zijn achtste verjaardag.

Peinzend bijt Kylie op haar lip. 'Tien dollar voor wie wint,' zegt ze.

'Prima,' grinnikt Gideon. Hij heeft zijn hoofd weer geschoren en zijn schedel is glad als een biljartbal. 'Ik kan wel wat geld gebruiken.'

Gideon laat zich naast Kylie in het gras ploffen, maar hij is niet in staat haar aan te kijken. Zij denkt misschien dat ze gewoon een potje gaan schaken, maar het staat voor veel meer. Als Kylie niet probeert hem in de pan te hakken, als ze niet haar beste beentje voor zet, is het voor hem duidelijk dat ze geen vrienden meer zijn. Niet dat hij dat zou willen, maar als ze niet meer zichzelf kunnen zijn bij elkaar, kunnen ze er maar beter mee stoppen.

Dit soort tests kunnen een mens op de zenuwen werken en pas als Kylie over haar derde zet zit te piekeren, durft Gideon naar haar te kijken. Haar haar is minder blond dan eerst. Misschien heeft ze het geverfd of is die blonde troep eruit gewassen; het heeft nu een mooie kleur, een beetje zoals honing.

'Valt er wat te zien?' zegt Kylie, als ze merkt dat hij haar aanstaart.

'Je bent er geweest,' zegt Gideon en verplaatst zijn loper.

Hij pakt haar glas ijsthee en neemt een paar slokken, net als vroeger, toen ze vrienden waren.

'Dat wou ik ook net zeggen,' antwoordt Kylie onmiddellijk.

Ze lacht breed, waardoor haar afgebroken tand zichtbaar is. Ze weet wat hij denkt, maar ja, wie zou dat niet weten? Hij is zo doorzichtig als een stuk glas. Hij wil dat alles hetzelfde is gebleven en dat alles anders is. Ja, wie niet? Het verschil tussen hen is dat Kylie al weet dat je niet alles kunt hebben, terwijl hij daar nog geen flauw benul van heeft.

'Ik heb je gemist.' Kylie's stem klinkt onverschillig.

'Vast.' Als Gideon opkijkt ziet hij dat zij hem aanstaart. Hij wendt zijn blik snel af en kijkt naar de plek waar vroeger de seringen bloeiden. Alles wat ervan over is, zijn een soort twijgjes aan een zwarte stam. Op elk twijgje zit een rijtje kleine doornen, die zo scherp zijn dat zelfs de mieren liever uit de buurt blijven.

'Wat is er in godsnaam met jullie tuin gebeurd?' vraagt Gideon.

Kylie kijkt naar de takken. Ze groeien zo snel dat ze binnen afzienbare tijd zo hoog zullen zijn als een flinke appelboom. Maar voorlopig lijken ze geen kwaad te kunnen; gewoon een paar grillige uitlopers van doornstruiken. Het is zo makkelijk om geen acht te slaan op wat er in je eigen tuin groeit; als je te lang de andere kant opkijkt, kan er van alles ontspruiten – een wingerd, onkruid, een doornhaag.

'Mijn moeder heeft de seringen gesnoeid. Ze hielden te veel zon tegen.' Kylie bijt nog harder op haar lip. 'Schaak.'

Hier was Gideon niet op verdacht. Ze heeft een pion verplaatst die hij bijna was vergeten. Ze heeft hem ingesloten en laat uit mededogen nog één mogelijkheid voor hem open, voor ze definitief toeslaat.

'Je gaat winnen,' zegt Gideon.

'Klopt,' zegt Kylie. Ze moet bijna huilen om de blik in zijn ogen, maar ze weigert hem te laten winnen. Ze kan het niet over haar hart verkrijgen.

Gideon doet de enige zet die nog mogelijk is – zijn koningin opofferen – maar het kan hem niet redden. Als Kylie hem schaakmat zet, salueert hij voor haar. Dit is precies wat hij wilde, maar toch is hij in de war.

'Heb je een briefje van tien?' vraagt Kylie, al zal het haar worst wezen.

'Thuis,' zegt Gideon.

'Ik heb geen zin om naar jou te gaan.'

Daar zijn ze het over eens. Gideons moeder laat hen nooit met rust, ze komt steeds vragen of ze iets willen eten of drinken; ze denkt waarschijnlijk dat als ze hen ook maar één seconde alleen laat, ze zich in de nesten zullen werken.

'Ik hou het wel van je tegoed,' zegt Kylie. 'Neem het morgen maar mee.'

'Laten we een eindje gaan lopen,' stelt Gideon voor. Eindelijk kijkt hij haar aan. 'Laten we hier weggaan.'

Kylie giet de rest van de ijsthee in het gras en laat de oude sprei gewoon liggen. Het kan haar niets schelen dat Gideon anders is dan anderen. Hij heeft zoveel energie en er borrelen zoveel ideeën in hem op dat er een kring van oranje licht boven zijn hoofd hangt. Het is niet eng om te zien hoe de mensen werkelijk zijn, want zo nu en dan zie je hoe iemand als Gideon in elkaar zit. Liegen en bedriegen zijn hem vreemd; vroeg of laat zal hij een spoedcursus moeten volgen in de grondbeginselen van het eromheen draaien, om te voorkomen dat hij wordt vermorzeld door de echte wereld waar hij zo graag bij wil horen.

'Mijn moeder gaat met een of andere kerel trouwen en we gaan verhuizen naar de andere kant van de grote weg.' Gideon kucht even, alsof er iets in zijn keel is blijven steken. 'Ik moet naar een andere school. Bof ik even. Ik krijg toegang tot een heel gebouw vol achterlijke imbecielen.'

'Wat maakt school nou uit?' Kylie vindt het griezelig om zo zeker van de dingen te zijn. Op dit moment is ze er bijvoorbeeld absoluut van overtuigd dat Gideon nooit een betere vriend zal vinden dan zij is geweest. Daar durft ze al haar spaargeld om te verwedden, en dan wil ze haar wekkerradio en de armband die ze van Gillian voor haar verjaardag heeft gehad er ook nog wel bij doen.

Ze lopen langs de weg, in de richting van het veldje bij de YMCA.

'Maakt het niet uit waar ik op school zit?' Gideon is blij, maar hij weet niet precies waarom. Misschien wel omdat Kylie lijkt te denken dat ze elkaar heus niet minder zullen zien – hij hoopt tenminste dat ze dat denkt. 'Geloof je dat echt?'

'Absoluut,' zegt Kylie tegen hem. 'Honderd procent.'

Als ze bij het veld zijn aangekomen, vinden ze er schaduw en groen gras en tijd om alles te overdenken. Heel even, als ze de hoek omslaan, heeft Kylie het gevoel dat ze beter in haar eigen tuin had kunnen blijven. Ze kijkt even over haar schouder naar het huis. Morgenochtend zijn ze vertrokken, op weg naar de tantes. Ze hebben geprobeerd Gillian over te halen om mee te gaan, maar ze weigert vierkant.

'Al kreeg ik geld toe. Nou ja, voor een miljoen zou ik het

wel doen, maar voor minder niet.' Dat was haar antwoord. 'En zelfs dan zouden jullie mijn knieschijven moeten verbrijzelen om te voorkomen dat ik uit de auto spring en wegren. Jullie zouden me moeten verdoven of een lobotomie uitvoeren, maar dan nog zou ik de straat herkennen en uit het raampje springen voor jullie bij het huis waren.'

Hoewel de tantes geen idee hebben dat Gillian zich aan de oostkant van de Rocky Mountains bevindt, houden Kylie en Antonia vurig vol dat ze teleurgesteld zullen zijn als ze horen dat Gillian zo dicht in de buurt is en toch niet wil komen.

'Geloof me,' zegt Gillian tegen de meisjes, 'het kan de tantes niets schelen of ik er ben of niet. Toen niet en nu al helemaal niet. Als jullie mijn naam laten vallen, zullen ze zeggen: "Gillian? Wie is dat?" Ze weten vast niet eens meer hoe ik eruitzie. Ze zouden me niet eens herkennen als ze me op straat tegenkwamen. Maak je maar geen zorgen om de tantes en mij. Het contact is precies zoals we het willen – afwezig, en dat vinden we allemaal wel best.'

Ze gaan morgen dus zonder Gillian op pad. Ze zullen een picknickmand maken van brood met kwark en olijven en pitabroodjes vol sla. Thermosflessen met limonade en ijsthee. Ze zullen de auto precies zo inpakken als ze het de voorafgaande keren in augustus hebben gedaan en ze zullen zorgen dat ze voor zeven uur op de snelweg zitten, om de files te vermijden. Alleen heeft Antonia dit jaar aangekondigd dat ze de hele weg naar Massachusetts zal huilen. Ze heeft al tegen Kylie gezegd dat ze zich geen raad zal weten als Scott weer naar Cambridge gaat. Waarschijnlijk zal ze de meeste tijd doorbrengen met leren omdat ze naar een school wil in de buurt van Boston; Boston College misschien, of, als ze haar cijfers kan opkrikken, Brandeis. Op weg naar de tantes moeten ze bij elk wegrestaurant stoppen om ansichtkaarten te kopen, en als ze eenmaal bij de tantes zijn wil ze elke ochtend op de ruwe wollen deken in de tuin gaan liggen. Nadat ze haar schouders en benen heeft ingesmeerd met zonnebrandcrème, zal ze aan het werk gaan en als Kylie naar het briefje kijkt dat haar zus aan Scott schrijft, leest ze wel tien keer *ik hou van je*.

Dit jaar zal Gillian hen uitzwaaien vanaf de veranda, als ze inmiddels niet bij Ben Frye is ingetrokken. Ze trekt geleidelijk bij hem in uit angst dat Ben zich rot schrikt als hij merkt dat ze een miljoen en één slechte gewoontes heeft; het kan niet lang duren voordat hij merkt dat ze nooit haar muesli-bakje omspoelt of de moeite neemt het bed op te maken. Vroeg of laat zal hij ontdekken dat het ijs in de vriezer als sneeuw voor de zon verdwijnt, omdat ze het aan Buddy voert als ze hem wil verwennen. Hij zal merken dat Gillians truien meestal als een hoopje wol of fluweel onder in de kast of onder het bed liggen. En als Ben het zat wordt, als hij mocht besluiten haar op straat te zetten, vaarwel te zeggen, alles opnieuw af te wegen, nou ja, dan is dat zijn goed recht. Er is geen huwelijksovereenkomst, er zijn geen vaste afspraken en zo wil Gillian het ook graag houden. Alternatieven, dat heeft zij altijd gewild. Een uitweg.

'Eén ding mag je nooit vergeten,' heeft ze tegen Kylie gezegd. 'Je bent nog altijd mijn lievelingetje. Sterker nog, als ik een dochter had, zou ik willen dat ze zo was zoals jij.'

Kylie was zo geroerd door de blijk van liefde en bewondering dat ze uit schuldgevoel bijna had opgebiecht dat zij het was geweest die pizza's met ansjovis bij Ben had laten bezorgen toen ze zich zo verraden voelde; dat zij as in Gillians schoenen had gestrooid. Maar er zijn geheimen die je het beste voor je kunt houden, vooral als het flauwe daden uit kinderachtige wrok betreft. Dus zei Kylie niets, zelfs niet dat ze Gillian echt zou missen. Ze sloeg haar armen om haar tante heen en hielp haar toen met het inpakken van de zoveelste doos kleren die naar Bens huis gezeuld moest worden.

'Nog meer kleren!' Ben sloeg een hand tegen zijn voorhoofd alsof hij onmogelijk zoveel spullen in zijn kasten kwijt kan, maar Kylie zag hoe verrukt hij was. Hij haalde een paar zwarte kanten kousen uit de doos en maakte er met drie vlotte knopen een teckel van. Kylie was zo verbaasd dat ze begon te klappen.

Gillian was erbij komen staan met een tweede doos – vol schoenen – die ze op haar heup steunde om ook te kunnen klappen. 'Snap je nu waarom ik op hem ben gevallen?' fluisterde ze tegen Kylie. 'Hoeveel mannen kunnen zoiets?'

Als ze morgenochtend vertrekken, zal Gillian hen uitzwaaien tot ze de hoek om zijn en dan, daar twijfelt Kylie niet aan, rijdt ze ogenblikkelijk naar Ben. Tegen die tijd zijn zij al op weg naar Massachusetts; ze zullen meezingen met de radio, net als anders. Het was altijd vanzelfsprekend dat ze hun zomervakantie zo doorbrachten, dus waarom heeft Kylie dan opeens het gevoel dat ze hun koffers misschien niet eens naar de auto zullen brengen?

Terwijl ze op deze zinderende dag met Gideon naar het veldje loopt, probeert Kylie zich het weekje bij de tantes voor te stellen, maar het lukt haar niet. Meestal is elk onderdeel van de vakantie helder, van het inpakken tot en met het noodweer waar ze vanaf de veilige veranda van de tantes naar kijken, maar op dit moment is hun weekje Massachusetts één groot zwart gat. Op hetzelfde moment kijkt Kylie naar haar huis en bekruipt haar een merkwaardig gevoel. Het huis lijkt verloren, alsof ze naar een herinnering kijkt, een plek waar ze eens gewoond heeft, maar waar ze niet naar terug kan gaan, nooit.

Kylie struikelt over een gat in de stoep en Gideon steekt in een reflex zijn armen uit om haar op te vangen, voor het geval ze zou vallen.

'Gaat het?' vraagt hij.

Kylie denkt aan haar moeder die in de keuken staat te koken, het zwarte haar bijeengebonden in een knot, zodat niemand ook maar kan vermoeden hoe dik en prachtig het is. Ze denkt aan de nachten dat ze koorts had en haar moeder in het donker naast haar bed zat, met koele handen en glaasjes water. Ze denkt aan alle keren dat ze zichzelf in de badkamer heeft opgesloten omdat ze te lang was en haar moeder haar vanaf de andere kant van de deur kalmerend toesprak, zonder ook maar een keer te zeggen dat ze dom of aanstellerig of ijdel was. Ze denkt vooral aan de dag dat Antonia in het park op de grond werd gegooid en de witte zwanen, opgeschrikt door het tumult, hun vleugels uitsloegen en recht op Kylie afstormden. Ze kan zich de blik in haar moeders ogen herinneren toen Sally over het gras kwam aanrennen, zwaaiend met haar armen en zo woest schreeuwend dat de zwanen niet dichterbij durfden te komen. In plaats daarvan verhieven ze zich in de lucht en vlogen zo laag over de vijver dat hun vleugels rimpels in het water veroorzaakten. En ze kwamen nooit, maar dan ook nooit, meer terug.

Als Kylie door blijft lopen in deze lommerrijke straat, zal het nooit meer worden zoals het was. Dat voelt ze, sterker dan ze ooit eerder iets heeft gevoeld. Ze stapt over een gat in het asfalt haar eigen toekomst binnen, en er is geen weg terug. De lucht is onbewolkt en wit van de hitte. De meeste mensen zitten binnen, met de ventilator of de airconditioning op de hoogste stand. Kylie weet dat het warm is in de keuken, waar haar moeder het feestmaal voor vanavond bereidt. Vegetarische lasagna, een sperziebonensalade met amandelen en een kersen-kwarktaart voor toe. Allemaal zelfgemaakt. Antonia heeft haar vriendje, Scott, voor het afscheidsdiner uitgenodigd en Ben Frye komt ook en misschien nodigt Kylie Gideon nog wel uit. Deze gedachten stemmen Kylie treurig – niet het eten, maar het beeld van haar moeder achter het aanrecht. Haar moeder klemt altijd haar lippen op elkaar als ze een recept leest; ze leest het twee keer door, hardop, zodat ze geen vergissingen maakt. Hoe treuriger Kylie wordt, hoe meer ze ervan overtuigd raakt dat ze niet op haar schreden moet terugkeren. Ze heeft de hele zomer op dit gevoel gewacht, ze heeft gewacht op het moment dat ze haar toekomst binnen zou stappen en ze is niet van plan om nog één tel langer te wachten, ongeacht wie ze achter moet laten.

'Wie er het eerste is,' zegt Kylie en begint te rennen; ze is al aan het eind van het huizenblok als het tot Gideon doordringt en hij de achtervolging inzet. Kylie is verrassend snel. Dat is ze altijd al geweest, maar nu lijkt ze de grond niet meer te raken. Gideon rent haar achterna en vraagt zich af of hij haar nog wel zal inhalen, maar dat lijdt geen twijfel, al is het maar omdat Kylie zich in het gras zal laten vallen aan de overkant van het veld, waar de lange, volle esdoorns donkere schaduwen werpen.

Voor Kylie zijn deze bomen geruststellend en vertrouwd, maar voor een man die alleen de woestijn kent, die eraan gewend is kilometers ver te kunnen kijken, voorbij de reuzencactus en het purperen stof, zijn die esdoorns als een fata morgana die boven het groene gras verrijst uit de zinderende lucht en de vruchtbare, donkere aarde. De oorspronkelijke bewoners zeggen dat het in Tucson, Arizona, vaker bliksemt dan waar ook ter wereld; als je in de buurt van de woestijn bent opgegroeid, kun je een storm voorspellen aan de hand van de plaats van het onweer; je weet hoeveel tijd je nog rest voordat je de hond binnen moet halen, je paard moet vastzetten en moet zorgen dat je een veilig, stevig dak boven je hoofd hebt.

Bliksem onttrekt zich, gelijk de liefde, aan de wetten der logica. Er kunnen en zullen altijd ongelukken gebeuren. Gary Hallet kent twee mensen die door de bliksem zijn getroffen en het konden navertellen, en hij denkt aan die mensen terwijl hij in het spitsuur over de Long Island Expressway rijdt, zich vervolgens een weg probeert te banen door de wirwar aan straatjes in de voorsteden en langs het YMCA-veld komt, waar hij de verkeerde afslag neemt. Gary heeft met een van die gelukkigen op school gezeten, een jongen die net zeventien was toen hij door de bliksem werd getroffen, een gebeurtenis die zijn leven volledig overhoop gooide. Hij kwam de deur uit en het volgende dat hij wist was dat hij languit op de oprit naar de indigoblauwe lucht lag te staren. De vuurbol was recht door hem heen geraasd en zijn handen waren zwart als verkoolde biefstukken. Hij hoorde gekletter, als van een rammelende sleutelbos of iemand op een drumstel, en het duurde even voor het tot hem doordrong dat het geluid werd veroorzaakt door zijn eigen botten die het asfalt raakten.

Deze jongen deed in hetzelfde jaar eindexamen als Gary en slaagde alleen maar doordat de docenten hem uit medeleven alles lieten halen. Hij was een uitmuntende korte stop geweest en had gehoopt op een carrière in de tweede divisie, maar daar was hij nu veel te nerveus voor. Hij zou nooit meer buiten op het veld honkbal spelen. Te veel open terrein. Te veel risico dat hij het hoogste punt zou zijn, mocht de bliksem nog een keer toeslaan. Daarmee was het voor hem afgelopen; uiteindelijk kwam hij in een bioscoop terecht, waar hij kaartjes verkocht en popcorn opveegde en weigerde de klanten geld terug te geven als ze niet tevreden waren over de film waar ze voor hadden betaald.

Bij de andere man die werd getroffen, waren de gevolgen

nog veel ingrijpender; de bliksem veranderde zijn leven tot in de kleinste details. De bliksem tilde hem op, sleurde hem de lucht in en liet hem rondtollen. Tegen de tijd dat hij weer op de grond werd gesmakt, wist hij niet meer hoe hij het had. Die man was Gary's grootvader, Sonny, die elke dag opnieuw over 'de witte slang' begon, tot aan zijn dood op drieënnegentigjarige leeftijd, twee jaar geleden. Lang voor Gary bij hem was komen wonen, had Sonny een keer buiten bij de populieren gestaan, en hij was toen zo dronken dat hij het naderende noodweer niet had opgemerkt. In die periode was hij vaker dronken dan niet. Hij kon zich nauwelijks herinneren hoe het was om nuchter te zijn en dat was op zich al een reden waarom hij het probeerde te voorkomen, in elk geval tot hij onder de grond zou liggen. Misschien zou hij dan overwegen om van de fles af te blijven, maar alleen als er een halve meter aarde op hem was gestort om hem onder de grond en uit de buurt van de drankwinkel te houden.

'Ik stond daar gewoon,' zei hij tegen Gary, 'en deed niemand kwaad, toen plotseling de hemel neerdaalde en me een oplawaai gaf.'

De hemel gaf hem een oplawaai en sleurde hem de wolken in; heel even had hij het gevoel dat hij nooit meer op aarde zou terugkeren. Hij kreeg een schok met zo'n hoog voltage dat de kleren aan zijn lijf verschroeiden, en als hij niet de tegenwoordigheid van geest had gehad om in de vijver met het groene kroos te springen, waar hij twee eenden hield, was hij levend verbrand. Zijn wenkbrauwen groeiden niet meer aan en hij hoefde zich nooit meer te scheren, maar sinds die dag dronk hij geen druppel meer. Niet één glas whisky. Niet één klein, koud pilsje. Sonny Hallet wierp zich op de koffie: maar liefst twee potten sterk, zwart vocht per dag. Daardoor was hij in staat, bereid en klaar om Gary in huis te nemen toen zijn ouders niet langer voor hem konden zorgen.

Gary's ouders bedoelden het niet kwaad, maar ze waren jong en verslaafd aan ellende en alcohol; ze gingen beiden ver voor hun tijd heen. Gary's moeder was al een jaar dood toen het nieuws over zijn vader hem ter ore kwam. Nog diezelfde dag ging Sonny naar het stadhuis om tegen de gemeentebeambte te zeggen dat zijn zoon en schoondochter zichzelf van kant hadden gemaakt – wat min of meer klopte, als je dood door alcoholmisbruik als zelfmoord beschouwde – en dat hij Gary's voogd wilde worden.

Terwijl Gary door de buitenwijken rijdt, bedenkt hij zich dat zijn grootvader dit deel van de staat New York maar niets gevonden zou hebben. Je kon hier overal door het onweer overvallen worden. Er zijn te veel gebouwen, ze zijn onafzienbaar en benemen je het uitzicht op datgene wat je zou moeten zien en dat is naar Sonny's mening, en naar die van Gary zelf, altijd de hemel.

Gary is bezig met een gerechtelijk vooronderzoek dat in gang is gezet door het openbaar ministerie, waar hij al zeven jaar werkzaam is. Voor die tijd maakte hij keer op keer de verkeerde keuzen. Hij was lang en lenig en had zich aan het basketbal kunnen wijden, maar hoewel hij genoeg doorzettingsvermogen had, beschikte hij niet over de pure agressie die vereist is voor professionele sportbeoefening. Uiteindelijk maakte hij zijn school af, overwoog rechten te gaan studeren en besloot toen dat hij toch geen zin had om jarenlang met zijn neus in de boeken te zitten. Het gevolg is dat hij nu doet waar hij eigenlijk het beste in is: dingen uitvogelen. Wat hem onderscheidt van zijn collega's is zijn voorliefde voor moordzaken. Hij is er zo verzot op dat zijn vrienden hem plagen en hem de Mexicaanse Gier noemen, een aasgier die afgaat op de geur. Gary zit er niet mee, hij trekt zich er niets van aan dat de meeste mensen volgens een eenvoudige gedachtengang denken te weten waarom hij zo gefascineerd is door moord. Ze zien een directe link met zijn achtergrond – zijn moeder is overleden aan een kapotte lever en zijn vader zou vermoedelijk hetzelfde lot zijn beschoren, als hij niet in New Mexico om het leven was gebracht. De man die dat op zijn geweten had, is nooit gepakt en eerlijk gezegd is er ook niet hard naar hem gezocht. Maar Gary wordt niet gedreven door zijn achtergrond, wat zijn vrienden ook mogen beweren. Hij is benieuwd naar het waarom; de doorslaggevende factor waarom iemand iets doet kan zo verdomd ongrijpbaar lijken, maar als je lang genoeg zoekt, vind je altijd wel een reden. De verkeerde woorden op het verkeerde moment, een wapen in de verkeerde handen, de verkeerde vrouw die je precies op de juiste manier kust. Geld, liefde of woede – daar komt vrijwel alles uit voort. Meestal kun je de waarheid, of in elk geval een bepaalde versie ervan, wel blootleggen door genoeg vragen te stellen; als je de ogen sluit en je probeert voor te stellen hoe het geweest zou kunnen zijn, hoe jij gereageerd zou hebben als je tot het uiterste was gedreven, als je er gewoon niet langer tegen kon.

Het waarom in deze zaak is overduidelijk geld. Drie jongelui van de universiteit zijn overleden omdat iemand zo om geld verlegen zat dat hij hen havikskruid en Jamestown-weed heeft verkocht, zonder zich ook maar een zak aan te trekken van de gevolgen. Jongelui kopen alles, zeker jongelui van de oostkust, die niet hun leven lang zijn gewaarschuwd voor de gevaren van wat er in de woestijn groeit. Een zaadje van het havikskruid maakt je euforisch, het is een soort LSD dat in het wild groeit. Het probleem is dat twee zaadjes je dood kunnen worden. Tenzij het eerste zaadje er natuurlijk al keurig een eind aan heeft gemaakt, zoals het geval was met een van de jongelui, een geschiedenisstudent uit Philadelphia die net negentien was geworden. Gary werd er in een vroeg stadium bijgehaald door zijn vriend Jack Carilli van Moordzaken en hij zag de geschiedenisstudent op de vloer van de slaapzaal liggen. De jongen had afschuwelijke stuiptrekkingen gehad voordat hij was overleden; de linkerkant van zijn gezicht was bont en blauw. Gary zei dat niemand hen ervan zou beschuldigen met het bewijsmateriaal te hebben geknoeid als ze wat make-up op zijn gezicht zouden smeren voor zijn ouders kwamen.

Gary heeft het dossier doorgenomen van James Hawkins, die al twintig jaar drugs verkoopt in Tucson. Gary is tweeëndertig en hij kan zich Hawkins nog vaag herinneren, een oudere jongen waar de meisjes op fluistertoon over spraken. Nadat hij van school was getrapt had Hawkins zich in diverse staten in de nesten gewerkt, eerst in Oklahoma en vervolgens in Tennessee, voordat hij terugkeerde naar zijn geboorteplaats; daar draaide hij de bak in op beschuldiging van mishandeling, wat naast dealen zijn sterkste kant leek te zijn. Als Hawkins zich niet uit een netelige situatie kon lullen, ging hij de ogen van zijn tegenstander te lijf met behulp van de zware, zilveren ring waarmee hij ze probeerde uit te steken of open te halen. Hij dacht dat niemand hem iets kon maken, maar nu ziet het ernaar uit dat het toch echt afgelopen is met de misdaadcarrière van meneer Hawkins. De kamergenoot van de geschiedenisstudent heeft een uitgebreide beschrijving van hem gegeven – van zijn laarzen van slangeleer tot aan de zilveren ring met de cactus en de ratelslang en het air van een cowboy – en hij is niet de enige die zijn foto eruit heeft gepikt. Zeven andere studenten, die het geluk hadden dat ze de nepdrugs die ze van hem hadden gekocht nog niet hadden ingenomen, hebben die lapzwans ook herkend – en daarmee zou de zaak rond moeten zijn, alleen kan niemand Hawkins vinden. Zijn vriendin is ook spoorloos, naar het schijnt een knappe vrouw die serveerster is geweest in vrijwel elke tent van de stad. Ze zijn alle kroegen afgegaan waar Hawkins wel eens kwam en hebben alle drie zijn zogenaamde vrienden ondervraagd, maar niemand heeft hem meer gezien sinds eind juli, toen de universiteit haar deuren sloot.

Gary is in Hawkins leven gedoken en heeft geprobeerd zich een beeld van hem te vormen. Hij is regelmatig naar de Pink Pony gegaan, Hawkins favoriete plek om zich een stuk in zijn kraag te zuipen. Ook heeft hij dikwijls op het stoepje gezeten van het huis dat Hawkins als laatste had gehuurd, en was er dan ook toevallig toen de brief kwam. Hij zat in een metalen stoel, zijn lange benen gestrekt zodat zijn voeten op de witte, metalen balustrade van de veranda konden rusten, toen de postbode aan kwam lopen en de brief in zijn schoot wierp en portokosten verlangde, omdat de postzegel er ergens onderweg af was gevallen.

De envelop was gekreukeld en er was een hoekje afgescheurd. Als hij niet al open was geweest, had Gary hem gewoon meegenomen naar het bureau. Maar het is moeilijk om weerstand te bieden aan een open envelop, zelfs voor iemand die al aan zoveel weerstand heeft geboden in zijn leven. Zijn vrienden weten dat ze hem geen pilsje moeten aanbieden en dat ze hem niet moeten vragen naar het meisje waar hij, gedurende een zeer korte periode vlak na de middelbare school, mee getrouwd is geweest. Dus doen ze het niet, want zijn vriendschap is het waard. Ze weten dat Gary hen nooit zal verraden of teleurstellen – zo zit hij nu eenmaal in elkaar; zo heeft zijn opa hem opgevoed. Maar deze brief was een ander verhaal; de verleiding was groot en Gary gaf eraan toe. Om eerlijk te zijn heeft hij daar nooit spijt van gekregen.

's Zomers is het behoorlijk warm in Tucson. Het was eenenveertig graden toen Gary op de veranda van het huis dat Hawkins ooit had gehuurd, de brief las die aan Gillian Owens was gericht. De creosootplant die naast de veranda groeide stond bijna op knappen van de hitte, maar Gary zat in alle rust de brief te lezen die Sally aan haar zus had geschreven; en nadat hij hem uit had, las hij hem nog een keer. Toen de hitte van die middag eindelijk wat afnam, zette Gary zijn hoed af en schopte zijn laarzen over de metalen balustrade. Gary is een man die risico's durft te nemen, maar die tevens de moed heeft om een punt te zetten achter iets wat zinloos is. Hij weet wanneer hij dingen moet laten rusten en wanneer hij moet doorzetten, maar hij had zich nog nooit zo gevoeld als nu. Toen hij daar zo in de purperen schemering op de veranda zat, vroeg hij zich al lang niet meer af of dit zin zou hebben.

Tot Sonny's dood had Gary altijd met zijn opa onder een dak gewoond, afgezien van zijn kortstondige huwelijk en die eerste acht jaar met zijn ouders, waar hij zich door pure wilskracht niets meer van weet te herinneren. Maar van zijn opa kan hij zich alles nog herinneren. Hij wist hoe laat Sonny 's ochtends opstond en wanneer hij ging slapen en wat hij at bij het ontbijt. Doordeweeks steevast geplette tarwe en op zondag pannekoeken met stroop en jam. Gary heeft intieme relaties gehad en hij heeft een stad vol vrienden, maar hij heeft nog nooit het gevoel gehad dat hij iemand zo goed kende als de schrijfster van deze brief. Het was alsof iemand de bovenkant van zijn schedel eraf had gerukt en een stuk van zijn ziel had gejat. Hij ging zo op in de woorden die ze had geschreven dat een willekeurige voorbijganger hem met een vinger van zijn stoel had kunnen duwen. Er had een aasgier op de rugleuning van zijn stoel kunnen landen en in zijn oor kunnen krijsen, Gary zou niets hebben gehoord.

Vervolgens ging hij naar huis en pakte zijn tas. Hij belde zijn vriend Arno op het OM om te zeggen dat hij beet had en dat hij Hawkins vriendin wilde opsporen, maar dat was natuurlijk maar de halve waarheid. Het was niet Hawkins vriendin die door zijn gedachten speelde, toen hij de twaalfjarige zoon van zijn buren vroeg elke morgen wat water voor de honden neer te zetten; ook niet toen hij daarna zijn paarden naar de boerderij van Mitchells bracht, waar ze bij een stel Arabische volbloeden gezet zouden worden, die een stuk mooier waren dan zij en waar ze misschien nog een lesje van konden leren.

Gary stond nog diezelfde avond op het vliegveld. Hij nam de vlucht van 19:17 naar Chicago en bracht de nacht met opgetrokken benen door op een bankje op O'Hare waar hij moest overstappen. Sally's brief heeft hij in de lucht nog tweemaal overgelezen, en daarna nog een keer toen hij in Elmhurst, Queens, zat te lunchen met gebakken eieren en worstjes. Zelfs als hij hem weer in de envelop doet en diep wegstopt in zijn jaszak laat de brief hem niet los. Hele zinnen die Sally heeft geschreven, rijgen zich in zijn hoofd aaneen en om de een of andere reden is hij vervuld van een merkwaardig gevoel van berusting, niet om iets wat hij heeft gedaan maar om iets wat hij zou kunnen gaan doen.

Gary heeft bij het tankstation de weg gevraagd en een koel blikje cola gekocht. Ondanks het feit dat hij de verkeerde afslag heeft genomen, weet hij toch het juiste adres te vinden. Sally Owens staat in de keuken als hij zijn huurauto parkeert. Ze roert in een pan tomatensaus, terwijl Gary om de Honda op de oprit heen loopt, de Oldsmobile ervóór eens goed opneemt en het nummerbord uit Arizona vergelijkt met het nummerbord uit zijn dossier. Ze giet heet water en pasta in een vergiet op het moment dat hij op de voordeur klopt.

'Wacht even,' roept Sally op de haar zo eigen nuchtere, zakelijke toon en Gary is helemaal ondersteboven van haar stem. Hij kon het zich weleens moeilijk maken, dat is duidelijk. Hij kon zich weleens aan iets wagen wat hij niet in de hand heeft.

Als Sally de deur openzwaait, kijkt Gary haar recht in de ogen en ziet zichzelf op zijn kop. Hij bevindt zich in een poel van grijs licht, hij verdrinkt, hij gaat voor de derde keer kopje onder en kan er geen sodemieter aan doen. Zijn opa heeft hem ooit verteld dat heksen je op die manier in hun greep kunnen krijgen – zij weten hoeveel de meeste mannen van zichzelf houden en hoe ver ze bereid zijn te gaan om maar een glimp van zichzelf op te kunnen vangen. Als je ooit oog in oog met een dergelijke vrouw komt te staan, had zijn opa tegen hem gezegd, draai je dan als de bliksem om en ren weg zo hard je kunt en zie jezelf niet als een lafaard. Als ze je achterna komt of je naam begint te krijsen, grijp haar dan snel bij de keel en rammel haar door elkaar. Maar dat is Gary natuurlijk absoluut niet van plan. Hij is van plan om heel lang te blijven verdrinken.

Sally's haar is uit de diadeem gegleden. Ze draagt een korte broek van Kylie met een zwart, mouwloos T-shirt van Antonia en ze ruikt naar tomatensaus en uien. Ze is geprikkeld en ongeduldig, zoals elke zomer als ze de spullen moet inpakken voor het tripje naar de tantes. Ze is mooi, dat wel, tenminste, in de ogen van Gary Hallet; ze is precies zoals ze in haar brief overkwam, maar dan nog leuker en in levenden lijve. Gary krijgt een brok in zijn keel als hij alleen al naar haar kijkt. Hij denkt er nu al aan wat ze allemaal zouden kunnen doen als ze met zijn tweeën in een kamer waren. Als hij niet oppast vergeet hij nog wat hij hier eigenlijk komt doen. Hij zou een hele stomme fout kunnen begaan.

'Kan ik u ergens mee helpen?' De man die voor haar deur staat, op stoffige cowboylaarzen, is lang en dun, een soort tot leven gewekte vogelverschrikker. Ze moet haar hoofd scheef houden om een blik van zijn gezicht te kunnen opvangen. Zodra ze ziet hoe hij haar aankijkt, doet ze twee stappen achteruit. 'Wat wilt u?' vraagt Sally.

'Ik werk voor het openbaar ministerie. In Arizona. Ik ben net aangekomen. Ik moest overstappen in Chicago.' Gary weet hoe bespottelijk dit allemaal moet klinken, maar dat zou waarschijnlijk gelden voor de meeste dingen die hij op dit moment had gezegd.

Gary heeft geen makkelijk leven gehad en dat is op zijn gezicht te zien. Er zijn diepe groeven die niet bij zijn leeftijd passen; er is een hoop eenzaamheid, open en bloot, voor iedereen duidelijk te zien. Hij is er de man niet naar om dingen te verbergen en op dit moment doet hij dan ook geen enkele moeite zijn belangstelling voor Sally te verhullen. Sterker nog, Sally kan nauwelijks geloven dat hij haar zo aanstaart. Waar haalt iemand het lef vandaan om op haar eigen stoepje zo naar haar te kijken?

'Ik denk dat u verkeerd bent,' zegt ze tegen hem. Ze klinkt nerveus, dat merkt ze zelf ook. Het komt omdat hij van die donkere ogen heeft, dat is het. Het komt doordat hij je het gevoel geeft dat zijn blik je binnenstebuiten keert.

'Uw brief is gisteren aangekomen,' zegt Gary, alsof de brief aan hem was gericht in plaats van aan haar zus, die, voor zover Gary kan opmaken uit de adviezen die Sally haar verstrekte, nauwelijks hersens in haar hoofd heeft of – als ze die wel heeft – zich er weinig van aantrekt.

'Ik zou niet weten waar u het over heeft,' zegt Sally. 'Ik heb u nooit een brief geschreven. Ik weet niet eens wie u bent.'

'Gary Hallet,' stelt hij zich voor. Hij haalt de brief uit zijn zak, hoewel hij er eigenlijk voor geen goud afstand van wil doen. Als deze brief in het gerechtelijk laboratorium wordt onderzocht zal blijken dat hij onder zijn vingerafdrukken zit; hij heeft hem ontelbare malen open- en dichtgevouwen.

'Die heb ik eeuwen geleden aan mijn zus gestuurd.' Sally kijkt naar de brief en vervolgens naar hem. Ze heeft het eigenaardige gevoel dat er dingen staan te gebeuren die ze niet helemaal aankan. 'U heeft hem opengemaakt.'

'Hij was al open. Hij is zeker zoekgeraakt op het postkantoor.'

Terwijl Sally probeert uit te maken of hij een bedrieger is of niet, voelt Gary zijn hart als een vis in zijn borstkas rondspartelen. Hij kent verhalen van andere mannen die dit is overkomen. Het ene moment zijn ze nog gewoon met hun dingetjes bezig en het volgende moment zijn ze volkomen verloren. Ze vallen zo compleet voor iemand dat ze nooit van hun leven meer overeind komen.

Gary schudt zijn hoofd, maar dat schept weinig duidelijkheid. Hij gaat er alleen maar dubbel van zien. Heel even staan er twee Sally's voor hem, die hem beiden doen wensen dat hij hier niet voor zijn werk was. Hij dwingt zichzelf om aan die knul van de universiteit te denken. Hij denkt aan het gezicht van de jongen dat onder de blauwe plekken zat, hoe zijn gezicht tegen het metalen bed en de houten vloer moet zijn geklapt, terwijl hij stuiptrekkend over de vloer rolde. Als er één ding is dat Gary zeker weet, dan is het dat mannen als Jimmy Hawkins nooit een gelijke strijd aangaan.

'Weet u misschien waar ik uw zus kan vinden?'

'Mijn zus?' Sally knijpt haar ogen toe; misschien is dit het zoveelste hart dat Gillian heeft gebroken en dat nu om genade komt smeken. Zo had ze deze man niet ingeschat. Ze had nooit gedacht dat hij het type was waar haar zus voor viel. 'Bent u op zoek naar Gillian?'

'Zoals ik al zei werk ik voor het openbaar ministerie. Ik ben bezig met een onderzoek waar een vriend van uw zus bij betrokken is.'

Sally voelt iets raars in haar vingers en tenen, wat veel weg heeft van een opkomende paniek. 'Waar kwam u ook alweer vandaan?'

'Oorspronkelijk uit Bisbee,' zegt Gary, 'maar ik woon al bijna vijfentwintig jaar in Tucson.'

Het ís paniek wat Sally voelt, dat is nu wel zeker, en het kruipt langs haar ruggegraat omhoog, verspreidt zich door haar aderen en baant zich een weg naar haar vitale organen.

'Ik ben eigenlijk in Tucson opgegroeid,' zegt Gary. 'Je zou kunnen zeggen dat ik chauvinistisch ben, want ik geloof zonder meer dat het de mooiste plek op aarde is.'

'Waar gaat dat onderzoek over?' valt Sally hem in de rede, voordat Gary verder kan uitweiden over zijn geliefde Arizona.

'Nou, we zijn op zoek naar een verdachte.' Gary vindt dit vreselijk. Het plezier dat hij normaal gesproken aan een moordonderzoek beleeft, blijft ditmaal uit. 'Ik vind het vervelend om te moeten zeggen, maar zijn auto staat op uw oprit.'

In één tel trekt al het bloed uit Sally's gezicht, waardoor ze lijkbleek wordt. Ze zoekt steun bij de deurpost en probeert adem te halen. Ze ziet sterretjes en elke ster is rood, heet als een sintel. Die ellendige Jimmy weet ook van geen ophouden. Keer op keer komt hij terug en probeert haar leven te verwoesten.

Gary Hallet buigt zich naar Sally. 'Is er iets?' vraagt hij, al heeft hij uit haar brief kunnen opmaken dat Sally er de vrouw niet naar is om zomaar te zeggen wat er is. Het heeft tenslotte ook bijna achttien jaar geduurd voordat ze haar zus een keer de waarheid zei.

'Ik ga even zitten,' zegt Sally achteloos, alsof ze niet op het punt staat onderuit te gaan.

Gary loopt achter haar aan de keuken in en kijkt toe terwijl ze een glas koel kraanwater drinkt. Hij is zo lang dat hij moet bukken om door de keukendeur te kunnen en als hij gaat zitten moet hij zijn benen onder de tafel uitstrekken omdat zijn knieën er anders niet onder passen. Zijn opa zei altijd dat hij de bouw van een piekeraar had en die voorspelling blijkt te zijn uitgekomen.

'Ik heb u toch niet van streek gemaakt?' zegt hij tegen Sally.

'Ik ben niet van streek.' Met haar hand wuift Sally zichzelf koelte toe, maar nog altijd heeft ze rode wangen. Godzijdank zijn de meisjes niet thuis; daar mag ze wel dankbaar voor zijn. Als ze hierin betrokken raken zal ze het Gillian nooit vergeven, en zichzelf ook niet. Hoe hebben ze ooit kunnen denken dat het met een sisser zou aflopen? Wat een stommelingen, wat een imbecielen, wat een zelfdestructieve idioten. 'Ik ben helemaal niet van streek.'

In een uiterste krachtsinspanning weet ze haar zenuwen in bedwang te krijgen en Gary aan te kijken. Hij kijkt strak terug en ze slaat haar blik dan ook meteen weer neer. Je moet heel erg voorzichtig zijn als je in ogen kijkt als die van hem. Sally neemt nog een glas water; ze blijft zichzelf koelte toewuiven. In een hachelijke situatie als dit kun je maar het beste zo normaal mogelijk doen. Dat weet Sally uit haar jeugd. Geef je niet bloot. Laat niet merken wat er diep vanbinnen in je omgaat.

'Koffie?' zegt Sally. 'Ik heb net gezet.'

'Graag,' zegt Gary. 'Lekker.' Hij moet de zus spreken, dat weet hij maar al te goed, maar er is geen haast bij. Misschien is de zus er alleen met de auto vandoor gegaan, hoewel de kans groot is dat ze weet waar Hawkins is, maar dat kan Gary altijd later nog uitzoeken.

'U bent op zoek naar een vriend van Gillian?' vraagt Sally.

'Heb ik dat goed begrepen?'

Ze heeft zo'n lieve stem; het komt door dat accent van New England dat ze nooit is kwijtgeraakt, door de manier waarop ze na elk woord haar lippen tuit alsof ze de laatste lettergreep op haar tong proeft.

'James Hawkins.' Gary knikt.

'Ah,' zegt Sally bedachtzaam, want als ze meer had gezegd was ze gaan gillen, had ze Jimmy en haar zus en iedereen die ooit in Arizona had gewoond of er doorheen was getrokken, vervloekt.

Ze schenkt koffie in, gaat zitten en probeert te bedenken hoe ze hen hier in 's hemelsnaam uit moet redden. Ze heeft alle kleren gewassen voor het weekje Massachusetts; ze heeft de tank volgegooid en het oliepeil laten controleren. Ze moet de meisjes hier weg zien te krijgen; ze zal een heel goed verhaal moeten verzinnen. Dat ze de Oldsmobile op een veiling hebben gekocht of misschien dat ze hem verlaten op een parkeerplaats hebben gevonden, of dat hij gewoon in het holst van de nacht op hun oprit was opgedoken.

Sally kijkt op, klaar om haar leugens te spuien, als ze ziet dat de man aan haar tafel zit te huilen. Gary is zo lang dat hij in vrijwel alle situaties een onbeholpen indruk maakt, maar hij heeft een zeer stijlvolle manier van huilen. Hij laat het gewoon gebeuren.

'Wat is er?' zegt Sally. 'Wat is er aan de hand?'

Gary schudt zijn hoofd; het duurt even voordat hij in staat is om te praten. Zijn opa zei altijd dat als je de tranen wegslikte, ze steeds verder stegen, hoger en hoger, tot op een zekere dag je hoofd uit elkaar klapte en je alleen nog maar een stompje nek overhield en verder niets. Gary heeft meer gehuild dan de meeste mannen ooit zullen doen. Hij heeft het gedaan bij rodeo's en in rechtszalen; hij heeft aan de kant van de weg staan huilen bij de aanblik van een havik die in volle vlucht was neergeschoten, voordat hij een schop uit de achterbak van zijn auto pakte om het kadaver te begraven. Hij schaamt zich er niet voor om bij een vrouw in de keuken te zitten huilen; hij heeft gezien hoe de ogen van zijn opa zich met tranen vulde bij het zien van een mooi paard of een vrouw met donker haar.

Met een van zijn grote handen veegt Gary zijn ogen droog. 'Het komt door de koffie,' verklaart hij.

'Is die zo vies?' Sally neemt een slokje. Gewoon haar normale koffie, waar nog nooit iemand aan bezweken is.

'O, nee,' zegt Gary. 'De koffie is heerlijk.' Zijn ogen zijn donker als de veren van een kraai. Hij is in staat om iemand te strikken door de manier waarop hij naar haar kijkt en haar doet wensen dat hij blijft kijken. 'Koffie heeft gewoon zo'n effect op me. Het doet me denken aan mijn opa, die twee jaar geleden is gestorven. Die was nog eens verslaafd aan koffie. Hij moest 's ochtends eerst drie kopjes koffie drinken voor hij zijn ogen open kon krijgen.'

Er is iets goed mis met Sally. Ze voelt een druk in haar keel en haar buik en haar borst. Misschien is dit hoe een hartaanval aanvoelt; voor hetzelfde geld ligt ze over een paar tellen buiten westen op de grond, haar bloed kolkend, haar hersenen doorgebrand.

'Neem me niet kwalijk,' zegt Sally. 'Ik ben zo terug.'

Ze rent de trap op naar Kylie's kamer en doet het licht aan. De zon kwam al bijna op toen Gillian terugkwam van Ben, waar de helft van haar spullen al zijn kastruimte in beslag heeft genomen. Omdat ze vandaag vrij heeft was ze van plan om een gat in de dag te slapen, schoenen te kopen en dan langs de bibliotheek te gaan om een boek over celstructuren te halen. In plaats daarvan worden de gordijnen opengetrokken en stroomt het zonlicht in brede, gele banen de kamer binnen. Gillian kruipt diep weg onder de dekens; als ze zich gedeisd houdt, gaat het misschien vanzelf over.

'Word wakker,' zegt Sally tegen Gillian en schudt haar door elkaar. 'Er zit iemand beneden die op zoek is naar Jimmy.'

Gillian schiet overeind en klapt met haar hoofd tegen het hoofdeinde. 'Zit hij onder de tatoeages?' vraagt ze, denkend aan de laatste vent van wie Jimmy te veel geld had geleend, ene Alex Devine, een man waarvan werd beweerd dat hij het enige exemplaar van de menselijke soort was dat zonder hart in leven kon blijven.

'Was het maar waar,' zegt Sally.

De zussen staren elkaar aan.

'O, mijn god.' Gillian is gaan fluisteren. 'Hij is zeker van de politie? O, mijn god.' Ze grijpt de eerste de beste stapel kleren van de vloer.

'Hij werkt voor het openbaar ministerie. Hij heeft de laatste brief gevonden die ik je heb gestuurd en het spoor gevolgd.'

'Dat komt ervan als je brieven schrijft.' Gillian is inmiddels uit bed gekomen en trekt een spijkerbroek en een soepelvallende, beige blouse aan. 'Als je wat kwijt moet, bel dan, verdomme.'

'Ik heb hem een kop koffie gegeven,' zegt Sally. 'Hij zit in de keuken.'

'Het kan me niets schelen waar hij zit.' Gillian kijkt haar zus aan. Soms begrijpt Sally het gewoon niet. Ze snapt in elk geval niet wat het betekent om een lijk in je achtertuin te begraven. 'Wat zeggen we tegen hem?'

Sally grijpt naar haar hart en trekt wit weg. 'Ik ben bang dat ik een hartaanval krijg,' kondigt ze aan.

'Geweldig. Dat kan er ook nog wel bij.' Gillian schiet een paar slippers aan en neemt haar zus dan eens goed op. Sally moet minstens negenendertig graden koorts hebben voordat er ook maar een jammerklacht over haar lippen komt. Al moet ze de hele nacht op de wc doorbrengen, op haar knieën gedwongen door een buikgriepje, bij de eerste zonnestralen staat ze weer opgewekt in de keuken een fruitsalade of bosbessenwafels te maken. 'Je hebt een paniekaanval,' besluit Gillian. 'Beheers je. We moeten die ellendige speurneus ervan zien te overtuigen dat we van niets weten.'

Gillian haalt een kam door haar haar en loopt naar de deur. Ze draait zich om als ze merkt dat Sally niet achter haar aan komt.

'Wat nou?' zegt Gillian.

'Weet je wat het is?' zegt Sally. 'Ik denk niet dat ik tegen hem kan liegen.'

Gillian loopt op haar zus af. 'Dat kun je best.'

'Ik weet het niet. Ik weet niet of ik gewoon kan gaan zitten liegen. Hij kijkt je aan op een manier...'

'Luister goed.' Gillians stem is hoog en schril. 'Als je niet liegt draaien we de bak in, dus het zal vast wel lukken. Als hij iets tegen je zegt kijk je hem niet aan.' Ze neemt Sally's hand in de hare. 'Hij stelt een paar vragen, dan gaat hij terug naar Arizona en is iedereen weer gelukkig.'

'Oké,' zegt Sally.

'Denk eraan. Kijk hem niet aan.'

'Goed.' Sally knikt. Ze denkt dat het haar wel zal lukken, ze kan het op z'n minst proberen.

'Laat mij het woord maar doen,' zegt Gillian. De zussen beloven plechtig dat ze elkaar trouw zullen blijven, altijd, tot het bittere einde. Ze zullen Gary Hallet een paar eenvoudige feiten vertellen; ze zullen niet te veel en niet te weinig loslaten. Tegen de tijd dat ze hun verhaal klaar hebben en naar beneden gaan, heeft Gary zijn derde kop koffie op en staan alle spullen op de keukenplanken in zijn geheugen gegrift. Als hij de vrouwen op de trap hoort, veegt hij met de rug van zijn hand zijn ogen droog en duwt zijn koffiekopje van zich af.

'Hallo,' zegt Gillian.

Ze is hier erg goed in. Als Gary opstaat om haar te begroeten steekt ze nonchalant haar hand uit, alsof hij een bekende is die even aanwipt. Maar als ze hem aankijkt, als ze voelt hoe hij haar hand vastpakt, wordt Gillian zenuwachtig. Deze man laat zich niet zomaar om de tuin leiden. Hij heeft een hoop gezien, een hoop gehoord, en hij is slim. Dat ziet ze zo. Misschien wel te slim.

'Ik heb begrepen dat je het over Jimmy wilt hebben,' zegt Gillian. Ze heeft het gevoel dat haar hart uit haar borstkas barst.

'Dat klopt, ja.' Gary neemt Gillian snel op – de tatoeage op haar pols, de manier waarop ze een stap achteruit doet als hij iets tegen haar zegt, alsof ze verwacht een klap te krijgen. 'Heb je hem onlangs nog gezien?'

'Ik ben in juni weggelopen. Ik heb zijn auto gejat en ben hem gesmeerd en heb sinds die tijd niets meer van hem vernomen.'

Gary knikt en schrijft iets op, maar het zijn maar krabbeltjes, onzinwoorden. *Ivoorkleurige sneeuw*, heeft hij bovenaan het blad geschreven. *Veelvraat. Appeltaart. Twee plus twee is vier. Schat.* Hij schrijft gewoon maar wat op om de indruk te wekken dat hij geconcentreerd bezig is met zijn officiële taak. Op die manier kunnen Sally en haar zus hem niet aankijken en in zijn ogen lezen dat hij Gillian niet gelooft. Ze had nooit de auto van haar vriendje durven pikken en Hawkins had haar nooit zomaar laten gaan. Uitgesloten. Hij zou haar te pakken hebben gekregen nog voor ze de grens had bereikt.

'Daar heb je waarschijnlijk goed aan gedaan,' zegt Gary. Hij heeft dit eerder gedaan, de twijfel wegdrukken zodat die niet in zijn stem doorsijpelt. Hij steekt een hand in zijn zak, haalt Hawkins' strafblad te voorschijn en legt het opengevouwen voor Gillian op tafel.

Gillian gaat zitten om het beter te kunnen bekijken. 'Wauw,' zegt ze.

Jimmy's eerste drugsovertreding dateert van zoveel jaar geleden dat hij niet veel ouder dan vijftien kan zijn geweest. Gillian laat haar vinger langs een onafzienbare lijst vergrijpen glijden; de overtredingen worden met het jaar ernstiger, tot ze de vorm aannemen van echte misdaden. Zo te zien woonden ze al samen toen hij voor het laatst werd opgepakt wegens mishandeling, waar hij niet eens iets over heeft gezegd. Als Gillian zich niet vergist, had Jimmy gezegd dat hij naar Phoenix moest om een neef te helpen verhuizen, op de dag waarop hij voor de rechter moest verschijnen.

Ze kan nauwelijks geloven dat ze al die jaren zo blind is geweest. Na twee uur met Ben Frye wist ze meer van Ben dan ze na vier jaar van Jimmy wist. Destijds had ze Jimmy mysterieus gevonden, een man met geheimen. Nu lagen de feiten op tafel: hij was een dief en een leugenaar en ze had het langer over zich heen laten komen dan je menselijkerwijs voor mogelijk hield.

'Hier had ik geen idee van,' zegt Gillian. 'Echt niet. Ik heb hem in al die jaren nooit gevraagd waar hij naartoe ging en wat hij uitspookte.' Haar ogen branden en het helpt niet als ze knippert. 'Al is dat natuurlijk geen excuus.'

'Je hoeft je niet te excuseren voor het feit dat je van iemand houdt,' zegt Gary. 'Verontschuldig je maar niet.'

Gillian zal deze speurneus nog scherper in de gaten moeten

houden. Hij heeft een manier om naar de dingen te kijken die je volkomen kan overrompelen. Voordat hij met het denkbeeld kwam dat liefde geen blaam treft, was Gillian nog nooit op het idee gekomen dat het haar misschien niet viel aan te rekenen dat alles mis was gelopen. Ze werpt een blik opzij om Sally's reactie te peilen, maar Sally zit naar Gary te staren, met een merkwaardige blik in haar ogen. Het is een blik die Gillian zorgen baart, omdat hij niet bij Sally past. Zoals ze daar staat, met haar rug tegen de koelkast, lijkt Sally veel te kwetsbaar. Waar is haar pantser, waar is haar waakzaamheid, waar is de logica die weer orde op zaken stelt?

'De reden dat ik op zoek ben naar meneer Hawkins,' legt Gary Gillian uit, 'is dat hij hoogstwaarschijnlijk giftige plantenextracten aan studenten heeft verkocht, wat drie doden tot gevolg heeft gehad. Hij bood ze LSD aan en heeft ze vervolgens de zaden van een zeer hallucinogene en zeer giftige plant in de maag gesplitst.'

'Drie doden.' Gillian schudt haar hoofd. Jimmy had gezegd dat het er twee waren. Hij had gezegd dat hij er niets aan kon doen; die knullen waren gulzig en stom en hadden geprobeerd hem het geld te onthouden waar hij recht op had. 'Stomme, verwende ettertjes,' had hij hen genoemd. 'Studentikoze watjes.' Hij loog letterlijk over alles, alsof het een sport was. Gillian wordt misselijk als ze eraan denkt hoe ze hem altijd zonder meer geloofde en zijn kant koos. *Die kinderen hebben het aan henzelf te danken.* Ze weet nog dat ze dat dacht. 'Wat vreselijk,' zegt ze tegen Gary Hallet over de doden aan de universiteit. 'Afschuwelijk.'

'Je vriend is door diverse getuigen herkend, maar hij is spoorloos.'

Gillian luistert naar Gary, maar ze denkt ook aan hoe het vroeger was. In Tucson kan de bodem van de woestijn in augustus de vijftig graden bereiken. Tijdens een van die verzengende weken, toen ze elkaar net kenden, hadden Jimmy en zij zich niet eens meer buiten gewaagd – ze hadden de airconditioning aangezet en bier gedronken en geneukt op alle mogelijke manieren die Jimmy maar kon verzinnen en die meestal gerelateerd waren aan zijn onmiddellijke bevrediging.

'Laten we hem niet langer "mijn vriend" noemen,' zegt Gillian.

'Goed,' stemt Gary in. 'Maar we willen hem graag pakken voor hij nog meer van die troep verkoopt. We willen niet dat dit nog een keer gebeurt.'

Gary kijkt Gillian met zijn donkere ogen aan, wat het moeilijk maakt om van hem weg te kijken of met een enigszins geloofwaardig verhaal te komen. Misschien wist deze vrouw wel van die overleden studenten en misschien ook niet, maar ze wist in elk geval iets. Dat ziet Gary aan haar – hij voelt het aan de manier waarop ze naar de grond staart. Er schemert schuldgevoel door in haar blik, maar dat kan ook komen door het feit dat zij het was bij wie James Hawkins in bed kroop op de avond dat de geschiedenisstudent begon te stuiptrekken. Misschien komt het doordat het pas nu tot haar doordringt met wie ze al die tijd heeft geneukt en wie ze al die tijd schat heeft genoemd.

Gary wacht tot Gillian iets prijsgeeft, maar het is Sally die niet langer kan zwijgen. Ze heeft het geprobeerd, ze heeft zichzelf voorgehouden niets te zeggen en Gillians verhaal te onderschrijven, maar ze kan het niet. Zou het kunnen dat ze per se iets wil zeggen om Gary Hallets aandacht te trekken? Zou het kunnen dat ze naar het gevoel verlangt dat ze krijgt als hij zich tot haar richt?

'Het zal niet meer gebeuren,' zegt Sally tegen hem.

Gary beantwoordt haar blik. 'Dat klinkt wel erg stellig.' Maar ja, hij weet uit haar brief hoe zeker ze van de dingen kan zijn. *Er zit daar iets niet goed*, had ze Gillian geschreven. *Ga bij hem weg. Zoek zelf een huis, een huis dat alleen van jou is. Of kom gewoon naar huis. Kom nu meteen naar huis.*

'Ze bedoelt dat Jimmy nooit meer in Tucson zal komen,' haast Gillian zich te verklaren. 'Geloof me, als jullie achter hem aan zitten weet hij dat. Het is een stommeling, maar hij is niet gek. Hij gaat heus geen drugs meer verkopen in dezelfde stad waar zijn klanten zijn overleden.'

Gary haalt zijn kaartje te voorschijn en geeft het aan Gillian. 'Ik wil je niet bang maken, maar we hebben hier te maken met een gevaarlijk sujet. Ik zou het fijn vinden als je me belt zodra hij contact met je opneemt.'

'Hij neemt geen contact meer met haar op.'

Ze kan haar mond niet houden. Het lukt gewoon niet. Wat heeft ze? Dat is de vraag die uit Gillians blik spreekt en die Sally zich stelt. Maar deze man kan zo bezorgd kijken als hij zich ergens op concentreert. Het is een zorgzame man, dat ziet ze wel. Het soort man dat je nooit meer wilt laten gaan als je hem eenmaal hebt gevonden.

'Jimmy weet dat het uit is,' licht Gillian toe. Ze schenkt een kop koffie voor haarzelf in en geeft Sally onderwijl een por in haar ribben. 'Wat heb je toch?' fluistert ze. 'Hou je mond.' Ze richt zich weer tot Gary. 'Ik heb Jimmy duidelijk gezegd dat onze relatie finito is. Daarom neemt hij geen contact op. Het is afgelopen.'

'Ik zal de auto in beslag moeten nemen,' zegt Gary.

'Dat spreekt voor zich,' zegt Gillian goedmoedig. Als het meezit staat die vent binnen twee minuten weer op straat. 'Ga je gang.'

Gary staat op en haalt zijn handen door zijn donkere haar. Hij zou nu weg moeten gaan. Dat weet hij heel goed. Maar hij staat te drentelen. Hij wil Sally in de ogen blijven kijken en duizendmaal per dag verdrinken. In plaats daarvan zet hij zijn koffiekopje in de gootsteen.

'Laat maar staan,' zegt Gillian vriendelijk, erop gebrand hem zo snel mogelijk de deur uit te werken.

Sally glimlacht als ze ziet hoe behoedzaam hij het kopje met het lepeltje neerzet.

'Mocht er zich iets voordoen, ik ben tot morgenavond in de stad.'

'Er doet zich echt niets voor,' verzekert Gillian hem. 'Geloof me.'

Gary pakt het notitieblokje dat hij gebruikt om zich de details te herinneren en slaat het open. 'Ik zit in Motel De Schuilplaats.' Hij kijkt op en ziet alleen Sally's grijze ogen. 'Dat werd me aangeraden door iemand van de autoverhuur.'

Sally kent het wel, een sjofele tent aan de andere kant van de grote weg, naast een groentestalletje en een kip-afhaal, die bekendstaat om zijn voortreffelijke uienringen. Het laat haar koud dat hij in zo'n armoedig hotel logeert. Het laat haar koud dat hij morgen vertrekt. Zij vertrekt namelijk ook. Zij en haar dochters zullen binnen de kortste keren zijn vertrokken. Als ze vroeg opstaan en niet stoppen om koffie te drinken, kunnen ze rond het middaguur in Massachusetts zijn. Dan kunnen ze na de lunch de gordijnen in de donkere kamers van de tantes openschuiven om wat zonlicht binnen te laten.

'Bedankt voor de koffie,' zegt Gary. Vanuit zijn ooghoeken ziet hij de verlepte cactus in de vensterbank. 'Dit is bepaald geen representatief exemplaar. Hij is er beroerd aan toe, kan ik je zeggen.'

Afgelopen winter had Ed Borelli al het administratieve personeel van de middelbare school een cactus gegeven. 'Zet dat ding in de vensterbank en vergeet hem verder,' had Sally aangeraden toen er werd gemopperd over wie ter wereld nou zo'n ding wilde hebben. En afgezien van een spaarzame plens water, was dat ook alles wat ze er zelf mee had gedaan. Maar Gary heeft erg veel aandacht voor de cactus. Hij heeft weer die peinzende blik in zijn ogen en hij friemelt aan iets wat klem zit tussen het schoteltje waar de cactus op staat en de pot. Als hij zich weer naar Sally en Gillian keert, kijkt hij zo gepijnigd dat Sally's eerste gedachte is dat hij in zijn vinger heeft geprikt.

'Shit,' fluistert Gillian.

Gary heeft Jimmy's zilveren ring in zijn hand en daarom kijkt hij zo gepijnigd. Hij weet dat ze tegen hem zullen liegen. Ze zullen zeggen dat ze die ring nog nooit eerder hebben gezien, of dat ze hem in een antiekwinkeltje hebben gekocht, of dat hij zomaar uit de lucht is komen vallen.

'Mooie ring,' zegt Gary. 'Heel apart.'

Noch Sally noch Gillian heeft enig idee hoe dit mogelijk is; ze weten zeker dat de ring aan Jimmy's vinger zat, hij is in de achtertuin begraven en nu opeens heeft deze speurneus hem in zijn hand. Hij kijkt Sally aan; hij wacht op een verklaring. En dat is ook wel te begrijpen; hij heeft in drie verschillende getuigenverklaringen een beschrijving van deze ring gelezen: aan de ene kant een ratelsang, dat kan hij zich nog herinneren. Een opgekrulde ratelslang, precies wat hij hier voor zich ziet.

Sally voelt dat hartaanval-gevoel weer opkomen; er gaat iets fout in het midden van haar borstkas, het is net een gloeiende pook of een stuk glas en ze kan er niets tegen beginnen. Ze zou niet tegen deze man kunnen liegen, al hing haar leven er vanaf – wat ook het geval is – en daarom zegt ze geen stom woord.

'Kijk nou eens.' Gillian is een en al zoetgevooisde verbazing. Het gaat haar zo makkelijk af, het is bijna een tweede natuur. 'Dat oude ding ligt er vast al eeuwen.'

Sally zegt niets, maar leunt met haar volle gewicht tegen de koelkast, alsof ze hulp nodig heeft om rechtop te blijven staan.

'Zou het?' zegt Gary, nog altijd kopje onder.

'Laat eens zien.' Gillian stapt op hem af, pakt de ring uit zijn handen en bekijkt hem aandachtig, alsof ze hem voor het eerst ziet. 'Te gek,' zegt ze, terwijl ze hem teruggeeft. 'Misschien moest je hem maar houden.' Het is zo'n aardig gebaar dat ze helemaal trots op zichzelf is. 'Hij is ons toch allemaal veel te groot.'

'Ja, graag.' Gary voelt zijn hoofd bonzen. Klote. Wat een klerezooi. 'Bedankt.'

Terwijl hij de ring in zijn zak laat glijden, valt het hem op hoe goed Sally's zus hierin is; ze weet waarschijnlijk precies waar James Hawkins zich op dit moment bevindt. Sally is echter een ander verhaal; misschien weet ze van niets, misschien heeft ze die ring nooit eerder gezien. Haar zus kon haar wel eens volledig om de tuin hebben geleid, kon wel eens geld, etenswaren en erfstukken naar Hawkins smokkelen, die in een of andere souterrain in Brooklyn tv zit te kijken tot de storm wat is geluwd.

Maar Sally kijkt hem niet aan, dat is het punt. Haar prachtige gezicht is van hem afgewend omdat ze iets weet. Gary heeft dit eerder gezien, ontelbare keren. Mensen die ergens schuld aan hebben, denken het te kunnen verbergen door je niet in de ogen te kijken; ze gaan ervan uit dat hun schaamte zichtbaar is, dat je via hun ogen recht in hun ziel kunt kijken, en ergens hebben ze daar wel gelijk in.

'Volgens mij was dat het wel,' zegt Gary. 'Tenzij jullie net iets te binnen is geschoten wat ik zou moeten weten.'

Niets. Gillian grijnst en haalt haar schouders op. Sally slikt, moeizaam. Gary kan bijna voelen hoe droog haar keel is, hoe de ader onder in haar hals klopt. Hij heeft geen idee hoe ver hij zou gaan om iemand de hand boven het hoofd te houden. Hij heeft het nooit eerder bij de hand gehad, maar nu staat hij op een klamme zomerdag in de keuken van een onbekende vrouw in New York en vraagt zich in alle ernst af of hij een oogje kan toeknijpen. Dan denkt hij aan zijn opa die naar het gerechtshof liep om de voogdij over hem aan te vragen, op een dag dat het bijna vijfenveertig graden in de schaduw was. De lucht zinderde; de mesquiteboom en het loogkruid stonden in vuur en vlam, maar Sonny Hallet was zo verstandig geweest om een fles koel bronwater mee te nemen en hij was niet eens moe toen hij het gerechtsgebouw binnenliep. Als je ingaat tegen je eigen overtuiging ben je niets waard, dus kun je maar beter voet bij stuk houden. Gary vliegt morgen naar huis en zal de zaak overdragen aan Arno. Hij kan zichzelf niet eens wijsmaken dat het allemaal wel goedkomt: dat Hawkins zich aangeeft en dat Sally en haar zus onschuldig bevonden worden aan het onderdak verlenen aan de verdachte in een moordzaak, en dat Gary Sally gaat schrijven. Als hij het zou doen, zou ze misschien niet in staat zijn om zijn brieven weg te gooien; ze zou ze stuk voor stuk en keer op keer moeten lezen, zoals hij deed toen haar brief werd bezorgd. Voor ze het wist zou ze verloren zijn, net als hij nu.

Aangezien het allemaal niet zo zal lopen, knikt Gary met zijn hoofd en gaat naar de deur. Hij heeft altijd geweten wanneer hij een stapje opzij moet doen en wanneer hij rustig moet afwachten wat er gaat gebeuren. Op een goede dag heeft hij een poema gezien omdat hij had besloten op de bumper van zijn auto te gaan zitten en wat water te drinken voordat hij zijn lekke band zou gaan verwisselen. De poema kwam over het asfalt aangelopen, met een air alsof de weg en de rest van de wereld hem toebehoorden, en hij keek belangstellend naar Gary, die voor het eerst van zijn leven dankbaar was voor een lekke band.

'Ik laat de Oldsmobile vrijdag ophalen,' zegt Gary, maar hij kijkt niet om voor hij buiten op de veranda staat. Hij weet niet dat Sally hem zo achterna gekomen zou zijn, als haar zuster haar niet had geknepen en haar had ingefluisterd dat ze moest blijven staan. Hij heeft geen idee hoe pijnlijk het gevoel in Sally's borstkas is, maar dat komt ervan als je leugens verkoopt, en al helemaal wanneer je jezelf de grootste leugens voorhoudt.

'Hartstikke bedankt,' zegt Gillian op zangerige toon en tegen de tijd dat Gary zijn nek draait om achterom te kijken, valt er niet veel anders te zien dan een gesloten deur.

Wat Gillian betreft is de zaak hiermee afgedaan. 'Hallelujah,' zegt ze als ze weer naar de keuken loopt. 'Die zijn we kwijt.'

Sally is al in de weer met de lasagnaplakken, die hard zijn geworden in het vergiet. Ze probeert ze van elkaar te krijgen met een houten lepel, maar het is te laat, ze zitten vastgekleefd. Ze kiepert het hele zaakje in de vuilnisbak en begint te huilen.

'Wat heb je?' vraagt Gillian. Het zijn momenten als dit, waarop volstrekt redelijke mensen kunnen zeggen 'loop naar de hel' en een sigaret opsteken. Gillian rommelt in de keukenla in de hoop daar nog een oud pakje tegen te komen, maar het enige wat in de buurt komt is een doosje lucifers. 'Die hebben we mooi afgepoeierd, hè? We leken volkomen onschuldig. Ondanks die ellendige ring. Ik deed het bijna in mijn broek toen ik dat ding zag. Alsof ik recht in de ogen van de duivel keek. Maar we hebben die speurneus om de tuin weten te leiden, schat, en hoe.'

'Oh,' zegt Sally vol walging. 'Oh,' snikt ze.

'Nou, zo is het toch! We hebben het hem geflikt. We kunnen trots op onszelf zijn.'

'Omdat we hebben gelogen?' Sally wrijft over haar natte, druipende ogen en neus. Haar wangen zijn rood, ze snuift als een dolle stier en ze raakt dat afschuwelijke gevoel midden in haar borst maar niet kwijt. 'Vind je dat we daar trots op moeten zijn?'

'Ach.' Gillian haalt haar schouders op. 'Soms is het niet anders.' Ze kijkt naar de klomp lasagna tussen het afval. 'Wat moeten we nou eten?'

Op dat moment smijt Sally het vergiet door de keuken.

'Je bent niet helemaal in orde,' zegt Gillian. 'Ik zou de internist of de gynaecoloog of wie dan ook maar bellen voor wat kalmerende middelen.'

'Ik doe het niet.' Sally pakt de pan met tomatensaus, waar ze uien en champignons en rode paprika doorheen heeft geroerd, en kiepert alles in de gootsteen.

'Goed.' Gillian is bereid om zich bij elk redelijk voorstel neer te leggen. 'Je hoeft niet te koken. We halen wel wat.'

'Ik heb het niet over het eten.' Sally heeft haar autosleutels en haar portefeuille gepakt. 'Ik heb het over de waarheid.'

'Ben je nou helemaal gek geworden?' Gillian gaat Sally achterna en als Sally doorloopt in de richting van de deur, grijpt ze haar arm.

'O wee, als je me knijpt...' waarschuwt Sally.

Sally loopt de veranda op, met Gillian op haar hielen. Ze loopt achter Sally aan naar de oprit.

'Je gaat niet naar die kerel toe. Ik wil niet dat je met hem gaat praten.'

'Hij weet het toch al,' zegt Sally. 'Zag je dat niet? Kon je dat niet merken aan de manier waarop hij naar ons keek?'

Als ze alleen al denkt aan Gary's smalle gezicht en alle zorgen die erop stonden te lezen, neemt de druk op haar borst toe. Ze is bang dat ze nog voor de dag om is, wordt geveld door angina pectoris of iets dergelijks.

'Je kan niet naar die vent toegaan,' zegt Gillian tegen Sally. Ze is één en al ernst. 'Als je dat doet, belanden we allebei in de gevangenis. Ik begrijp niet hoe je op het idee komt.'

'Mijn besluit staat vast,' zegt Sally.

'Wat voor besluit? Om naar zijn motel te gaan? Om op je knieën te smeken of hij het ons kan vergeven?'

'Als het niet anders kan. Ja.'

'Je gaat niet,' zegt Gillian.

Sally kijkt haar zus aan, peinzend. Dan doet ze het portier open.

'Er komt niets van in,' zegt Gillian. 'Je gaat niet naar hem toe.'

'Is dat een dreigement?'

'Wie weet.' Ze is niet van plan om haar zus haar hele leven te laten verzieken, alleen omdat Sally zich schuldig voelt over iets wat ze niet eens heeft gedaan.

'O, ja?' zegt Sally. 'En wat was je dan van plan te doen?

Denk je nou echt dat je mijn leven nog meer kunt verwoesten dan je al hebt gedaan?'

Gekwetst doet Gillian een stap achteruit.

'Begrijp me nou,' zegt Sally. 'Ik moet dit rechtzetten. Zo kan ik niet leven.'

Er is storm voorspeld en de wind begint al op te steken; strengen van Sally's zwarte haar slaan in haar gezicht. Haar ogen schitteren en zijn veel donkerder dan anders; haar mond is rood als een roos. Gillian heeft haar zus er nog nooit zo onverzorgd bij zien lopen, zo totaal niet zichzelf. Momenteel heeft Sally veel weg van iemand die zonder aarzelen een rivier in springt, terwijl ze nog niet heeft geleerd te zwemmen. Ze zou zo uit de takken van de hoogste boom springen, ervan overtuigd dat ze vanzelf veilig neerkomt als ze haar armen maar uitstrekt en met een zijden sjaal de wind vangt terwijl ze neerdaalt.

'Misschien moet je nog even wachten.' Gillian probeert het met haar liefste stemmetje, waarmee ze zowel onder bekeuringen als verkeerde mannen uit heeft weten te komen. 'We kunnen er toch over praten? We kunnen samen een besluit nemen.'

Maar Sally's besluit staat vast. Ze wenst niet te luisteren; ze stapt in haar auto en behalve voor de Honda springen om de weg te blokkeren, kan Gillian niet veel anders doen dan Sally nakijken. Ze blijft een hele tijd staan kijken, te lang, want uiteindelijk ziet Gillian alleen nog de verlaten weg en die heeft ze al eens eerder gezien. Die heeft ze al veel te vaak gezien.

Je hebt een hoop te verliezen als je iets hebt, als je zo dom bent geweest om je te hechten. Dat is wat Gillian heeft gedaan toen ze verliefd werd op Ben Frye en nu heeft ze haar lot niet langer zelf in de hand. Het lot heeft zich naast Sally op de voorbank van de Honda genesteld en het enige wat er voor Gillian opzit, is doen alsof er geen vuiltje aan de lucht is. Als de meiden thuiskomen zegt Gillian dat Sally nog een paar dingen moest regelen; ze bestelt wat te eten bij de Chinees aan de grote weg en belt daarna Ben om te vragen of hij het wil ophalen als hij komt.

'Ik dacht dat we lasagna zouden eten,' zegt Kylie terwijl ze samen met Gideon tafeldekt.

'Dan heb je het mis,' deelt Gillian haar mede. 'En kun je geen papieren borden en bekertjes gebruiken, zodat we al die troep straks niet hoeven af te wassen?'

Als Ben met het eten komt willen Kylie en Antonia op hun moeder wachten, maar daar wil Gillian niets van horen. Ze schept garnalen met cashewnoten en nasi met varkensvlees op, een carnivoren-maaltijd die Sally nooit op haar tafel zou dulden. Het eten is lekker, maar toch is het een ongezellige maaltijd. Iedereen is uit zijn doen. Antonia en Kylie maken zich zorgen omdat hun moeder nooit laat thuiskomt, zeker niet als er nog van alles ingepakt moet worden, en ze voelen zich allebei schuldig dat ze aan haar tafel garnalen en varkensvlees eten. Gideon werkt ook niet mee; hij oefent zich in het boeren, waar iedereen, op Kylie na, niet goed van wordt. Scott Morrison is nog erger, somber als hij is bij het vooruitzicht Antonia een week lang niet te zullen zien. 'Wat maakt het uit?' is vanavond zijn standaardreactie op alle vragen, ook op 'Wil je een loempia?' en 'Wil je sinas of cola?' Uiteindelijk barst Antonia in tranen uit en stormt naar haar kamer als Scott op de vraag of hij haar zal schrijven als ze weg is, ook reageert met zijn eentonige 'Wat maakt het uit?'. Kylie en Gideon moeten door Antonia's gesloten slaapkamerdeur heen een goed woordje voor Scott doen, en net als Scott en Antonia het goed hebben gemaakt en op de overloop staan te zoenen, besluit Gillian dat het nu mooi is geweest.

Inmiddels heeft Sally waarschijnlijk haar hart uitgestort bij die speurneus. Gillian weet niet beter of Gary Hallet is op dit moment op weg naar de supermarkt aan de grote weg, die dag en nacht open is, om een bandrecorder te halen zodat hij haar bekentenis in haar eigen woorden kan vastleggen. Omdat ze geen enkele uitweg ziet, ontwikkelt Gillian een stevige migraine-aanval, eentje waar aspirine machteloos tegenover staat. Ieder geluid klinkt als een nagel die over een schoolbord schraapt en ze kan zelfs de geringste uiting van geluk of blijdschap niet verdragen. Ze kan er niet tegen om Antonia en Scott te zien zoenen, of Gideon en Kylie elkaar te horen plagen. Ze is Ben al de hele avond uit de weg gegaan, want voor haar gaat Scott Morrisons filosofie echt op: Wat *maakt* het ook uit? Ze staat op het punt om alles te verliezen en ze kan het tij niet keren; ze kan het net zo goed opgeven en er een punt achter zetten. Ze kan net zo goed een taxi bellen en uit het raam klimmen met haar meest waardevolle spulletjes in een kussensloop. Ze weet zeker dat Kylie meer dan genoeg geld op haar spaarrekening heeft staan, en als Gillian daar wat van leende zou ze een buskaartje kunnen kopen tot halverwege de grens. Het enige probleem is dat ze het niet meer kan. Ze moet nu met andere dingen rekening houden; ze zit aan Ben Frye vast, in voor- en tegenspoed.

'Het wordt tijd dat iedereen naar huis gaat,' kondigt Gillian aan.

Scott en Gideon worden weggestuurd met beloften van telefoontjes en ansichtkaarten (voor Scott) en dozen toffee (voor Gideon). Antonia moet een traantje wegpinken als ze Scott in de auto van zijn moeder ziet stappen. Kylie steekt haar tong uit naar Gideon als hij salueert en ze moet lachen als hij de klamme nacht in rent, klossend op zijn legerkistjes, en de eekhoorntjes in de bomen de stuipen op het lijf jaagt. Zodra de jongens de deur uit zijn gewerkt, wendt Gillian zich tot Ben.

'Hetzelfde geldt voor jou,' zegt ze. Ze gooit in razend tempo de papieren bordjes in de vuilnisbak. Ze heeft het vuile bestek en de glazen al in een sopje in de week gezet, iets wat zo indruist tegen haar rommelige natuur dat Ben achterdocht begint te koesteren. 'Wegwezen,' zegt ze tegen Ben. Ze kan er niet tegen als hij haar zo aankijkt, alsof hij haar beter kent dan zij zichzelf. 'Deze meiden moeten nog van alles inpakken en morgenochtend om zeven uur gaan we al op pad.'

'Er is iets aan de hand,' zegt Ben.

'Onzin.' Gillian heeft een hartslag van zeker tweehonderd. 'Er is helemaal niets aan de hand.'

Gillian draait zich naar het aanrecht en richt haar aandacht op het bestek dat in het sop ligt. Maar Ben slaat zijn armen om haar middel en leunt tegen haar aan. Hij laat zich niet makkelijk overtuigen en hij kan verdomd halsstarrig zijn als hij zijn zinnen ergens op heeft gezet.

'Ga nou maar,' zegt Gillian, maar haar handen zijn glibberig en nat en ze heeft moeite om hem weg te duwen. Als Ben haar kust, laat ze hem begaan. Zolang hij kust, kan hij geen vragen stellen. Het zou niet veel goed doen als ze probeerde hem duidelijk te maken hoe haar leven er vroeger uitzag. Hij zou het niet begrijpen en dat is misschien wel de reden dat ze verliefd op hem is. Van een aantal dingen zou hij zich eenvoudig niet kunnen voorstellen dat ze het had gedaan. En zij ook niet, wanneer ze bij hem is.

Buiten werpt de schemering paarse schaduwen. De lucht is dichtgetrokken en de vogels zijn opgehouden met zingen. Gillian zou met haar gedachten bij Bens kussen moeten zijn, omdat dit wel eens de laatste zouden kunnen zijn, maar in plaats daarvan kijkt ze door het keukenraam naar buiten. Ze bedenkt hoe Sally de speurneus vertelt wat zich in haar tuin bevindt, helemaal achteraan, daar waar niemand meer komt. Dat is de plek waar ze naar kijkt terwijl Ben haar kust; daardoor ziet ze eindelijk de doornhaag. Terwijl niemand oplette, is hij de hoogte ingeschoten. Sinds vanochtend is hij zeker een halve meter gegroeid en hij groeit nog steeds, gevoed door het kwaad; hij slingert zich omhoog.

Gillian maakt zich abrupt los uit Bens armen. 'Je moet gaan,' zegt ze tegen hem. 'Nu.'

Ze kust hem vurig en belooft van alles, liefdestoezeggingen die ze meteen weer vergeet, totdat ze weer met hem in bed ligt en hij haar eraan herinnert. Ze spant zich tot het uiterste in en uiteindelijk trekt ze aan het langste eind.

'Weet je het zeker?' zegt Ben, in de war gebracht door haar vurig-ijzige houding, maar evengoed hunkerend naar meer. 'Je kunt ook bij mij slapen.'

'Morgen,' belooft Gillian. 'En de avond daarop en de avond daarop.'

Als Ben uiteindelijk opstapt, als ze door het voorkamerraam heeft gekeken of hij echt weg is, loopt Gillian de tuin in en staat roerloos onder de dreigende hemel. Dit is de tijd waarop de krekels hun eerste, waarschuwende geluid laten horen, en hun gezang wordt opgezweept door de klamme lucht van de aanzwellende storm. De doornhaag achter in de tuin is dicht en kronkelig. Gillian komt dichterbij en ziet dat er twee wespennesten tussen de takken zitten; er klinkt een monotoon gezoem, als een waarschuwing of een dreigement. Hoe bestaat het dat de doornstruiken ongemerkt zo zijn uitgeschoten? Hoe hebben ze dit kunnen laten gebeuren? Ze dachten dat hij weg was, ze wilden dat het zo was, maar er zijn fouten die je blijven achtervolgen, hoe zeker je ook denkt te weten dat ze eindelijk het zwijgen zijn opgelegd.

Terwijl ze daar staat begint het te motregenen. Kylie komt naar haar toe, omdat haar tante daar zo in haar eentje staat en niet eens lijkt te merken dat ze nat wordt.

'O, nee,' zegt Kylie als ze ziet hoe groot de doornhaag is geworden, sinds ze met Gideon in het gras heeft zitten schaken.

'We snoeien hem gewoon weer,' zegt Gillian. 'Dat doen we.'

Maar Kylie schudt haar hoofd. Hier komt geen heggeschaar doorheen, zelfs met een bijl wordt het niets. 'Ik wou dat mama thuiskwam,' zegt ze.

Er hangt nog was aan de lijn en als die buiten blijft hangen wordt hij drijfnat, maar dat is niet het enige probleem. De doornhaag scheidt iets akeligs af, een damp die je bijna niet kunt zien, en de zomen van alle lakens en blouses zijn vlekkerig verkleurd. Misschien is Kylie de enige die het kan zien, maar elke vlek op hun schone was is donker en diep. Nu begrijpt ze waarom ze zich niets kon voorstellen bij hun vakantie, waarom het één grote mist is in haar hoofd.

'We gaan niet naar de tantes,' zegt ze.

De takken van de heg zijn zwart, maar wie aandachtig kijkt ziet dat de doornen rood zijn als bloed.

Er hebben zich al plassen op het terras gevormd als Antonia de achterdeur openduwt. 'Zijn jullie gek geworden?' roept ze. Als Gillian en Kylie geen antwoord geven, pakt ze een zwarte paraplu van de kapstok en rent naar hen toe.

Voor morgenmiddag is er storm voorspeld, met windsnelheden die in de buurt komen van orkaankracht. De andere mensen uit de buurt hebben de weersverwachting gehoord en zijn rollen afplakband gaan kopen; als de wind hun ramen doet trillen, zal het glas bij elkaar gehouden worden door de X-en van tape. Het huis van Owens loopt het risico van zijn grondvesten geblazen te worden.

'Een leuk begin van de vakantie,' zegt Antonia.

'We gaan niet,' zegt Kylie tegen haar.

'Natuurlijk gaan we,' houdt Antonia voet bij stuk. 'Ik heb alles al ingepakt.

Als je het haar vraagt, is dit maar een lugubere avond; het heeft weinig zin om hier in het donker te blijven staan. Antonia huivert en kijkt naar de donkere lucht, maar niet zo lang dat het haar ontgaat hoe haar tante Kylie's arm beetpakt. Gillian houdt Kylie stevig vast; als ze haar loslaat, is ze misschien niet in staat om overeind te blijven. Als Antonia naar het achterste stuk van de tuin kijkt, begrijpt ze het. Er ligt iets onder die afschuwelijke doornstruiken.

'Wat is dat?' vraagt Antonia.

Kylie en Gillian halen net iets te snel adem; de angst komt in golven van hen af. Het is mogelijk om een dergelijke angst te ruiken; het heeft iets weg van rook en as, van vlees dat te dicht in de buurt van het vuur is gekomen.

'Nou, wat?' zegt Antonia. Zodra ze een stap in de richting van de struiken doet, trekt Kylie haar naar achteren. Antonia knijpt haar ogen samen om tussen de schaduwen te kijken. Dan begint ze te lachen. 'Het is gewoon een laars. Meer niet.'

Hij is van slangehuid en maakt deel uit van een paar dat bijna driehonderd dollar heeft gekost. Jimmy zou nooit naar een goedkoop warenhuis gaan. Hij hield meer van dure winkels; hij kocht graag spullen die uniek waren.

'Niet doen!' zegt Gillian als Antonia de laars wil pakken.

De regen komt nu met bakken naar beneden; het vormt een waar gordijn, grijs als een laken van tranen. De aarde is zompig op de plek waar ze hem hebben begraven. Als je er een hand insteekt, kun je er misschien wel een bot uit vissen. Of je wordt er zelf ingezogen, als je niet oppast, diep de modder in. Je zou kunnen tegenstribbelen en naar adem happen, maar het zou allemaal niets meer uithalen.

'Heeft een van jullie hier een ring gevonden?' vraagt Gillian.

De meisjes staan allebei te rillen en de lucht is zwart. Je zou denken dat het al middernacht is. Je zou denken dat het uitgesloten is dat de lucht ooit blauw is geweest, als inkt, of als de eieren van een roodborstje; als het lint dat meisjes in hun haar vlechten omdat het geluk brengt.

'Er was een pad die een ring mee naar binnen heeft genomen,' zegt Kylie. 'Dat was ik helemaal vergeten.'

'Die was van hem.' Zelfs Gillians stem klinkt als die van een ander. Deze stem is te zwaar en treurig, en veel te afstandelijk. 'Van Jimmy.'

'Wie is Jimmy?' zegt Antonia. Als niemand antwoord geeft, kijkt ze naar de doornhaag, en dan weet ze het. 'Hij ligt daar.' Antonia leunt op haar zus.

Als het zulk noodweer wordt als de weerkundigen hebben voorspeld en de tuin loopt onder, wat dan? Gillian en Kylie en Antonia zijn doorweekt; de paraplu die Antonia ophoudt, biedt geen bescherming. Hun haar zit tegen hun hoofd geplakt; ze zullen hun kleren in de badkamer moeten uitwringen.

De grond onder de doornhaag lijkt ingezakt, alsof de aarde op zichzelf is neergestort, of erger nog, op Jimmy. Als hij naar boven komt, net als zijn zilveren ring, als een gruwelijke, bedorven vis, is het met hen gedaan.

'Ik wil dat mama komt,' zegt Antonia met een heel klein stemmetje.

Als ze zich eindelijk omdraaien en naar het huis rennen, sopt het gras onder hun voeten. Ze gaan harder rennen; ze rennen alsof hun nachtmerries hen op de hielen zitten. Zodra ze binnen zijn, draait Gillian de deur op slot, zeult er een stoel heen en zet hem onder de deurkruk.

Die zwarte nacht in juni, toen Gillian onder een kring van licht de oprit opreed, had ook een eeuw geleden kunnen zijn. Ze is niet meer dezelfde als toen ze kwam. De vrouw die naar de voordeur sloop met zo'n dwingende noodkreet dat hij alleen door radeloosheid kon zijn ingegeven, zou allang haar spullen in de auto hebben gegooid en zijn vertrokken. Ze zou nooit zijn gebleven om af te wachten wat de speurneus uit Tucson zou doen met alle informatie die Sally hem verschafte. Ze zou zich uit de voeten hebben gemaakt en geen briefje hebben achtergelaten voor Ben Frye, al hield ze net zoveel van hem als vanavond. Ze zou inmiddels al halverwege

Pennsylvania zijn, met de radio aan, lekker hard, en met een volle tank. Ze zou niet eens in haar achteruitkijkspiegeltje hebben gekeken, niet één keer, nog geen twee tellen. En dat is het verschil, het is duidelijk en simpel: deze vrouw gaat helemaal nergens heen, alleen naar de keuken om kamillethee voor haar nichtjes te zetten, om ze weer wat tot bedaren te brengen.

'Er kan ons niets gebeuren,' zegt ze tegen de meisjes. Haar haar ziet er niet uit en haar adem gaat hortend; de mascara loopt in onregelmatige strepen over haar bleke huid. Ondanks alles is zij hier en Sally niet, en het is haar taak om de meiden naar bed te sturen en hen ervan te overtuigen dat ze alles in de hand heeft. Maak je maar geen zorgen, dat houdt ze hen voor. Vanavond kan hen niets gebeuren. Terwijl de regen met bakken uit de hemel komt, terwijl de wind in het oosten opsteekt, zal Gillian er iets op verzinnen, ze moet wel. Tenslotte kan Sally haar niet helpen om te bedenken wat ze moet doen, net zo min als ze in staat is om uit een boom te springen en te vliegen.

Niet langer in balans gehouden door logica, voelt Sally zich gewichtloos. Zij, die altijd het verstandige en het nuttige boven al het andere heeft geplaatst, is het spoor bijster geraakt zodra ze over de grote weg reed. Ze kon Motel De Schuilplaats niet vinden, hoewel ze er al honderden keren langs is gekomen. Ze moest bij een tankstation stoppen om de weg te vragen en toen begon dat hartaanval-gedoe weer, waardoor ze haar toevlucht moest nemen tot het smerige toilet, waar ze koud water in haar gezicht plensde. Ze bekeek zichzelf in de groezelige spiegel boven de wastafel en haalde een paar minuten diep adem voor ze zich weer in de hand had.

Maar al snel kwam ze tot de ontdekking dat dat niet helemaal gelukt was. Toen ze de grote weg was opgedraaid, zag ze de remlichten van de auto voor haar over het hoofd, wat tot een kleine aanrijding had geleid die helemaal haar schuld was. De linker koplamp van haar Honda hangt los en elke keer dat ze op de rem trapt, dreigt hij er voorgoed af te vallen.

Als ze Motel De Schuilplaats eenmaal heeft bereikt, is haar gezin thuis al halverwege de maaltijd en de parkeerplaats van de kip-afhaal schuin aan de overkant is stampvol. Sally moet niet aan eten denken. Haar maag is onrustig en zij is zenuwachtig, krankzinnig zenuwachtig. Dat is waarschijnlijk ook de reden waarom ze twee keer haar haar borstelt voordat ze uitstapt en naar de receptie van het motel loopt. Op het asfalt glinsteren plasjes olie; een eenzame wilde-appelboom, in het midden van het enige stukje aarde en omgeven door rode geraniums, staat te trillen door het verkeer dat over de grote weg raast. Er staan maar vier auto's op de parkeerplaats, waarvan er drie echte rammelkasten zijn. Als ze moest raden wat Gary's auto was, kwam degene die het verst van de receptie stond het dichtst in de buurt – een Ford die er uitziet als een huurauto. Maar het belangrijkste is dat hij zo keurig netjes is geparkeerd, precies zoals Sally zich voorstelt dat Gary zijn auto zou neerzetten.

Als ze aan hem denkt, aan zijn bezorgde blik en de groeven in zijn gezicht, wordt Sally alleen nog maar zenuwachtiger. Als ze bij de receptie staat, verschikt ze de riem van haar handtas; ze laat haar tong over haar lippen glijden. Ze voelt zich als een vrouw die buiten haar eigen leven is getreden en een woud binnengaat waarvan ze niet eens wist dat het bestond, laat staan dat ze weet waar de weggetjes en de paden lopen.

De vrouw achter de receptie zit aan de telefoon en is verwikkeld in een gesprek dat nog uren kan duren.

'Ja, maar hoe moet hij het nou weten als je het hem niet hebt verteld?' vraagt ze met een stem vol verachting. Ze pakt een sigaret en ziet Sally staan.

'Ik ben op zoek naar Gary Hallet,' Zodra Sally het hardop heeft gezegd, begint ze te twijfelen aan haar eigen verstand. Waarom gaat ze uit zichzelf naar iemand toe die alleen maar rampspoed kan betekenen? Waarom gaat ze hierheen op een avond dat ze zo in de war is? Ze kan zich totaal niet concentreren, dat is wel duidelijk. Ze kan zich niet eens meer herinneren wat de hoofdstad van de staat New York is. Ze weet niet waar meer calorieën in zitten, in boter of in margarine, en of monarchvlinders al dan niet een winterslaap houden.

'Hij is er niet,' zegt de vrouw achter de balie tegen Sally. 'Eens een idioot, altijd een idioot,' zegt ze in de hoorn. 'Natuurlijk weet je dat. Ik weet dat je het weet. Maar de belangrijkste vraag is: Waarom doe je er niets aan?' Ze staat op, trekt het snoer mee, pakt een sleutel van het rek aan de muur en geeft hem aan Sally. 'Kamer zestien,' zegt ze.

Sally deinst achteruit, alsof ze zich heeft gebrand. 'Ik wacht hier wel.'

Ze neemt plaats op een blauwe, plastic bank en pakt een tijdschrift. Maar het is de *Time* en het omslagartikel luidt 'Crime passionel'. Dat kan Sally er nu niet bij hebben. Ze laat het blad weer op de salontafel vallen. Had ze er maar aan gedacht om andere kleren aan te trekken, in plaats van dit oude T-shirt met een korte broek van Kylie. Niet dat het veel uitmaakt. Niet dat het iemand iets kan schelen hoe zij erbij loopt. Ze pakt de borstel uit haar tas en haalt hem nog een laatste keer door haar haar. Ze vertelt het hem gewoon en dat is dan dat. Haar zus is een stommeling – is dat strafbaar? Ze heeft een klap opgelopen door haar jeugd, toen is ze opgestapt en heeft als volwassene ook een puinhoop van haar leven gemaakt, zodat het allemaal tenminste zou kloppen. Sally probeert te bedenken hoe ze dit aan Gary Hallet moet uitleggen terwijl hij haar aanstaart, en op dat moment dringt het tot haar door dat ze aan het hyperventileren is. Haar ademhaling gaat zo jachtig dat de vrouw achter de balie steeds kijkt of ze niet onderuit gaat, en of zij het alarmnummer moet bellen.

'Weet je waar ik zo benieuwd naar ben?' zegt de vrouw achter de balie in de hoorn. 'Waarom vraag je me om raad als je toch niet luistert? Ga gewoon je gang, doe wat je wilt en laat mij erbuiten.' Ze werpt een blik op Sally. Dit is een privé-gesprek, al vindt de helft ervan plaats in het openbaar. 'Weet je zeker dat je niet liever op zijn kamer wacht?'

'Ik wacht wel in mijn auto,' zegt Sally.

'Prima,' zegt de vrouw, die haar telefoongesprek opschort tot ze haar privacy heeft herwonnen.

'Laat me raden.' Sally knikt in de richting van de telefoon. 'Je zus?'

Een zusje in Port Jefferson dat de afgelopen tweeënveertig jaar doorlopend goede raad nodig heeft gehad. Anders zou ze van elke creditcard de kredietlimiet hebben overschreden en bij haar eerste man zijn gebleven, die honderd keer erger was dan de huidige.

'Ze is alleen maar met zichzelf bezig, ik word er gek van. Dat komt ervan als je de jongste bent en iedereen zich tegen je aan bemoeit,' verkondigt de vrouw achter de balie. Ze legt haar hand over de hoorn. 'Ze willen dat je voor ze zorgt en alles voor ze oplost, maar je krijgt er nooit iets voor terug.'

'Dat is zo,' valt Sally haar bij. 'Het komt omdat ze het kleintje zijn. Daar groeien ze nooit overheen.'

'Vertel mij wat,' zegt de vrouw.

Maar hoe zit het als je de oudste bent, vraagt Sally zich af, als ze naar buiten loopt en even blijft staan om een Cola Light uit de automaat te halen. Ze stapt over de regenboogkleurig omlijnde plassen olie als ze teruggaat naar haar auto. Stel dat je er eeuwig toe bent veroordeeld om een ander te vertellen wat hij moet doen, om je verantwoordelijk te gedragen en tien keer per dag te moeten zeggen: Zei ik het niet? Of ze het wil toegeven of niet, dat is wat Sally altijd doet, wat ze heeft gedaan zolang ze zich kan herinneren.

Vlak voor Gillian haar haar af liet knippen, met als gevolg dat alle meisjes van de stad naar de kapper renden en om precies hetzelfde model smeekten, was Gillians haar net zo lang geweest als dat van Sally, misschien nog wel langer. Het had de kleur van tarwe, oogverblindend in het zonlicht en fijn als zijde, als Gillian tenminste de moeite had genomen om het te borstelen. Nu vraagt Sally zich af of ze misschien jaloers was en of ze Gillian daarom steeds plaagde dat ze er niet uitzag met al die klitten in haar haar.

Maar toen Gillian op een dag thuiskwam met kort haar, was Sally diep geschokt. Ze had het er niet eens met Sally over gehad voor ze de knoop doorhakte. 'Hoe kun je jezelf zoiets aandoen?' had Sally gevraagd.

'Daar heb ik heel goede redenen voor,' zei Gillian. Ze zat voor de spiegel en smeerde rouge op de welving van haar wangen. 'En die spel je G-E-L-D.'

Gillian hield bij hoog en bij laag vol dat er al dagen een vrouw achter haar aanliep, die haar nu eindelijk had aangesproken. Ze had Gillian tweeduizend dollar geboden, contant, zo in het handje, als Gillian met haar mee wilde komen naar de kapper en haar haar tot aan de oren wilde laten afknippen, zodat die vrouw met haar korte, grijze haar een pruik kon krijgen om op feestjes te dragen.

'Ja, hoor,' zei Sally. 'Alsof iemand zo gek zou zijn.'

'O, nee?' zei Gillian. 'Dacht je van niet?'

Ze stak een hand in de zak van haar spijkerbroek en haalde een rol bankbiljetten te voorschijn. De tweeduizend dollar, contant. Gillian had een brede grijns op haar gezicht en Sally kon haar wel wat doen.

'Nou, je ziet er niet uit,' zei ze. 'Je bent net een jongen.'

Ze zei het terwijl ze heel goed zag dat Gillian een onvoorstelbaar sierlijke nek had, zo slank en lieflijk dat een volwassen man alleen al bij de aanblik ervan tranen in zijn ogen kon krijgen.

'Nou en?' zei Gillian. 'Het groeit wel weer aan.'

Maar het werd nooit meer zo lang, het kwam niet voorbij haar schouders. Gillian waste het met rozemarijn, met viooltjes en rozeblaadjes en zelfs met ginsengthee, het mocht allemaal niet baten.

'Dat komt er nou van,' zei Sally. 'Dat is het gevolg van je hebzucht.'

Wat heeft het Sally opgeleverd dat ze altijd zo'n brave betweter is geweest? Het heeft haar in een natte, nare nacht op deze parkeerplaats doen belanden. Nu weet ze haar plaats, voorgoed. Wat denkt ze wel om ervan uit te gaan dat zij het altijd beter weet? Als ze gewoon de politie had gebeld toen Gillian plots op de stoep stond, als ze niet per se het heft in handen had moeten nemen en alles had willen regelen, als ze niet had gevonden dat alles – zowel de oorzaak als het gevolg – haar verantwoordelijkheid was, hadden Gillian en zij nu niet zo in de problemen gezeten. Het is de rook die door de muren van het huisje van hun ouders drong. Het zijn de zwanen in het park. Het is het stoplicht waar niemand acht op slaat, tot het te laat is.

Sally is haar hele leven alert geweest en dat vereist logica en gezond verstand. Als haar ouders haar hadden meegenomen, had zij de scherpe brandlucht geroken, daar is ze van overtuigd. Ze zou de blauwe vonk hebben gezien die op het vloerkleed belandde, de eerste van vele, glinsterend als een ster, en toen een baan van sterren, blauw schitterend op het hoogpolige tapijt, vlak voor het in vlammen opging. Op die dag dat de tieners te veel hadden gedronken en toen in een auto van hun pappie stapten, zou zij Michael de stoep weer op hebben getrokken. Ze had haar kindje toch ook gered toen de zwanen haar te lijf wilden gaan? Vanaf dat moment had ze toch gezorgd dat alles goed kwam – met haar kinderen en het huis, de tuin en de elektriciteitsrekening en de was die, als hij aan de lijn hangt, nog witter is dan sneeuw?

Vanaf het allereerste begin heeft Sally zichzelf voorgelogen, zichzelf wijsgemaakt dat ze alles aankon, en ze wil niet langer liegen. Nog een leugen en ze is verloren. Nog een en ze zal nooit meer de weg terugvinden door het woud.

Sally giet haar Cola Light achterover; ze sterft van de dorst. Haar keel voelt rauw aan van de leugens die ze Gary Hallet op de mouw heeft gespeld. Ze wil haar geweten zuiveren, ze wil het allemaal kwijt, ze wil dat er iemand naar haar luistert en ook echt hoort wat ze zegt, zoals niemand ooit eerder heeft gedaan. Als ze Gary de weg ziet oversteken, met een portie kip in zijn hand, weet ze dat ze haar auto kan starten en kan wegrijden voor hij haar herkent. Maar ze blijft waar ze is. Als ze ziet dat Gary haar kant opkomt, schiet het vuur kriskras onder haar huid door. Het is onzichtbaar, maar het is er wel. Zo gaat dat met verlangen, het ligt op de loer op een parkeerplaats en het wint altijd. Hoe dichterbij Gary komt, hoe erger het wordt. Sally moet zelfs een hand onder haar T-shirt laten glijden en stevig drukken, om er zeker van te zijn dat haar hart niet uit haar lichaam ontsnapt.

De wereld lijkt grijs en de wegen zijn glibberig, maar Gary heeft geen problemen met de donkere, sombere nacht. In Tucson heeft hij maanden lang niets anders gezien dan blauwe luchten en Gary trekt zich niets aan van een beetje regen. Misschien kan de regen iets veranderen aan zijn gevoel en zijn zorgen wegwassen. Misschien kan hij morgen om vijf voor half tien op het vliegtuig stappen, naar de stewardess glimlachen en een paar uurtjes slapen voor hij zich weer op kantoor moet melden.

In zijn beroep heeft Gary geleerd opmerkzaam te zijn, maar wat hij nu ziet, kan hij nauwelijks geloven. Dat komt deels omdat hij Sally overal dacht te zien; op een zebrapad waar hij langs reed, daarna toen hij kip ging halen en nu weer hier op de parkeerplaats. Ze is waarschijnlijk een hersenschim; wat hij wil zien in plaats van wat hij werkelijk ziet. Gary loopt op de Honda af en knijpt zijn ogen toe. Het is Sally's auto, toch, en zij is het, achter het stuur, en ze toetert naar hem.

Gary opent het portier, gaat naast haar zitten en slaat het portier dicht. Zijn haar en zijn kleren zijn nat en de kip die hij bij zich heeft, dampt en ruikt naar olie.

'Ik dacht al dat jij het was,' zegt hij.

Hij moet zijn benen optrekken om in de auto te passen; hij houdt het bakje kip in evenwicht op zijn schoot.

'Die ring was van Jimmy,' zegt Sally.

Ze was niet van plan geweest om het er meteen uit te gooien, maar misschien is het maar beter zo. Ze kijkt naar Gary om zijn reactie te peilen, maar hij kijkt haar alleen maar aan. God, ze wilde dat ze rookte of dronk of wat dan ook. De spanning is zo opgelopen dat ze het gevoel heeft dat het minstens vijftig graden is in de auto. Sally is verbaasd dat de vlammen niet uit haar lijf slaan.

'Nou?' zegt ze uiteindelijk. 'We hebben tegen je gelogen. Die ring in mijn keuken was van James Hawkins.'

'Dat weet ik.' Gary klinkt nu nog bezorgder dan eerst. Zij is de ware, dat is duidelijk. Onder bepaalde omstandigheden zou hij bereid zijn alles op te geven voor Sally Owens. Hij zou bereid zijn om in het ravijn te springen dat hij voelt naderen, zonder erbij stil te staan hoe snel hij naar beneden zou storten, of met wat voor afgrijselijke klap hij zou neerkomen. Gary strijkt met zijn vingers zijn natte haar naar achteren en heel even ruikt de auto naar regen. 'Heb je al gegeten?' Hij houdt het bakje kip omhoog. Hij heeft ook uienringen en patat.

'Ik krijg geen hap door mijn keel,' zegt Sally tegen hem.

Gary doet het portier open en zet het bakje buiten in de regen. Hij heeft absoluut geen trek meer in kip.

'Ik ben bang dat ik flauwval,' waarschuwt Sally hem. 'Ik heb het gevoel alsof ik een hartaanval krijg.'

'Omdat je begrijpt dat ik je zus zal moeten vragen of ze weet waar Hawkins is?'

Dat is niet de reden. Sally gloeit tot in haar vingertoppen. Ze haalt haar handen van het stuur, uit angst dat er stoom onder haar nagelriemen vandaan zal komen en legt beide handen in haar schoot. 'Ik zal je zeggen waar hij is.' Gary Hallet kijkt naar haar alsof Motel De Schuilplaats en de rest van weg niet eens bestaan. 'Dood,' zegt Sally.

Gary denkt hierover na terwijl de regen op het dak van de auto tikt. Ze kunnen niet door de voorruit kijken en alle raampjes zijn beslagen.

'Het was een ongeluk,' zegt Sally uiteindelijk. 'Niet dat hij het niet verdiende. Niet dat er ooit een grotere hufter op aarde heeft rondgelopen.'

'Hij zat bij mij op de middelbare school.' Gary praat langzaam, met verdriet in zijn stem. 'Niemand mocht hem. Het schijnt dat hij een keer twaalf paarden heeft afgeschoten op een boerderij, toen ze hem geen werk wilden geven. Een kogel door hun kop, één voor één.'

'Precies,' zegt Sally. 'Dat bedoel ik nou.'

'Wil je dat ik hem uit mijn hoofd zet? Wil je dat van me vragen?'

'Hij zal niemand meer kwaad doen,' zegt Sally. 'Daar gaat het om.'

De vrouw die in de receptie van het motel werkt, is naar buiten komen stormen, een zwarte poncho over haar hoofd en een bezem in haar hand, om te proberen de goot te ontstoppen vóór het voorspelde noodweer van morgen. Sally denkt niet eens aan haar goot. Ze vraagt zich niet af of de meisjes de ramen wel dicht hebben gedaan, en op dit moment zal het haar ook een zorg zijn of haar dak bestand is tegen een storm met orkaankracht.

'Hij kan alleen nog maar iemand kwaad doen als je naar hem blijft zoeken,' voegt Sally eraan toe. 'Dan wordt mijn zus de dupe, en ik ook, en is alles voor niets geweest.'

Ze beschikt over een logica waar Gary niets tegenin kan brengen. De lucht wordt al donkerder en als Gary Sally aankijkt, ziet hij alleen haar ogen. Op de een of andere manier weet hij niet meer precies wat goed en wat kwaad is. 'Ik weet niet wat ik moet doen,' bekent hij. 'In deze hele situatie zit ik met één probleem. Ik ben niet onpartijdig. Ik kan wel doen alsof, maar dat is niet zo.'

Hij kijkt haar aan op dezelfde manier als toen ze de deur opendeed. Sally is zich zowel bewust van zijn bedoelingen als van zijn innerlijke strijd; ze weet heel goed wat hij wil.

Gary Hallet krijgt kramp in zijn benen doordat hij zo lang in de Honda zit, maar hij is nog niet van plan om weer te gaan. Zijn opa zei altijd dat de meeste mensen het bij het verkeerde eind hadden: het kwam erop neer dat je een paard naar het water kon leiden en als het water koel genoeg was, als het echt lekker helder was, hoefde je geen moeite te doen om het te laten drinken. Vanavond voelt Gary zich eerder het paard dan de ruiter. Hij is voor haar gevallen en nu komt hij niet meer overeind. Hij is wel gewend om niet te krijgen wat hij wil en hij heeft geleerd ermee om te gaan, maar toch vraagt hij zich nu af of dat komt omdat hij nooit ergens echt vurig naar heeft verlangd. Nou, dat is nu wel het geval. Hij laat zijn blik over de parkeerplaats glijden. Morgenmiddag is hij weer thuis; zijn honden zullen uitzinnig zijn van vreugde als ze hem zien, zijn post zal op de deurmat liggen, de melk in de koelkast zal nog vers genoeg zijn om in de koffie te doen. Het punt is alleen dat hij niet terug wil. Hij blijft liever hier, opgepropt in deze piepkleine Honda, zijn maag rammelend van de honger, zijn verlangen zo hevig dat hij niet weet of hij rechtop kan blijven staan. Zijn ogen branden en hij weet dat hij er niets tegen kan beginnen als hij moet huilen. Hij kan het maar beter niet eens proberen.

'Toe, niet doen,' zegt Sally. Ze schuift dichter naar hem toe, aangetrokken door zwaartekracht, aangetrokken door krachten waar ze geen enkele invloed op kan uitoefenen.

'Ik kan er niets aan doen,' zegt Gary met zijn diepe, treurige stem. Vol zelfverachting schudt hij zijn hoofd. Vandaag zou hij alles liever hebben gedaan dan huilen. 'Let er maar niet op.'

Maar dat doet ze wel. Het gaat vanzelf. Ze schuift dichter naar hem toe om zijn tranen weg te vegen, maar in plaats daarvan slaat ze een arm om zijn nek en zodra ze dat heeft gedaan, trekt hij haar tegen zich aan.

'Sally,' zegt hij.

Het klinkt als muziek, een geluid dat absurd mooi klinkt uit zijn mond, maar ze slaat er geen acht op. Ze weet uit de jaren die ze op de achtertrap in het huis van de tantes heeft doorgebracht dat de meeste dingen die mannen zeggen gelogen zijn. Niet naar luisteren, houdt ze zichzelf voor. Het is allemaal niet waar en het is allemaal onbelangrijk, want hij fluistert dat hij altijd al naar haar op zoek is geweest. Ze zit al half bij hem op schoot en kijkt hem aan; als hij haar aanraakt voelen zijn handen zo heet aan tegen haar huid dat ze het nauwelijks kan geloven. Ze is niet in staat om te luisteren naar wat hij allemaal zegt en al helemaal niet om na te denken, want als ze dat doet, bedenkt ze misschien wel dat ze ermee moet stoppen.

Zo moet het voelen als je dronken bent, denkt Sally terwijl Gary zich tegen haar aan drukt. Ze voelt zijn handen op haar huid en ze houdt hem niet tegen. Ze zitten onder haar T-shirt, in haar korte broek en nog altijd houdt ze hem niet tegen. Ze hunkert naar de hitte die hij haar laat voelen; zij, die nergens is zonder routebeschrijving plus kaart, wil op dit moment gewoon verdwalen. Ze voelt hoe ze smelt onder zijn kussen; ze is tot alles bereid. Zo moet het voelen als je gek bent, neemt ze aan. Alles wat ze doet druist zo in tegen haar karakter, dat Sally verbijsterd is als ze een glimp van zichzelf opvangt in het mistige zijspiegeltje. Ze ziet een vrouw die verliefd kan worden als ze het zichzelf toestaat, een vrouw die Gary niet tegenhoudt als hij haar donkere haar optilt en zijn lippen tegen de welving van haar keel drukt.

Wat zou ze ermee opschieten om iets te beginnen met een man als hij? Ze zou van alles moeten voelen en daar is ze de persoon niet voor. Ze kon die arme, verwarde vrouwen die bij de tantes aan de achterdeur kwamen niet uitstaan en ze zou het onverdraaglijk vinden om nu een van hen te worden, gek van verdriet, bezeten van iets wat sommige mensen liefde noemen.

Ze duwt Gary van zich af, buiten adem, haar mond brandend, de rest van haar lichaam gloeiend. Ze heeft al die jaren zonder gekund; zo kan ze ook doorgaan. Ze kan zichzelf laten verkillen, van binnenuit. Het is opgehouden met motregenen, maar de lucht is zo zwart als een inktpot. In het oosten hoort ze de donder, terwijl boven zee de storm komt opzetten.

'Misschien laat ik dit wel toe zodat je het onderzoek afblaast,' zegt Sally. 'Heb je daar wel eens aan gedacht? Misschien ben ik zo wanhopig dat ik het met iedereen zou doen, dus ook met jou.'

Ze heeft een bittere, wrede smaak in haar mond, maar dat kan haar niets schelen. Ze wil de gekwetste blik in zijn ogen zien. Ze wil hier een eind aan maken voordat die mogelijkheid niet langer voor haar openstaat. Voordat haar gevoel haar in de greep krijgt en ze in de val zit, net als die vrouwen bij de achterdeur van de tantes.

'Sally,' zegt Gary. 'Zo ben je helemaal niet.'

'O, nee?' zegt Sally. 'Je kent me niet. Je denkt alleen maar dat je me kent.'

'Dat klopt, ik denk dat ik je ken,' zegt hij en met die uitspraak moet Sally maar genoegen nemen.

'Eruit,' zegt ze tegen Gary. 'M'n auto uit.'

Op dit moment wilde Gary dat hij haar gewoon kon pakken en haar kon dwingen, tot ze uiteindelijk zou meegeven. Hij zou hier ter plekke met haar willen vrijen, hij zou het de hele nacht willen doen en zich verder nergens wat van aan willen trekken en niet luisteren als ze zei dat ze het niet wilde. Maar zo'n man is hij niet en zal hij ook nooit worden. Hij heeft te veel levens verwoest zien worden door mannen die hun pik achterna liepen. Alsof je bezwijkt voor de verleiding van drugs of alcohol of het snel verdiende geld, dat je zo hard nodig hebt en waar je verder niet moeilijk over doet. Gary heeft altijd kunnen begrijpen waarom mensen toegeven aan hun eigen verlangen, zonder zich iets van een ander aan te trekken. Ze schakelen hun hoofd uit, maar dat is hij niet van plan, zelfs niet als de consequentie is dat hij niet kan krijgen waar hij naar verlangt.

'Sally,' zegt hij en zijn stem raakt haar dieper dan ze ooit voor mogelijk had gehouden. Het is de vriendelijkheid die haar vermurwt, het is de vergiffenis, ondanks alles wat er is gebeurd en nog staat te gebeuren.

'Ik wil dat je uitstapt,' zegt Sally. 'Dit is een vergissing. We maken een fout.'

'Dat is niet zo.' Maar Gary opent het portier en stapt uit. Hij buigt zich voorover en Sally dwingt zichzelf strak vooruit te kijken, naar de ruit. Ze durft hem niet aan te kijken.

'Doe dicht,' zegt Sally. Haar stem klinkt broos, een gebarsten, onbetrouwbaar ding. 'Ik meen het.'

Hij sluit het portier, maar blijft staan kijken. Zelfs zonder een blik opzij te werpen, weet Sally dat hij niet weg is gelopen. Zo moet het blijkbaar gaan. Ze zal eeuwig afstandelijk blijven, ver verwijderd als de sterren, ongenaakbaar en onaangedaan, voor eeuwig en altijd. Sally geeft gas en weet dat ze hem, als ze achterom zou kijken, nog altijd op de parkeerplaats zou zien staan. Maar ze kijkt niet achterom, want als ze dat doet weet ze ook hoe intens ze naar hem verlangt, alsof ze daar iets mee op zou schieten.

Gary kijkt haar na als ze wegrijdt en hij staat nog steeds te kijken als de eerste bliksemschichten de hemel openscheuren. Hij is erbij als de wilde-appelboom aan de andere kant van de parkeerplaats wit uitslaat van de hitte; hij staat zo dichtbij dat hij de spanning kan voelen. En die blijft hem de hele weg naar huis achtervolgen, hoog boven het noodweer in de lucht zwevend, op weg naar het westen. Aangezien hij zo ternauwernood is ontsnapt, is het niet verwonderlijk dat hij staat te trillen als hij de sleutel in zijn eigen voordeur steekt. Naar Gary's overtuiging is de grootste portie verdriet die welke je voor jezelf opschept, en Sally en hij hebben vanavond aan dezelfde tafel opgeschept. Het enige verschil is dat hij weet wat hij mist, en zij er geen idee van heeft waarom ze moet huilen, terwijl ze over de grote weg rijdt.

Als Sally thuiskomt, het donkere haar los, haar lippen beurs van alle kussen, is Gillian nog op. Ze zit in de keuken, drinkt thee en luistert naar het onweer.

'Heb je met hem geneukt?' zegt Gillian.

De vraag is zowel zeer schokkend als volstrekt normaal, aangezien Gillian hem stelt. Sally moet zelfs lachen. 'Nee.'

'Helaas,' zegt Gillian. 'Ik had verwacht van wel. Ik dacht dat je voor hem was gevallen. Je had die blik in je ogen.'

'Je hebt je vergist,' zegt Sally.

'Hebben jullie het dan tenminste wel op een akkoordje gegooid? Heeft hij gezegd dat wij niet aangeklaagd worden? Laat hij het rusten?'

'Hij moet erover nadenken.' Sally gaat aan tafel zitten. Ze voelt zich alsof ze een klap heeft gekregen. Het sombere besef dat ze Gary nooit meer zal zien, daalt als een deken van as op haar neer. Ze denkt aan zijn kussen en de manier waarop hij haar streelde en ze raakt weer volledig van de kaart. 'Hij heeft een geweten.'

'Dat moeten wij weer hebben. En het wordt alleen maar erger.'

De wind blijft aanzwellen, tot er in de hele straat niet één vuilnisbak meer recht overeind staat. De wolken zijn dik als zwarte bergen. In de achtertuin, onder de doornhaag, zal de aarde veranderen in modder en vervolgens in water, een poel van bedrog en berouw.

'Jimmy blijft niet onder de grond liggen. Eerst die ring, nu een laars. Ik durf er niet eens aan te denken wat hierna komt. Als ik het me probeer in te denken, wordt alles zwart. Ik heb naar het nieuws geluisterd en de storm die op komst is, belooft weinig goeds.'

Sally schuift haar stoel wat dichter naar Gillian. Hun knieën raken elkaar. Hun hartslag is precies gelijk, zoals altijd tijdens een onweersbui. 'Wat moeten we doen?' fluistert Sally.

Het is voor het eerst dat ze Gillian om een mening of om raad heeft gevraagd en Gillian volgt haar voorbeeld. Het klopt inderdaad, wat men beweert over om hulp vragen. Haal diep adem en het is een stuk minder pijnlijk om het hardop toe te geven.

'Bel de tantes,' zegt Gillian tegen Sally. 'Nu meteen.'

Op de achtste dag van de achtste maand arriveren de tantes met de Greyhound-bus. Zodra de chauffeur eruit is gesprongen, haalt hij hun zwarte koffers als eerste uit de bagageruimte, al is de grootste koffer zo zwaar dat hij al zijn kracht nodig heeft om hem te verschuiven; hij scheurt bijna een gewrichtsband als hij hem eruit tilt.

'Rustig een beetje,' zegt hij tegen de andere passagiers, die mopperen dat zij hun spullen eerst moeten hebben, omdat ze de aansluiting met de bus moeten halen of omdat hun man of vriend staat te wachten. De chauffeur trekt zich niets van hen aan en gaat onverstoorbaar verder. 'Ik wil de dames niet laten wachten,' zegt hij tegen de tantes.

De tantes zijn zo oud dat hun leeftijd een raadsel is. Hun haar is wit en hun rug krom. Ze dragen een lange zwarte jurk met leren veterlaarzen. Al zijn ze in geen veertig jaar meer buiten Massachusetts geweest, ze zijn zeker niet geïmponeerd door de reis. Nergens door, eigenlijk. Ze weten wat ze willen en ze komen onomwonden voor hun mening uit. Ze besteden dan ook geen enkele aandacht aan het gemopper van de andere passagiers en vertellen de chauffeur precies hoe hij de grootste koffer voorzichtig op het trottoir moet zetten.

'Wat zit erin?' grapt de chauffeur. 'Een ton stenen?'

De tantes geven niet eens antwoord; ze kunnen maar weinig geduld opbrengen met flauwe grapjes en ze hebben geen behoefte aan een praatje. Ze staan op de hoek bij de bushalte en fluiten naar een taxi; zodra er eentje stopt, vertellen ze precies waar ze heen willen – tien kilometer langs de grote weg, voorbij de supermarkt en het winkelcentrum, voorbij de Chinees en de broodjeszaak en de ijssalon waar Antonia afgelopen zomer heeft gewerkt. De tantes ruiken naar lavendel en zwavel, een verwarrende combinatie, en misschien houdt de taxichauffeur daarom wel de deur voor hen open als ze bij Sally's huis zijn aangekomen, al hebben ze hem niet eens een fooi gegeven. De tantes geloven niet in fooien, vroeger ook al niet. Ze geloven in werken voor je geld en je werk goed doen. En goed beschouwd is dat ook waarom zij nu hier zijn.

Sally had aangeboden om ze van de bus te halen, maar daar wilden de tantes niets van weten. Ze kunnen hun eigen boontjes wel doppen. Ze benaderen een plek het liefst langzaam, precies zoals ze nu doen. Het gras is nat en de lucht is roerloos en zwaar, zoals altijd voordat het noodweer losbarst. Er hangt een waas boven de daken en de schoorstenen. De tantes staan op Sally's oprit, tussen de Honda en Jimmy's Oldsmobile, de zwarte koffers tussen hen in. Ze sluiten hun ogen om de plek op hen te laten inwerken. Vanuit de populieren slaan de mussen hen met belangstelling gade. De spinnen laten hun web rusten. Na middernacht gaat het regenen, daar zijn de tantes het over eens. Het zal in golven naar beneden komen, als rivieren van glas. Het zal blijven vallen tot de hele wereld zilverkleurig glanst en alles ondersteboven lijkt te staan. Dat soort dingen kun je voelen als je last hebt van reuma of wanneer je al zo lang leeft als de tantes. Gillian zit binnen en is prikkelbaar, zoals sommige mensen dat zijn voordat de bliksem inslaat. Ze draagt een oude spijkerbroek met een zwarte, katoenen blouse en ze heeft haar haar niet gekamd. Ze is net een kind dat weigert zich op te tutten voor het bezoek. Maar het bezoek is toch gekomen; Gillian kan hun aanwezigheid voelen. De lucht is dik als chocoladecake; lekkere cake, zonder bloem. De plafondlamp in de woonkamer begint heen en weer te zwaaien; de metalen ketting rinkelt, alsof er ergens een deksel ligt te tollen. Gillian doet met een ruk de gordijnen open en kijkt naar buiten.

'O, mijn god,' zegt ze. 'De tantes staan op de oprit.'

Buiten is de lucht nog dikker geworden, als soep, en er hangt een gelige, zwavelachtige geur, die sommige mensen wel lekker vinden en die anderen zo vies vinden dat ze met een klap hun ramen sluiten en de airconditioning aanzetten. Tegen de avond zal de wind zo zijn aangewakkerd dat hij hondjes kan meevoeren en kinderen uit hun schommel kan kieperen, maar vooralsnog is het slechts een briesje. Linda Bennett rijdt net de oprit naast hen op; als ze uit de auto stapt, heeft ze een zak boodschappen tegen haar heup gedrukt en zwaait naar de tantes met haar lege hand. Sally had gezegd dat er een paar oudere familieleden zouden komen logeren.

'Ze zijn een beetje vreemd,' had Sally haar buurvrouw gewaarschuwd, maar voor Linda zijn het twee schattige oude dametjes.

Linda's dochter, die Jessie heette en zich nu Isabella noemt, komt ook uit de auto en trekt haar neus op – waar ze tegenwoordig drie zilveren ringetjes in draagt – alsof ze iets bedorvens ruikt. Ze kijkt op en ziet hoe de tantes Sally's huis opnemen.

'Wie zijn die oude taarten?' vraagt de zogenaamde Isabella aan haar moeder. Haar woorden dragen over het gras en alle afzonderlijke, nare lettergrepen vallen met een klap op Sally's oprit. De tantes draaien zich om en kijken Isabella aan met hun heldere, grijze ogen en op dat moment voelt zij iets heel vreemds in haar vingers en tenen, een gevoel dat zo griezelig en merkwaardig is dat ze naar binnen rent, in bed kruipt en de dekens over haar hoofd trekt. Het zal weken duren voor ze weer een grote mond opzet tegen haar moeder, of tegen wie dan ook, en zelfs dan houdt ze zich even in, bedenkt zich en formuleert haar zin opnieuw, ditmaal met 'alsjeblieft' of 'dank je wel' erbij.

'Als ik iets kan doen zolang u hier bent, dan zegt u het maar,' roept Linda naar Sally's tantes en ze voelt zich meteen stukken beter dan ze in jaren heeft gedaan.

Sally is naast haar zus komen staan en tikt tegen het raam om de aandacht van de tantes te vangen. De tantes kijken op en knijpen hun ogen toe; zodra ze Sally en Gillian aan de andere kant van de ruit ontdekken, beginnen ze te zwaaien, net als de eerste keer, toen de meisjes op het vliegveld van Boston aankwamen. Maar voor Sally is het net alsof er twee werelden botsen, als ze de tantes op haar eigen oprit ziet staan. De inslag van een meteoriet naast de Oldsmobile of vallende sterren in de tuin, zouden minder opmerkelijk zijn dan het feit dat de tantes nu eindelijk hier zijn gekomen.

'Kom mee,' zegt Sally en trekt aan Gillians mouw, maar Gillian schudt haar hoofd.

Gillian heeft de tantes achttien jaar niet meer gezien. Hoewel ze veel minder snel oud zijn geworden dan zijzelf, is het haar nooit echt opgevallen hoe oud ze waren. Ze heeft ze altijd als een eenheid gezien, als één geheel, maar nu ziet ze dat tante Frances bijna vijftien centimeter langer is dan haar zus en dat tante Bridget, die ze altijd tante Jet noemden, eigenlijk vrolijk en gezet is, een gezellige kwebbel in een zwarte jurk met laarzen.

'Ik heb tijd nodig om dit te verwerken,' zegt Gillian.

'Hopelijk heb je aan twee minuten genoeg,' zegt Sally, terwijl ze naar buiten loopt om hun gasten te verwelkomen.

'De tantes!' roept Kylie als ze ziet dat ze er zijn. Ze roept naar boven naar Antonia, die met twee treden tegelijk de trap af komt stormen. De zussen schieten naar de openstaande deur, maar zien dan dat Gillian nog altijd voor het raam staat.

'Kom mee,' roept Kylie naar haar.

'Ga maar vast,' zegt Gillian tegen de meisjes. 'Ik kom er zo aan.'

Kylie en Antonia rennen naar de oprit en vliegen de tantes om de hals. Ze joelen en gillen en springen om de tantes heen, tot ze rode konen hebben en buiten adem zijn. Toen Sally belde om hen van het probleem in de achtertuin te vertellen, luisterden de tantes aandachtig en verzekerden haar dat ze de eerste de beste bus naar New York zouden nemen, zodra ze eten hadden klaargezet voor de laatst overgebleven kat, de oude Ekster. De tantes hebben altijd hun beloften gehouden en dat doen ze nog steeds. Ze geloven dat er voor elk probleem een oplossing bestaat, al is het resultaat niet altijd dat waarop aanvankelijk werd gehoopt of wat werd verwacht.

Zo hadden de tantes bijvoorbeeld nooit verwacht dat hun leven zo ingrijpend zou veranderen door een enkel telefoontje midden in de nacht, zoveel jaar geleden. Het was oktober en het was koud en het tochtte in het grote huis; de lucht was zo dreigend dat iedereen die de moed had om buiten te lopen, teneergedrukt werd. De tantes hadden een vaste dagindeling waar ze zich onder alle omstandigheden aan hielden. 's Ochtends maakten ze een ommetje, dan lazen ze wat en schreven in hun dagboek, dan gingen ze lunchen – elke dag hetzelfde: aardappelpuree met pastinaakwortel, rijstebrij en appeltaart toe. 's Middags deden ze een tukje en als het begon te schemeren gingen ze aan het werk, als er iemand aan de achterdeur was gekomen. Het avondeten gebruikten ze altijd in de keuken – witte bonen met geroosterd brood, soep en crackers – en ze deden zo min mogelijk lampen aan om stroom te sparen. 's Nachts moesten ze in het duister leven, aangezien ze nooit konden slapen.

Hun harten waren gebroken op de avond dat die twee broers over het gras in het park waren gerend; zo volkomen en zo onverwacht gebroken dat de tantes zich ertegen wapenden om ooit nog ergens door overvallen te worden, niet door de bliksem en al helemaal niet door de liefde. Ze geloofden in vaste patronen en verder eigenlijk nergens in. Zo heel nu en dan gingen ze naar een bijeenkomst in het gemeentehuis, waar hun gewichtige aanwezigheid al snel de uitslag van een stemming kon beïnvloeden, of ze gingen naar de bibliotheek, waar de aanblik van hun zwarte jurk en laarzen al snel stilte afdwong, zelfs bij de drukste klantjes.

De tantes meenden te weten hoe hun leven eruitzag en wat het voor hen in petto had. Ze waren bekend met hun eigen lot, tenminste dat dachten ze. Ze waren ervan overtuigd dat niets hun leven nog kon verstoren tussen het huidige bestaan en hun rustige dood, in bed natuurlijk, tengevolge van longontsteking en complicaties die optreden bij een griepje, op tweeënnegentig- en vierennegentigjarige leeftijd. Maar ze moeten iets over het hoofd hebben gezien, of misschien kan gewoon niemand zijn eigen toekomst voorspellen. De tantes hadden nooit kunnen denken dat ze in het holst van de nacht een klein, ernstig stemmetje aan de telefoon zouden krijgen dat in huis genomen wenste te worden en alles zou verstoren. Dat betekende het einde van de aardappels met pastinaakwortel bij de lunch. In plaats daarvan moesten de tantes wennen aan pindakaas en jam, crackers en lettertjesvermicelli, koekjes en handenvol M&M's. Gek genoeg zouden ze nog dankbaar zijn voor alle keelpijntjes en nachtmerries waar ze mee te maken kregen. Zonder de twee meisjes hadden ze nooit in het holst van de nacht op hun blote voeten door de gang hoeven rennen om te kijken wie van de twee een buikgriepje had en wie lekker lag te slapen.

Frances stapt op de veranda om het huis van haar nicht beter te kunnen bekijken.

'Modern, maar leuk,' luidt haar oordeel.

Sally voelt zich even heel trots. Het is het grootste compliment dat tante Frances haar kan maken; het betekent dat Sally het helemaal in haar eentje heeft klaargespeeld, en nog goed ook. Sally is dankbaar voor elk vriendelijk woord of gebaar; ze heeft het hard nodig. Ze heeft de hele nacht wakker gelegen, want telkens als ze haar ogen sloot zag ze Gary voor zich, zo duidelijk alsof hij naast haar aan tafel zat, of in de leunstoel, of in haar bed lag. Er speelt een bandje in haar hoofd, keer op keer, en ze kan het niet uitzetten. Ook nu raakt Gary Hallet haar aan, ze voelt zijn handen op haar huid terwijl ze zich bukt om de koffer van haar tante te pakken. Als ze de bagage wil optillen, merkt Sally tot haar schrik dat ze niet genoeg kracht heeft om het in haar eentje te doen. Binnenin de koffer hoort ze iets rammelen, alsof er kralen inzitten, of bakstenen, of misschien wel botten.

'Voor het probleem in de tuin,' licht tante Frances toe.

'Ah,' zegt Sally.

Tante Jet komt dichterbij en geeft Sally een arm. In de zomer waarin Jet zestien werd, pleegden twee jongens uit de stad zelfmoord om haar liefde. De een bond ijzeren staven aan zijn enkels en verdronk zichzelf in een steengroeve. De ander vond zijn einde op de spoorbaan, onder de trein van 10:02 uur naar Boston. Van alle vrouwen van Owens was Jet de allermooiste, maar ze was het zich niet eens bewust. Ze hield meer van katten dan van mensen en wees elk aanzoek van de mannen die verliefd op haar waren af. De enige van wie ze had gehouden was de jongen die door de bliksem werd getroffen, toen hij en zijn broer door het park renden om te laten zien hoe dapper ze waren. Soms, 's avonds laat, horen Jet en Frances beiden het geluid van de jongens die lachend door de regen rennen en dan in het duister belanden. Hun stemmen zijn jong en vol verwachting, precies zoals op het moment dat ze werden getroffen.

De laatste tijd loopt tante Jet met een zwarte stok, waarin bij het handvat de kop van een raaf is uitgesneden; ze loopt krom van de reuma, maar ze klaagt nooit over de pijn in haar rug als ze aan het eind van de dag de veters van haar laarzen losmaakt. Ze wast zich elke ochtend met de zwarte zeep die zij en Frances tweemaal per jaar bereiden en ze heeft dan ook een ongekend gave huid. Ze werkt in de tuin en weet nog alle Latijnse namen van de plantjes die er groeien. Er gaat geen dag voorbij of ze denkt aan de jongen van wie ze hield. Er gaat geen moment voorbij dat ze niet wenst dat de tijd rekbaar zou zijn en dat ze terug kon gaan om die jongen nog een keer te kussen.

'We zijn zo blij dat we er zijn,' verklaart Jet.

Sally glimlacht warm maar treurig. 'Ik had jullie al een hele tijd geleden moeten uitnodigen. Ik dacht dat jullie het geen van beiden leuk zouden vinden.'

'Zo zie je maar dat je nooit kunt raden wat er in een ander omgaat,' spreekt Frances haar nicht toe. 'Daarom heeft men de taal uitgevonden. Anders zouden we net honden zijn, snuffelend om erachter te komen waar we aan toe zijn.'

'Daar heb je volkomen gelijk in,' stemt Sally in.

De koffers worden naar binnen gezeuld, wat niet zonder moeite gaat. Antonia en Kylie roepen 'één, twee, drie' en doen het samen, onder het toeziend oog van de tantes. Gillian staat te wachten bij het raam en heeft overwogen om door de achterdeur te ontsnappen, zodat ze niet van de tantes hoeft te horen wat een puinhoop ze van haar leven heeft gemaakt. Maar als Kylie en Antonia de tantes mee naar binnen tronen, staat Gillian nog altijd op dezelfde plek, haar vale haar helemaal statisch.

Sommige dingen veranderen en worden nooit meer zoals ze geweest zijn. Vlinders bijvoorbeeld, en vrouwen die te vaak voor verkeerde mannen zijn gevallen. De tantes klakken met hun tong zodra ze deze volwassen vrouw zien, die ooit hun kleine meisje was. Ze aten misschien niet altijd keurig op tijd en zorgden er niet altijd voor dat er schone, keurig opgevouwen kleren in de kast lagen, maar ze waren er. Zij waren het bij wie Gillian haar heil zocht tijdens dat eerste jaar, toen de andere kinderen in de peuterklas aan haar haar trokken en haar uitscholden voor heksenkind. Gillian heeft Sally nooit verteld hoe erg dat was, hoe ze haar achterna zaten. Ze was toen nog maar drie. Het was pijnlijk, dat voelde ze toen al wel. Het was iets wat je niet graag toegaf.

Gillian kwam elke dag thuis en bezwoer Sally dat ze een enige dag had gehad, dat ze met blokken en verf had gespeeld en het konijntje had gevoerd, dat treurig naar de kinderen keek vanuit een kooitje naast de kapstok. Maar Gillian kon de tantes niets wijsmaken als die haar kwamen halen. Aan het eind van de dag zat haar haar vol klitten en haar gezicht en benen zaten onder de rode striemen. De tantes adviseerden haar om geen acht te slaan op de andere kinderen – om gewoon te gaan lezen en in haar eentje te gaan spelen en op de juf af te stappen als iemand haar pestte of pijn deed. Toen al was Gillian ervan overtuigd dat ze het verdiende om zo afschuwelijk behandeld te worden en ze ging dan ook nooit naar de juf om te klikken. Ze probeerde het uit alle macht voor zich te houden.

Maar de tantes merkten toch wat er speelde, aan Gillians triest afhangende schouders wanneer ze een trui aantrok, en aan het feit dat ze 's nachts niet kon slapen. De meeste kinderen kregen er na een tijdje genoeg van om Gillian te pesten, maar een aantal bleef haar treiteren – fluisterden telkens 'heks' als ze in de buurt kwam, morsten grapefruitsap op haar nieuwe schoenen, grepen plukken haar vast en trokken zo hard ze konden – en daar gingen ze mee door tot aan het kerstfeest.

Alle ouders kwamen op het kerstfeest. Ze namen koekjes, cake en schalen punch met nootmuskaat mee. De tantes kwamen laat, gekleed in een zwarte jas. Gillian had gehoopt dat ze eraan zouden denken om een pak chocoladekoekjes mee te nemen, of misschien een cake, maar de tantes hadden wel iets anders aan hun hoofd. Ze stapten meteen op de naarste kinderen af, de jongens die haren trokken, de meisjes die scholden. De tantes konden het af zonder vloeken of kruiden, zonder met wat voor straf dan ook te dreigen. Ze hoefden alleen maar naast de tafel met lekkers te gaan staan en ieder kind dat ooit gemeen tegen Gillian was geweest, werd kotsmisselijk. Deze kinderen renden meteen naar hun ouders en smeekten hen om naar huis te gaan en lagen vervolgens dagen in bed, rillend onder de wollen dekens, zo ziek en vol berouw dat hun huid een vaalgroene tint kreeg en de scherpe geur afscheidde die altijd gepaard gaat met een slecht geweten.

Toen het kerstfeest was afgelopen namen de tantes Gillian mee naar huis en lieten haar plaatsnemen op de bank in de voorkamer; de fluwelen bank met houten poten in de vorm van leeuwenklauwen, waar Gillian als de dood voor was. Schelden doet geen zeer, slaan des te meer, zeiden ze tegen haar. Gillian hoorde hen wel, maar luisterde niet echt. Ze hechtte te veel waarde aan de mening van anderen en te weinig aan die van haarzelf. De tantes hebben altijd geweten dat Gillian soms wat extra hulp nodig had, om zich staande te houden. Hun grijze ogen zijn helder en alert als ze haar opnemen. Ze zien de groeven in haar gezicht die een ander misschien niet zou opmerken; ze kunnen zien wat ze heeft doorgemaakt.

'Ik zie er vreselijk uit, zeker?' zegt Gillian. Haar stem stokt. Een minuut geleden was ze achttien en klom ze uit haar slaapkamerraam en nu staat ze hier, volkomen afgeleefd.

De tantes klakken nogmaals met hun tong en komen dichterbij om Gillian te omhelzen. Dat druist zo in tegen hun gebruikelijke gereserveerdheid dat er een snik opwelt in Gillians keel. Het moet gezegd worden dat de tantes het een en ander hebben geleerd, sinds het moment dat ze voor het blok stonden en opeens twee kleine meisjes moesten opvoeden. Ze hebben naar *Oprah* gekeken; ze weten wat er kan gebeuren als je je liefde wegstopt. In hun ogen is Gillian aantrekkelijker dan ooit, maar de vrouwen van Owens hebben altijd bekend gestaan om hun schoonheid, en om de naïeve keuzen die ze op jonge leeftijd maken. In de jaren twintig was hun nicht Jinx, wier aquarellen te bewonderen zijn in het Museum of Fine Arts, zo eigenwijs dat ze naar niemand wilde luisteren; ze dronk te veel koude champagne, gooide haar satijnen pumps over een hoge, stenen muur, danste tot het ochtendgloren op glasscherven en kon nooit meer lopen. Hun meest geliefde oudtante, Barbara Owens, trouwde met een man die zo koppig was als drie ezels bij elkaar en het vertikte om gas- en waterleidingen te laten aanleggen, omdat hij dat maar moderne onzin vond. Hun allerliefste nicht, April Owens, woonde twaalf jaar lang in de Mojave-woestijn en verzamelde spinnen in potjes met formaldehyde. Van zo'n twintig jaar ellende krijgt een mens karakter. Alhoewel Gillian het nooit zal geloven, zijn het de lijnen in haar gezicht die haar zo mooi maken. Die laten zien wat ze heeft meegemaakt en wat ze heeft doorstaan en wie ze eigenlijk is, diep van binnen.

'Nou,' zegt Gillian als ze uitgehuild is. Ze wrijft met haar handen in haar ogen. 'Wie had kunnen denken dat ik zo geëmotioneerd zou raken?'

De tantes maken het zich gemakkelijk en Sally schenkt hen allebei een glaasje gin-tonic in, wat er altijd wel ingaat en wat vooral goed valt als er werk aan de winkel is.

'Vertel eens wat meer over die man in de achtertuin,' zegt Frances. 'Jimmy.'

'Moet dat?' kreunt Gillian.

'Er zit niets anders op,' moet tante Jet tot haar spijt zeggen. 'Gewoon wat kleine dingen. Om maar iets te noemen: hoe is hij aan zijn eind gekomen?'

Antonia en Kylie nemen grote slokken Cola Light en luisteren met gespitste oren. De haartjes op hun armen staan recht overeind; dit kon nog spannend worden.

Sally heeft een pot pepermuntthee op tafel gezet, met de gebarsten mok die ze een keer op moederdag van haar dochters heeft gekregen en die nog steeds haar lievelingsbeker is. Sally kan geen koffie meer verdragen; de geur ervan roept zo'n realistisch beeld van Gary op dat ze vanochtend, toen Gillian het water opgoot, had durven zweren dat hij bij hen aan tafel zat. Ze probeert zichzelf wijs te maken dat ze zo sloom is door het gebrek aan cafeïne, maar dat is het niet. Ze is vandaag ongebruikelijk stil en zo kregel dat het Antonia en Kylie is opgevallen. Ze lijkt zo anders. De meisjes hebben het gevoel dat de vrouw die ooit hun moeder was, voorgoed is verdwenen. Niet alleen omdat het zwarte haar loshangt, terwijl het anders altijd naar achteren is gebonden; maar omdat ze zo treurig lijkt, zo ver weg.

'Volgens mij moeten we het daar niet over hebben waar de kinderen bij zijn,' zegt Sally.

Maar de kinderen zijn mateloos gefascineerd; ze staan niet voor zichzelf in als ze niet mogen horen hoe het verder is gegaan.

'Mama!' smeken ze.

Het zijn al bijna vrouwen. Daar kan Sally niets tegen beginnen. Daarom haalt ze haar schouders op, knikt Gillian toe en stemt in.

'Tja,' zegt Gillian, 'ik ben bang dat ik hem vermoord heb.'

De tantes kijken elkaar aan. Dat is iets waar ze Gillian niet toe in staat achtten. 'Hoe?' vragen ze. Dit is een meisje dat al begon te gillen als ze met haar blote voeten op een spin trapte. Als ze haar vinger prikte en er kwam bloed uit, kondigde ze aan dat ze ging flauwvallen en zakte vervolgens ineen op de vloer. Gillian geeft toe dat ze nachtschade heeft gebruikt, een plant waar ze als kind altijd al iets tegen had. Ze deed alsof het onkruid was, zodat ze er een flinke ruk aan kon geven als de tantes haar vroegen om in de tuin te werken. Toen de tantes naar de dosis informeerden en Gillian het hen vertelde, knikten ze tevreden. Precies wat ze dachten. Als de tantes ergens verstand van hebben, is het wel van nachtschade. Aan een dergelijke dosis zou een fox-terriër nog niet bezwijken, laat staan een man van dik één meter tachtig.

'Maar hij is dood,' zegt Gillian, verbluft over het feit dat haar middel niet de oorzaak kan zijn geweest. Ze kijkt Sally aan. 'Ik weet zeker dat hij dood was.'

'Zo dood als een pier,' is Sally het met haar eens.

'Maar niet door jouw toedoen.' Frances is er absoluut zeker van. 'Tenzij hij een eekhoorn was.'

Gillian slaat haar armen om de tantes. De mededeling van tante Frances vervult haar van hoop. Een naïef en bespottelijk iets op haar leeftijd, al helemaal in deze verschrikkelijke nacht, maar dat kan Gillian niets verdommen. Beter laat dan nooit, zo denkt zij erover.

'Ik ben onschuldig,' gilt Gillian.

Sally en de tantes kijken elkaar veelbetekenend aan; daar zijn ze nog niet zo zeker van.

'In dit geval,' voegt Gillian eraan toe, als ze hun blik opvangt.

'Waar is hij dan aan overleden?' vraagt Sally aan de tantes.

'Dat kan van alles zijn,' zegt Jet schouderophalend.

'Drank,' doet Kylie een gooi. 'Jarenlang zuipen.'

'Zijn hart,' suggereert Antonia.

Frances zegt dat ze net zo goed kunnen ophouden met raden; ze zullen er nooit achterkomen waaraan hij is overleden, maar ze zitten nog altijd met een lijk in de tuin. Daarom hebben de tantes alle ingrediënten meegenomen van hun recept tegen alle mogelijke nare dingen waar je in een tuin mee te maken kunt krijgen – naakstslakken of bladluis, de bloederige overblijfselen van een kraai, aan stukken gescheurd door zijn rivalen, of het soort planten dat zo giftig is dat je ze onmogelijk met de hand kunt uittrekken, zelfs niet met dikke, leren handschoenen aan. De tantes weten precies hoeveel loog ze door de ongebluste kalk moeten doen, veel meer dan bij de bereiding van hun zwarte zeep, die zo'n weldaad vormt voor de huid van de vrouw die zich er iedere avond mee wast. Stukken zeep van de tantes liggen, verpakt in doorzichtig cellofaan, in gezondheidswinkels in heel Cambridge en in diverse exclusieve zaken in Newbury Street, waar de tantes niet alleen een nieuw dak op het oude huis aan hebben te danken, maar tevens een hypermoderne septictank.

Thuis gebruiken de tantes altijd de grootste gietijzeren ketel, die al in de keuken staat sinds Maria Owens het huis heeft laten bouwen, maar nu moeten ze genoegen nemen met Sally's grootste pastapan. Ze moeten de ingrediënten drieënhalf uur laten koken en hoewel Kylie nog altijd bang is dat iemand bij Del Vecchio aan haar stem hoort dat zij de grapjas is die een tijdje geleden al die pizza's bij meneer Frye heeft laten bezorgen, bestelt ze nu twee grote pizza's, eentje met ansjovis, voor de tantes, en de andere met kaas en champignons en extra saus.

Het goedje op het gas begint te borrelen en tegen de tijd dat de pizzabezorger arriveert is het buiten guur en donker, hoewel achter de dikke wolken een prachtige witte maan zichtbaar is. De bezorger klopt driemaal en hoopt dat Antonia Owens, waar hij met algebra naast heeft gezeten, open zal doen. In plaats daarvan rukt tante Frances de deur open. De manchetten van haar mouwen zijn rokerig van al het loog dat ze heeft afgewogen en haar ogen zijn staalhard.

'Wat is er?' snauwt ze tegen de jongen, die bij haar verschijning de pizza's stijf tegen zijn borst heeft gedrukt.

'Pizza,' weet hij uit te brengen.

'Is dat je werk,' wil Frances weten. 'Eten bezorgen?'

'Ja,' zegt de jongen. Hij gelooft dat hij Antonia binnen ziet; tenminste, hij ziet een schoonheid met rood haar. Frances staart hem aan. 'Dat klopt, mevrouw,' corrigeert hij zich.

Frances haalt haar portemonnee uit de zak van haar jurk en telt achttien dollar en drieënvijftig cent uit, wat ze pure afzetterij vindt.

'Nou, als het je werk is, hoef je geen fooi te verwachten,' zegt ze tegen de jongen.

'Hé Josh,' zegt Antonia als ze de pizza's komt halen. Ze heeft een oude kiel over haar zwarte T-shirt en legging aangetrokken. Door de vochtige lucht zitten er allemaal kleine krulletjes in haar haar en haar blanke huid ziet er romig en fris uit. De bezorger is niet in staat om ook maar één woord in haar bijzijn uit te brengen, hoewel hij het eenmaal terug in de pizzeria zeker een uur lang over haar zal hebben, tot het keukenpersoneel zegt dat hij zijn kop moet houden. Lachend doet Antonia de deur dicht. Ze heeft weer iets terug van wat ze was kwijtgeraakt, wat het ook mag zijn. Aantrekkingskracht, begrijpt ze, heeft te maken met hoe je je voelt.

'Pizza,' roept Antonia en ze gaan met zijn allen aan tafel zitten, ondanks de afschuwelijke lucht van het goedje van de tantes, dat op de achterste brander van het fornuis staat te pruttelen. De storm doet de dakpannen rammelen en het onweer is zo dichtbij dat de grond ervan trilt. Een flinke bliksemschicht en de halve buurt zit zonder stroom; in de hele straat zoeken mensen naar zaklantaarns en stormlampen, of ze geven het op en gaan maar naar bed.

'Dat is een goed teken,' zegt tante Jet als ook bij hen de stroom uitvalt. 'Nu zijn wij het licht in de duisternis.'

'Zoek een kaars,' stelt Sally voor.

Kylie pakt een kaars van de plank boven de gootsteen. Als ze langs het fornuis komt, knijpt ze haar neus dicht.

'Bah, wat stinkt dat,' is haar commentaar op het brouwsel van de tantes.

'Dat is ook de bedoeling,' zegt Jet tevreden.

'Het stinkt altijd,' valt haar zuster haar bij.

Kylie komt terug en zet de kaars midden op tafel en steekt hem aan zodat ze verder kunnen gaan met het avondmaal, dat wordt verstoord door de bel.

'Ik mag hopen dat het niet die bezorger is die meer geld wil,' zegt Frances. 'Dan zal ik hem eens flink de waarheid zeggen.'

'Ik ga wel.' Gillian loopt naar de deur en zwaait hem open. Ben Frye staat op de veranda, in een geel regenjack; hij heeft een doos kaarsen en een stormlantaarn in zijn handen. Als ze hem ziet staan lopen de rillingen over Gillians rug. Vanaf het begin heeft ze gedacht dat Ben, telkens als hij bij haar was, zijn leven in de waagschaal stelde. Gezien haar gesternte en haar achtergrond moest alles dat fout kón gaan ook echt fout gaan. Ze was ervan overtuigd geweest dat ze iedereen van wie ze hield in het ongeluk stortte, maar dat was toen ze nog een vrouw was die haar vriendje had vermoord in een oude Oldsmobile; nu is ze iemand anders. Ze steekt haar hoofd door de voordeur en kust Ben op zijn mond. Ze kust hem op zo'n manier dat hij, als hij al ooit heeft overwogen om ermee te stoppen, die gedachte nu maar beter van zich af kan zetten.

'Wie heeft jou uitgenodigd?' zegt Gillian, maar ze heeft al een arm om hem heen geslagen; ze heeft de honingzoete lucht om zich heen hangen, waar je niet aan kunt ontkomen als je te dichtbij komt.

'Ik maakte me zorgen om je,' zegt Ben. 'Ze kunnen wel zeggen dat het een storm is, maar eigenlijk is het een orkaan.'

Vanavond heeft Ben Buddy alleen gelaten om de kaarsen te gaan brengen, al weet hij hoe bang het beestje is voor onweer. Zo gaat het als Ben Gillian wil zien, dan moet hij gewoon naar haar toe, ongeacht de gevolgen. Maar omdat het zo ongebruikelijk voor hem is om spontaan te handelen, heeft hij steeds een soort piep in zijn oren als hij iets dergelijks doet, al kan dat hem niets schelen. Als Ben thuiskomt, is het telefoonboek vast aan stukken gescheurd of zijn de zolen van zijn lievelingssportschoenen stukgeknaagd, maar dat heeft hij er wel voor over om bij Gillian te zijn.

'Maak je uit de voeten nu het nog kan,' zegt Gillian tegen hem. 'Mijn tantes uit Massachusetts zijn er.'

'Leuk,' zegt Ben en voor Gillian hem kan tegenhouden, staat hij al binnen. Gillian trekt aan de mouw van zijn regenjas, maar hij loopt al verder om de gasten te begroeten. De tantes zijn met ernstige dingen bezig; ze zullen uit hun vel springen als Ben de keuken binnen komt stormen in de veronderstelling dat hij twee lieve oude vrouwtjes zal ontmoeten. Ze zullen zich uit hun stoel verheffen en stampvoetend hun ijzige, grijze ogen op hem richten.

'Ze zijn net aangekomen en ze zijn helemaal op,' zegt Gillian. 'Je kunt beter niet naar binnen gaan. Ze houden niet zo van gezelschap. Bovendien zijn ze stokoud.'

Ben Frye luistert niet en waarom zou hij ook? De tantes zijn familie van Gillian en dat zegt hem genoeg. Energiek loopt hij de keuken binnen, waar Antonia en Kylie en Sally ophouden met eten zodra ze hem zien; ze kijken schielijk hoe de tantes reageren. Ben merkt niet hoe gespannen ze zijn, zoals hij ook geen acht slaat op de doordringende geur die uit de pan op het aanrecht opstijgt. Waarschijnlijk denkt hij dat de lucht afkomstig is van een bepaald schoonmaakmiddel of wasmiddel, of wellicht van een diertje, een jong eekhoorntje of een oude pad, die zich onder het trappetje achter het huis heeft teruggetrokken om te sterven.

Ben loopt op de tantes af, steekt een hand in de mouw van zijn regenjas en haalt een bos rozen te voorschijn. Verrukt neemt tante Jet ze aan. 'Prachtig,' zegt ze.

Tante Frances wrijft met haar duim en wijsvinger over het bloemblad om zich ervan te verzekeren dat de rozen echt zijn. Dat zijn ze, maar dat wil nog niet zeggen dat Frances zich zomaar laat inpalmen.

'Nog meer kunstjes?' zegt ze, met een stem die het bloed van een man in ijs kan doen veranderen.

Ben toont zijn innemendste glimlach, de glimlach waar Sally meteen al slappe knieën van kreeg en die de tantes doet denken aan de jongens die ze ooit gekend hebben. Hij steekt een hand uit en voor iemand er erg in heeft, haalt hij zomaar een chiffon sjaaltje met de kleur van saffieren achter het hoofd van tante Frances te voorschijn en reikt het haar vol trots aan.

'Dat kan ik niet aannemen,' zegt Frances, maar haar stem klinkt al minder ijzig dan eerst en als er even niemand kijkt, wikkelt ze het sjaaltje om haar nek. De kleur is perfect; haar ogen zijn als het water van een meer, helder en grijs-blauw. Ben gaat zitten, op zijn gemak, neemt een stuk pizza en vraagt Jet naar de reis vanuit Massachusetts. Op dat moment gebaart Frances Gillian dichterbij te komen.

'Met deze mag je het niet verknallen,' zegt ze tegen haar nicht.

'Dat was ik niet van plan,' stelt Gillian haar gerust.

Ben blijft tot elf uur. Hij maakt instant-chocoladepudding voor toe en leert Kylie en Antonia en tante Jet daarna hoe ze een kaartenhuis moeten maken, en hoe ze het met één keer blazen weer kunnen laten instorten.

'Deze keer heb je geluk gehad,' deelt Sally haar zus mee.

'Denk je dat het een kwestie van geluk was?' grijnst Gillian.

'Ja,' zegt Sally.

'Welnee,' zegt Gillian. 'Ik heb jaren geoefend.'

Precies op dat moment houden de tantes allebei hun hoofd scheef en maken een geluidje achter in hun keel, een klak die zo dicht tegen stilte aanhangt dat een ieder die niet heel aandachtig luistert, het gemakkelijk zou kunnen aanzien voor de vage roep van een krekel of de zucht van een muis onder de vloerplanken.

'Het is tijd,' zegt tante Frances.

'We moeten familiezaken bespreken,' zegt Jet tegen Ben, terwijl ze hem naar de deur leidt.

De stem van tante Jet klinkt altijd vriendelijk, maar de toon maakt dat niemand haar woorden durft te negeren. Ben pakt zijn regenjas en zwaait naar Gillian.

'Ik bel je morgenochtend,' kondigt hij aan. 'Ik kom hier ontbijten.'

'Met deze mag je het niet verknallen,' zegt tante Jet tegen Gillian, zodra ze de deur achter Bens rug in het slot heeft getrokken.

'Dat doe ik ook niet,' stelt Gillian ook haar gerust. Ze loopt naar het raam en werpt een blik op de achtertuin. 'Wat een noodweer.'

De wind rukt de pannen van het dak en alle katten uit de buurt hebben gezorgd dat ze ergens binnengelaten werden, of ze houden zich schuil in een raamkozijn, rillend en jammerend.

'Misschien kunnen we beter wachten,' stelt Sally voor.

'Zet de pan in de achtertuin,' zegt tante Jet tegen Kylie en Antonia.

De kaars midden op tafel geeft een flakkerende kring van licht. Tante Jet neemt Gillians hand in de hare. 'We moeten dit nu regelen. Afrekenen met een geest duldt geen uitstel.'

'Hoezo een geest?' vraagt Gillian. 'We willen alleen zorgen dat zijn lichaam onder de grond blijft.'

'Ook goed,' zegt tante Frances. 'Het is maar hoe je het wilt zien.'

Gillian zou willen dat ze ook een gin-tonic had genomen, zoals de tantes. In plaats daarvan drinkt ze haar koude koffie op, die al sinds het eind van de middag in een beker op het aanrecht staat. Morgenochtend zal het beekje achter de middelbare school zo diep zijn als een rivier; de padden zullen hun heil hogerop moeten zoeken; de kinderen zullen zonder enige aarzeling in het warme, troebele water springen, al hebben ze hun zondagse kleren en hun mooiste schoenen aan.

'Goed dan,' zegt Gillian. Ze weet dat haar tantes het over meer hebben dan alleen een lichaam; het is de geest van de man, die kwelt hen. 'Oké,' zegt ze tegen de tantes en zwaait de achterdeur open.

Antonia en Kylie zetten de pan in de achtertuin. De regen is dichtbij; ze voelen het aan de lucht. De tantes hebben de meisjes al gevraagd hun koffer bij de doornhaag neer te zetten. Ze gaan vlak bij elkaar staan en als de wind door hun rokken waait, maakt de stof een kreunend geluid.

'Wat eens een lichaam was, lost hierin op,' zegt tante Frances.

Ze wenkt Gillian.

'Ik?' Gillian doet een stap achteruit maar ze kan nergens heen. Sally staat vlak achter haar.

'Toe maar,' zegt Sally tegen haar.

Antonia en Kylie houden de zware pan vast; de wind is zo sterk dat de doornhaag in de rondte zwiept, alsof hij hen probeert te verwonden. Het wespennest gaat heen en weer. Het is de hoogste tijd.

'Jezus,' fluistert Gillian tegen Sally. 'Ik weet niet of ik het wel kan.'

Antonia's knokkels worden wit omdat ze zoveel kracht moet zetten om de pan niet te laten vallen. 'Wat is dat zwaar,' zegt ze met trillende stem.

'Geloof me,' zegt Sally tegen Gillian. 'Je kunt het.'

Als Sally inmiddels iets duidelijk is geworden, dan is het wel dat je jezelf versteld kunt doen staan door alles wat je aankunt. Dit zijn haar dochters, de meisjes die ze een normaal bestaan wilde bieden, en ze staat toe dat ze boven een berg beenderen staan met een spaghettipan, die voornamelijk is gevuld met loog. Wat is er met haar gebeurd? Wat is er in haar geknapt? Waar is die verstandige vrouw gebleven, de vrouw waar men op kon bouwen, dag-in dag-uit? Ze kan Gary niet uit haar gedachten bannen, hoe ze ook haar best doet. Ze heeft zelfs Motel De Schuilplaats gebeld om te vragen of hij was vertrokken. Dat was inderdaad het geval. Hij is weg en zij staat hier over hem te dromen. Afgelopen nacht heeft ze van de woestijn gedroomd. Ze droomde dat de tantes haar een loot van de appelboom uit hun tuin hadden gestuurd en dat hij zonder water bloeide. In haar dromen konden de paarden die de appels van die boom aten, harder rennen dan alle andere paarden, en iedere man die een hap nam van de taart die Sally van deze appels had bereid, was voor eeuwig de hare.

Sally en Gillian nemen de pan over van de meisjes, hoewel Gillian haar ogen gesloten houdt als ze de pan omkeren en het loog eruit gieten. De klamme aarde sist en wordt heet; terwijl het mengsel dieper in de grond dringt stijgt er een damp op. Hij heeft de kleur van berouw, de kleur van een gebroken hart, het grijs van duiven en de vroege morgen.

'Achteruit,' zeggen de tantes, als de grond begint te borrelen. De wortels van de doornhaag lossen op in het mengsel, net als stenen en kevers, leer en beenderen. Ze kunnen niet snel genoeg wegkomen en er gebeurt iets onder Kylie's voeten.

'Verdomme,' gilt Sally.

Precies onder Kylie's voeten begint de grond te verschuiven, in te zakken, naar beneden te storten als bij een aardverschuiving. Kylie voelt het, ze weet het, maar ze kan zich niet verroeren. Ze valt in een gat, ze valt razendsnel, maar Antonia grijpt de achterkant van haar T-shirt en trekt. Ze rukt Kylie met zo'n kracht naar boven dat Antonia haar elleboog hoort knappen.

Daar staan de meiden, buiten adem en als de dood. Zonder dat ze het zich bewust is, heeft Gillian Sally's arm beetgepakt; ze knijpt zo hard dat Sally nog dagen de afdruk van de vingers van haar zus op haar huid zal dragen. Nu lopen ze allemaal achteruit. Ze doen het snel. Ze doen het zonder dat het hen gezegd is. Een spoor bloedrode damp stijgt op van de plek waar Jimmy's hart zich bevonden moet hebben, een kleine tornado van kwaadaardigheid die oplost zodra hij in aanraking komt met de lucht.

'Dat was Jimmy,' zegt Kylie van de rode damp en inderdaad, ze ruiken bier en ledervet, ze voelen hoe de lucht zo heet wordt als de gloeiende peuken in een asbak. En dan is er niets meer. Helemaal niets. Gillian weet niet zeker of ze staat te huilen of dat het is gaan regenen. 'Nu is hij echt weg,' zegt Kylie tegen haar.

Maar de tantes nemen geen enkel risico. Ze hebben twintig blauwe stenen meegenomen in hun grootste koffer, stenen die Maria Owens meer dan tweehonderd jaar geleden naar het huis in Magnolia Street had gebracht. Van dit soort stenen is het pad in de tuin van de tantes gemaakt, maar er lagen nog extra stenen naast het tuinhuisje, genoeg voor een klein terras op de plek waar eens de seringen groeiden. Nu er van de doornhaag niets meer rest dan as, kunnen de vrouwen van Owens zonder enig probleem een kring stenen neerleggen. Het terras is niet zo groot, maar het biedt voldoende ruimte voor een klein smeedijzeren tafeltje en vier stoelen. De meisjes uit de buurt zullen smeken of ze hun partijtjes daar mogen houden en als hun moeder lachend vraagt waarom dat terras beter is dan hun eigen terras, bezweren de meisjes hen dat de blauwe stenen geluk brengen.

Geluk bestaat niet, zeggen die moeders dan. Drink nou maar lekker je jus d'orange en eet je cakejes en geef je partijtje in je eigen tuin. Maar zodra de moeders even niet opletten, zeulen de meisjes hun poppen en knuffels en theeserviesjes naar het terras van de Owens. 'Op ons geluk,' fluisteren ze als ze hun kopjes tegen elkaar stoten om te proosten. 'Op ons geluk,' zeggen ze, terwijl boven hen aan de hemel de sterren opdoemen.

Sommige mensen geloven dat er op elke vraag een logisch antwoord is; dat achter alles een bepaald systeem zit, een overzichtelijk systeem dat zuiver op empirische waarneming berust. Maar wat kan het anders zijn dan geluk, dat het pas echt begint te regenen als hun taak is volbracht? De vrouwen van

Owens hebben aarde onder hun nagels en hun armen doen pijn van het sjouwen met de zware stenen. Antonia en Kylie zullen vannacht slapen als een blok, net als de tantes, die van tijd tot tijd geplaagd worden door slapeloosheid. Ze zullen de hele nacht doorslapen, al zal de bliksem op twaalf verschillende plekken op Long Island inslaan voordat de storm is gaan liggen. Een huis in East Meadow zal tot op de grond afbranden. Een surfer in Long Beach, die altijd heeft gehunkerd naar een orkaan met huizenhoge golven, zal geëlektrokuteerd worden. Een esdoorn die al driehonderd jaar op het sportveld staat, zal in tweeën splijten en met kettingzagen moeten worden verwijderd om te zorgen dat hij niet bovenop het team van de tweede divisie zal vallen.

Alleen Sally en Gillian zijn nog wakker en zien de storm op zijn hevigst. Ze laten zich niet bang maken door de weersverwachting. Morgen ligt de tuin vol takken en rollen de vuilnisbakken door de straat, maar de lucht zal fris en zacht zijn. Als ze willen, kunnen ze buiten ontbijten en koffiedrinken. Ze kunnen luisteren naar het getjilp van de mussen die om kruimeltjes komen bedelen.

'De tantes leken minder teleurgesteld dan ik had verwacht,' zegt Gillian. 'In mij.'

De regen komt met bakken uit de lucht vallen; de blauwe stenen in de tuin worden schoongespoeld tot ze er weer als nieuw uitzien.

'Ze zouden wel gek zijn als ze teleurgesteld waren,' zegt Sally. Ze steekt een arm door die van haar zus. Ze gelooft dat ze het nog meende ook, wat ze net zei. 'En de tantes zijn bepaald niet gek.'

Vanavond richten Sally en Gillian al hun aandacht op de regen en morgen op de blauwe lucht. Al doen ze nog zo hun best, ze zullen altijd de meisjes blijven die ze ooit waren, gekleed in hun zwarte jurkje door de gevallen bladeren stappend, op weg naar een huis waar niemand door de ramen naar binnen of naar buiten kon kijken. Als het begint te schemeren denken ze altijd aan die vrouwen die alles overhadden voor liefde. En ondanks alles zullen ze ontdekken dat ze dit, meer dan wat ook, het fijnste moment van de dag vinden. Het is het uur waarop ze zich alles herinneren wat de tantes hen hebben geleerd. Het is het uur waar ze het dankbaarst voor zijn.

In de buitenwijken van de stad zijn de velden rood gekleurd en zijn de bomen verwrongen en geblakerd. De weilanden zijn met rijp bedekt en er kringelt rook omhoog uit de schoorstenen. In het park, midden in de stad, leggen de zwanen hun kop tussen hun vleugels, op zoek naar geborgenheid en warmte. De tuinen zijn kaal, behalve die van Owens. Daar groeien kolen, hoewel er vandaag een paar uit de rijen geplukt zullen worden om in bouillon gekookt te worden. De aardappels zijn al uitgegraven, gekookt en gepureerd en worden momenteel gekruid met zout, peper en takjes rozemarijn, die naast het hek groeit. De porseleinen schaal met wilgemotief is afgewassen en staat in het afdruiprek.

'Je doet er te veel peper in,' zegt Gillian tegen haar zus.

'Ik weet heus wel hoe ik aardappelpuree moet maken.' Sally heeft het elk jaar met Thanksgiving gemaakt, sinds ze bij de tantes uit huis is. Ze weet precies wat ze doet, al is het keukengerei ouderwets en een beetje roestig. Maar ja, sinds Gillian een ander mens is geeft ze ongevraagd raad, ook al weet ze niet waar ze het over heeft.

'Vertel mij wat over peper,' houdt Gillian vol. 'Dat is te veel.'

'Vertel mij wat over aardappels,' zegt Sally en wat haar betreft is de zaak hiermee afgedaan, al helemaal als ze om drie uur het feestmaal op tafel willen hebben.

Ze zijn gisteravond laat aangekomen; Ben en Gillian slapen op zolder, Kylie en Antonia delen een kamer die ooit de woonkamer is geweest, en Sally slaapt op een klapbed in de tochtige, kleine alkoof bovenaan de achtertrap. De verwarming is kapot en daarom hebben ze alle oude dekbedden te voorschijn gehaald en de loodgieter, meneer Jenkins, erbij geroepen om te kijken wat er in 's hemelsnaam mis is. Al is het de ochtend van Thanksgiving en was meneer Jenkins liever in zijn luie stoel blijven zitten, ze wisten allemaal dat hij er voor twaalven zou zijn toen Frances hem belde.

De tantes mopperen voortdurend dat iedereen veel te veel drukte maakt, maar ze glimlachen als Kylie en Antonia hen beetpakken en een kus op hun wangen drukken en zeggen dat ze zoveel van hen houden en dat altijd zullen blijven doen. Ze zeggen dat de tantes zich niet druk moeten maken om Scott Morrison die in Cambridge op de bus is gestapt; hij neemt zijn eigen slaapzak mee en gaat gewoon op de vloer in de woonkamer liggen; ze zullen nauwelijks merken dat hij er is, en datzelfde geldt voor de twee kamergenoten die met hem meekomen.

Van de katten is alleen Ekster nog in leven en hij is zo oud dat hij alleen nog overeind komt om naar zijn etensbakje te sjokken. De rest van de tijd ligt hij opgekruld op een speciaal daarvoor bestemd zijden kussen op een stoel in de keuken. Eksters ene oog kan niet meer open, maar zijn goede oog is strak gericht op de kalkoen, die op een aardewerken schaal in het midden van de houten tafel ligt af te koelen. Buddy moet op zolder blijven – Ben is bij hem en voert hem worteltjes uit de tuin van de tantes – omdat Ekster in het verleden wel eens een konijntje wilde pakken, dat tussen de rijen kool scharrelde. Hij wilde ze wel eens met huid en haar verslinden.

'Als je het waagt,' zegt Gillian tegen de kat, als ze ziet hoe hij naar de kalkoen loert; maar zodra ze haar hielen heeft gelicht pakt Sally een stukje wit vlees, dat ze zelf nooit zou eten, en voert het aan de oude Ekster.

Op Thanksgiving laten de tantes meestal gegrilde kip van de markt bezorgen. Een keer hebben ze zich moeten behelpen met diepvriesmaaltijden met kalkoen en een ander jaar zeiden ze bekijk het ook maar met die feestdagen, en aten ze gewoon gestoofd rundvlees. Dat wilden ze dit jaar weer doen, maar toen belden opeens de meisjes dat ze met de Thanksgiving allemaal wilden komen logeren.

'Ach, laat ze toch lekker koken,' zegt Jet tegen haar zus, die niet tegen het gerinkel en geklingel van potten en pannen kan. 'Als ze dat nou leuk vinden.'

Sally staat bij de gootsteen en spoelt de aardappelstamper af, dezelfde die ze als kind gebruikte, toen ze per se voedzame maaltijden wilde bereiden. Door het raam kan ze zien hoe Antonia en Kylie in de tuin heen en weer rennen om de eekhoorns weg te jagen. Antonia heeft een oude trui van Scott

Morrison aan, die ze zwart heeft geverfd. Hij is zo groot dat als ze met haar armen wappert om de eekhoorns te verjagen, het net lijkt alsof ze lange, wollen handen heeft. Kylie heeft zo erg de slappe lach dat ze op de grond moet gaan zitten. Ze wijst op een eekhoorn die weigert te vertrekken, een lelijke oude opa die tegen Antonia begint te krijsen, omdat hij vindt dat het zijn tuin is; de kool die zij hebben geoogst heeft hij de hele zomer en herfst in de gaten gehouden.

'Enige meiden,' zegt Gillian als ze naast Sally komt staan. Ze was van plan om weer over de peper te beginnen, maar ze bedenkt zich als ze de blik in de ogen van haar zus ziet.

'Het zijn al echte vrouwen,' zegt Sally met haar nuchtere stem.

'Ja, hoor,' sputtert Gillian tegen. De meisjes rennen in een kring achter de eekhoornopa aan. Ze gillen en vallen elkaar in de armen als hij plotseling op het tuinhek springt en hen woest aankijkt. 'Ze komen heel volwassen over.'

Begin oktober had Gillian eindelijk bericht gekregen van het openbaar ministerie in Tucson. De zussen hadden meer dan twee maanden in spanning gezeten wat Gary zou doen met de informatie die Sally hem had verstrekt; ze waren chagrijnig en afstandelijk tegen iedereen, behalve tegen elkaar. Toen kwam er eindelijk bericht, een aangetekende brief van ene Arno Williams. James Hawkins, schreef hij, was dood. Zijn lichaam was aangetroffen in de woestijn, waar hij zich maanden lang opgehouden moest hebben. Hij moest in stomdronken toestand in het kampvuur zijn gerold en hij was onherkenbaar verminkt. Nadat hij was overgebracht naar het mortuarium hadden ze hem alleen maar kunnen identificeren aan de hand van zijn zilveren ring, die enigszins was gesmolten. Deze werd nu aan Gillian opgestuurd, samen met een cheque van achthonderd dollar, het bedrag dat de in beslag genomen Oldsmobile nog had opgebracht, aangezien Jimmy haar als enige naaste familie had opgegeven bij de motorrijtuigenregistratie, wat in zekere zin ook wel klopte.

'Gary Hallet,' zei Gillian meteen. 'Hij heeft die ring aan de vinger geschoven van een of andere dode die ze niet konden identificeren. Je snapt toch wel wat dat betekent?'

'Hij wilde gewoon dat het recht zou zegevieren en dat is gebeurd.'

'Hij is tot over zijn oren verliefd.' Gillian was er niet van af te brengen. 'Net als jij.'

'Ach, schei toch uit,' had Sally gezegd.

Ze weigerde aan Gary te denken. Ze vertikte het. Ze wreef met twee vingers over het midden van haar borst, nam toen haar linkerpols tussen de duim en wijsvinger van haar rechterhand om haar hartslag te controleren. Ze trok zich niets aan van Gillians woorden; er was iets goed mis met haar. Haar hart maakte echt sprongetjes; het sloeg te snel en dan weer te langzaam, en als dat niet betekende dat er iets mis was, dan wist ze het ook niet meer.

Gillian schudde haar hoofd en kreunde; Sally zag er zo aandoenlijk uit. 'Je weet het echt niet. Dat hartaanval-gedoe van je? Dat is liefde,' kraaide ze. 'Zo voelt het nou.'

'Je bent niet goed wijs,' had Sally gezegd. 'Denk maar niet dat je alles weet, want geloof mij maar: dat is niet zo.'

Maar er was één ding dat Gillian heel zeker wist en dat was de reden dat zij en Ben Frye de zaterdag daarop gingen trouwen. Het was een bescheiden plechtigheid op het stadhuis en ze gaven elkaar geen ring, maar ze stonden wel zo lang te zoenen bij de balie van het bevolkingsregister dat men uiteindelijk kwam vragen of ze weg wilden gaan. Deze keer voelt het anders om getrouwd te zijn.

'Viermaal is scheepsrecht,' zegt ze als mensen haar vragen wat het geheim van een gelukkig huwelijk is, maar ze gelooft het zelf niet. Ze weet nu dat als je jezelf niet wegcijfert, er tweemaal zoveel liefde ontstaat als waarmee je bent begonnen; en dat is een recept waar je niet mee moet sjoemelen.

Sally loopt naar de koelkast om wat melk te pakken voor de aardappelpuree, hoewel ze zeker weet dat Gillian zal zeggen dat ze er water aan toe moet voegen, aangezien ze de laatste tijd een echte betweter is. Ze moet een aantal afgedekte borden opzij schuiven en terwijl ze daarmee bezig is, valt het deksel van een pan.

'Moet je kijken,' zegt ze tegen Gillian. 'Ze zijn nog altijd bezig.'

In de pan ligt het hart van een duif, met zeven spelden erin. Gillian komt naast haar zus staan. 'Er wordt iemand betoverd, dat is duidelijk.'

Zorgvuldig legt Sally het deksel weer op zijn plaats. 'Ik ben benieuwd wat er van haar is geworden.'

Gillian weet dat ze het over het meisje uit de drugstore heeft. 'Ik dacht altijd aan haar als alles tegenzat,' bekent Gillian. 'Ik wilde haar schrijven om te zeggen dat ik spijt heb van wat ik toen allemaal tegen haar heb gezegd.'

'Ze is waarschijnlijk uit het raam gesprongen,' gist Sally. 'Of ze heeft zichzelf verdronken in de badkuip.'

'Laten we gaan kijken.' zegt Gillian. Ze zet de kalkoen boven op de koelkast, waar Ekster er niet bij kan, en zet snel nog even de aardappelpuree in de oven zodat hij warm blijft, samen met een schaal kastanjepuree.

'Nee,' zegt Sally, 'we zijn te oud om iemand te bespioneren.' Maar ze laat zich meevoeren, eerst naar de garderobekast waar ze allebei een oude parka pakken, en daarna door de voordeur.

Ze draven door Magnolia Street en gaan Peabody Street in. Ze lopen langs het park, langs het grasveld waar de bliksem altijd inslaat, recht op de drugstore af. Ze komen langs een aantal winkels die dicht zijn – de slager en de bakker en de stomerij.

'Hij is vast dicht,' zegt Sally.

'Welnee,' antwoordt Gillian.

Maar als ze er eenmaal zijn, is het donker in de drugstore. Ze kijken door het raam naar de rijen shampoo, naar het rek met tijdschriften, naar de bar waar ze zoveel cola met vanillesmaak hebben gedronken. Alle winkels zijn vandaag gesloten, maar als ze zich omdraaien zien ze meneer Watts. De drugstore is altijd van zijn familie geweest; hij woont in het appartement erboven. Hij loopt achter zijn vrouw aan en draagt de twee aardappelkoeken die ze meenemen naar hun dochter in Marblehead.

'De meisjes Owens,' zegt hij zodra hij Sally en Gillian in het oog krijgt.

'In de roos,' grinnikt Gillian.

'U bent vandaag gesloten,' zegt Sally. Ze lopen achter meneer Watts aan, al staat zijn vrouw ongeduldig te gebaren bij de auto. 'Wat is er met dat meisje gebeurd? Dat meisje dat niet meer kon praten?'

'Irene?' vraagt hij. 'Die woont in Florida. Ze is een week nadat haar man afgelopen voorjaar is overleden, vertrokken. Ik heb gehoord dat ze alweer is hertrouwd.'

'Weet u zeker dat we dezelfde vrouw bedoelen?' vraagt Sally.

'Irene,' verzekert meneer Watts hen. 'Ze heeft een koffieshop in Highland Beach.'

Gillian en Sally rennen de hele weg naar huis. Ze lachen tijdens het rennen en moeten dan ook zo nu en dan stoppen om op adem te komen. De lucht is grijs en de wind guur, maar het kan hen niets schelen. Wanneer ze bij het zwarte hek zijn aangekomen, blijft Sally plotseling stokstijf staan.

'Wat is er?' zegt Gillian.

Wat Sally denkt te zien, kan niet waar zijn. Ze denkt dat ze Gary Hallet in de tuin ziet, gehurkt tussen de kool, en dat kan domweg niet.

'Kijk eens wie we daar hebben,' zegt Gillian opgetogen.

'Dat hebben zij gedaan,' zegt Sally. 'Met het hart van de duif.'

Zodra hij Sally ziet komt Gary overeind, een vogelverschrikker in een zwarte jas die niet weet of hij moet zwaaien.

'Nee, dat hebben ze niet,' zegt Gillian tegen Sally. 'Ze hebben er niets mee te maken.'

Maar het kan Sally niets schelen of Gillian afgelopen week Gary heeft gebeld en heeft gevraagd waar hij in 's hemelsnaam op wachtte. Het doet er niet toe of hij sinds dat gesprek met het adres van de tantes op een opgevouwen papiertje in zijn zak heeft rondgelopen. Als ze over het pad van blauwe stenen rent, maakt het helemaal niets meer uit wat de mensen vinden of denken. Er zijn tenslotte een aantal dingen die Sally Owens zeker weet: Gooi gemorst zout altijd over je linkerschouder. Zet rozemarijn bij het tuinhek. Doe peper door de aardappelpuree. Plant rozen en lavendel, die brengen geluk. Word verliefd als je de kans krijgt.